FREE DELIVERY
COCKTAILS · STEAKS · CHOPS · SEAFOOD
BREAKFAST · LUNCH · DINNER
The FLAME Restaurant
OPEN 24
BORDERS
entourage
Nancy Grace
HeadlineNews
Kodak
KODAK digital
Bank of America

Eight Million Ways to Die

25th ANNIVERSARY EDITION

by Lawrence Block

八百萬種死法

◆25週年紀念版◆

【勞倫斯・卜洛克年表】

LAWRENCE BLOCK TIMELINE

NOW 現在

2007
進行殺手凱勒系列第四本《殺人打帶跑》，在明尼亞波利附近舉行的一項二十四小時競走中，達到七十點二一哩。推出《八百萬種死法》二十五週年紀念版。

2006
殺手凱勒系列第三本《殺人排行榜》出版，又參加了兩次24小時競走，以及數次馬拉松。

2005
參加過一九八一年五個馬拉松賽之後便停止跑步的卜洛克重新出發，轉為競走。他參加了一項馬拉松和一項六十公里的競走，並在一項二十四小時比賽中走完六十三點二哩（至少這可以讓他遠離電腦鍵盤）。史卡德系列第十六本《繁花將盡》出版，獲該年度「最歡樂的書名」獎。

2004
獲英國推理作家協會頒發表彰終身成就的鑽石匕首獎。在倫敦領獎時，卜洛克為表尊重地主，特意照英國人的發音，唸錯「爭議」（controversy）和「車庫」（garage）兩個字。在美國，雅賊系列新著《伺機下手的賊》出版。

2003
出版《小城》，這是一本背景設定在九一一發生之後的巨幅長篇小說。

2002
美國私家偵探作家協會（Private Eye Writers of America）頒給卜洛克終身成就獎。

2001
史卡德系列第十五本《死亡的渴望》出版，登上《紐約時報》暢銷排行榜。卜洛克被迫發表評論時說：「被提名就已經很光榮了。」他和妻子搭渡輪從阿根廷的布宜諾斯艾利斯出發，到烏拉圭的首都蒙特維多；烏拉圭是他們拜訪過的第一百個國家，因此也讓他們夠資格成為「旅遊百國俱樂部」的會員。

2000
「殺手凱勒」系列第二本《黑名單》出版。凱勒的時間主要用來殺人和從事集郵，這也是作者的嗜好。卜洛克發現大家開始不再問他點子從哪裡來了。

1982
Arbor House出版史卡德系列第五本小說《八百萬種死法》。本書亦提名愛倫坡獎，但未得獎。卜洛克侵犯同業版權，宣稱「被提名就已經很光榮了」。四年後，改編自本書的電影上映，由哈爾・艾許比（Hal Ashby）執導。很難得地，影評人和觀眾對這部電影意見相同，一致採取迴避態度。

1987
改編自《衣櫃裡的賊》的電影《你偷我搶》（*Burglar*）上映，休・威爾森（Hugh Wilson）執導。可惜並非休・威爾森的最後一部電影。很難得地，影評人和觀眾對這部電影意見相同，一致採取迴避態度。

1990
《花花公子》雜誌刊登〈名叫士兵〉，為「殺手凱勒」首度登場作。卜洛克老碰到有人問他點子從哪裡來。

1992
《屠宰場之舞》獲愛倫坡獎最佳小說獎。

1994
獲美國推理作家協會（MWA）所頒發的大師獎，卜洛克說這是他的同業在告訴他，他的未來主要是仰仗於過去成就。〈凱勒的心理治療〉獲愛倫坡獎最佳短篇小說獎。

1998
「殺手凱勒」系列第一本《殺手》出版，另外「睡不著覺的密探」系列新作《*Tanner On Ice*》出版，離上一本出版時隔二十八年。（結果中間他一直在睡覺，想不到吧？）

START HERE

1938年6月24日
生於紐約州水牛城。小羅斯福總統在當晚電台轉播的「爐邊談話」中說，這是華府「有史以來最溫暖的夜晚之一」。

1951
在以「美國精神」為題的全國作文比賽得獎，贏得到華府一遊。

1955
擔任班奈特高中該屆畢業班的「學生詩人」，進入俄亥俄州黃泉市安提阿學院（Antioch College）。

1957
賣出第一部短篇〈你不能輸〉（*You Can't Lose*）給*Manhunt*雜誌，休學一年在紐約一家文學經紀公司工作。蘇聯發射「史潑尼克」（Sputnik）衛星，傑克．凱魯亞克出版《旅途上》，上述兩件事的巧合，因而造就了一個新字「beatnik」（垮掉的一代）。

1958
賣出第一本小說給紐約Fawcett Crest出版公司，然後回到安提阿學院編校刊。花更多時間寫平裝版小說，該學期結束後再度離校。

1961
第一本小說出版，某個出版社裡的天才把書名改為《蒙娜》（*Mona*）。此書後來重新發行，改回原名《*Grifter's Game*》。

1964
赴威斯康辛州瑞辛市（Racine）擔任Western Printing出版公司編輯。這將是他最後一個上班工作。一年半後重返紐約。

1966
進行《睡不著覺的密探》的寫作，這是該系列第一本，主角是一名罹患永久失眠症的特約間諜伊凡．譚納。

1967
Macmillan公司出版卜洛克的第一本精裝小說《致命蜜月》（*Deadly Honeymoon*）。六年後改編為電影《惡夢蜜月》（*Nightmare Honeymoon*），由Elliot Silverstein執導。很難得地，影評人和觀眾對這部電影意見相同，一致採取迴避態度。

1974
卜洛克第一段婚姻告終，搬到西五十八街，在那裡開始寫《父之罪》，書中主角馬修．史卡德離婚並搬到西五十七街的旅館。老碰到有人問他點子從哪裡來。

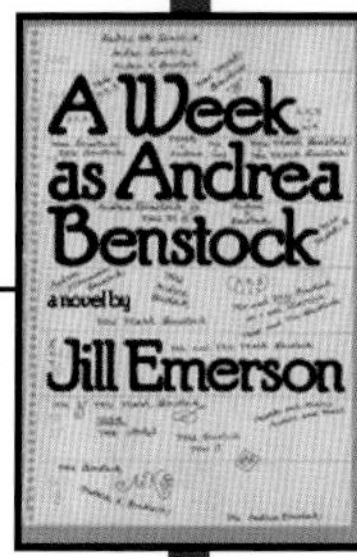

1975
Arbor House出版社的發行人Donald I. Fine出版《*A Week as Andrea Benstock*》，展開一段長達三分之一個世紀的合作關係（後來Arbor House併入William Morrow出版公司，最後又被HaperCollins收購）……且至今仍持續。

1977
史卡德系列的第二本小說《謀殺與創造之時》獲愛倫坡獎提名，但未得獎。卜洛克說：「被提名就已經很光榮了。」然後才曉得這句話的版權已經屬於另一個同業了。

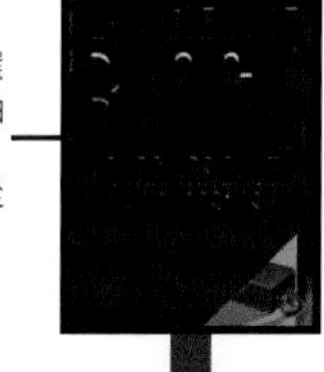

1977
雅賊系列第一本《別無選擇的賊》出版，主角柏尼．羅登拔首度登場。老碰到有人問他點子從哪裡來。

1979
雅賊系列第三本《喜歡引用吉卜齡的賊》出版，贏得第一屆尼洛．伍爾夫獎。

1981
熱中慢跑的卜洛克參加了倫敦、馬德里、北達科塔、紐約、新澤西五項馬拉松賽並跑完全程。Arbor House接手史卡德系列下一本書《黑暗之刺》，同時出版小說寫作教學書《卜洛克的小說學堂》（*Telling Lies for Fun & Profit*）。

【馬修・史卡德系列作品年表】

LAWRENCE BLOCK'S MATTHEW SCUDDER BOOKS

1976 ……… 父之罪
The Sins of the Fathers

1977 ……… 謀殺與創造之時
Time to Murder and Create

1976 ……… 在死亡之中
In the Midst of Death

1981 ……… 黑暗之刺
A Stab in the Dark

1982 ……… 八百萬種死法
Eight Million Ways to Die

1986 ……… 酒店關門之後
When the Sacred Ginmill Closes

1989 ……… 刀鋒之先
Out on the Cutting Edge

1990 ……… 到墳場的車票
A Ticket to the Boneyard

1991 ……… 屠宰場之舞
A Dance at the Slaughterhouse

1992 ……… 行過死蔭之地
A Walk Along the Tombstones

1993 ……… 惡魔預知死亡
The Devil Knows You're Dead

1994 ……… 一長串的死者
A Long Line of Dead Men

1997 ……… 向邪惡追索
Even the Wicked

1998 ……… 每個人都死了
Everybody Dies

2001 ……… 死亡的渴望
Hope to Die

2005 ……… 繁花將盡
All the Flowers Are Dying

卜洛克寫給台灣讀者

三年前，我有幸參加台北書展，即便是一個筆耕半世紀的職業作家，也從未經歷在台灣這般熱情的歡迎。簇擁的書迷，甚至讓我覺得自己是搖滾明星！更重要的是：我發現台灣讀者真的了解我的作品，發自內心給我回應。我不知道為什麼，但我內心深懷感激。

臉譜出版發行《八百萬種死法》二十五週年精裝紀念版，讓我格外高興。這本書是馬修・史卡德系列的第五本，也是最關鍵的一本。史卡德必須面對他的酗酒，全力周旋。有人說這是很重要的一本書，我倒沒有特別的感覺。我不確定我的作品重不重要，但我承認，這本作品對我很重要——很高興臉譜出版用這麼隆重的態度，讓它重新問世。

近來，我覺得我跟你們的世界很親近。我幫王家衛寫的電影——《我的藍莓夜》，剛剛在美國上演。此外，還有一個優秀的華人男演員，即將擔綱演出我的另外一部作品。我希望這個機遇能讓我有機會再度造訪台灣，在此之前，我請《八百萬種死法》代我先走這一遭。謝謝你們讓這本書——還有我——在你們那裡，這麼受到歡迎。

〈導讀〉

潘朵拉的盒子

唐諾

「就是紐約……紐約就建在曼哈頓島上。」
「什麼？紐約在一座島上？」
「這孩子居然不知道自己家鄉是在島上。」
——帕索斯．《曼哈頓站》

八百萬種死人的方法？這什麼意思？您在一部偵探小說中看過最多的死法有多少種？——我個人所知的記錄是《一個都不留》，是克莉絲蒂的作品，書中十人出場，無一倖免，連偵探帶凶手全掛。

或是我們換個方式問：為什麼是八百萬？答案是，八百萬是整個紐約市的總人口數（當時），全紐約人全死光是什麼意思？當然，小說沒這麼狠，這只是說一種可能性、一種合情合理的假設，真正的意思接近台灣名小說家朱天心所說過的：免於隨時隨地皆可死去的自由。

在某些特殊的時空、特殊的情境下（如紐約或現在的台北市），人眞的是很脆弱無助的，隨時隨地會莫名死去，其間不分種族、不分畛域、不分男女老幼、不分聖賢才智平庸愚劣，你可能只是去陽台晾個衣服，或在自家餐桌旁喝杯咖啡云云，因此，我們很容易察覺，一九四一年美國總統佛蘭克林·羅斯福在致美國國會咨文中所揭櫫的「四大自由」實在太不切實際也太天眞了點，死亡，可以甚至往往在你來不及恐懼之前就找上你並且完成——這是種更大的恐懼呢？或換個心情想，竟是一種幸福？

把諸如此類的想法藏一本偵探小說的書名中，很顯然，寫作者是個有想法、有信念之人。

◆卜洛克和史卡德

對世界有如此強烈信念的偵探小說作家，想來最該是漢密特、錢德勒一脈的冷硬私探派——這人叫勞倫斯·卜洛克，一九九四年美國「艾德格獎」得主，當代犯罪小說大師。他筆下的私探名爲馬修·史卡德，是名離職離婚的前警員，也是名戒酒中的前酒鬼，他不願也不耐煩申請私探執照，願者上門，倒不是流浪漢型的人物，勿寧接近現代社會常見的某種自由工作者。

從半世紀前漢密特和錢德勒爲偵探小說注入「眞實」這個元素之後，美國的偵探小說便很難假裝沒事，再回到范·達因以及之前大西洋彼岸的英國古典推理傳統，因此，在消遣之外，總隱藏著一個蠢蠢欲動的企圖：描述人的處境，孤獨的個人和日趨複雜的社會一種永不休止的角力，以及節節敗退後的微弱反擊和療傷止痛，甚至如福克納在他領諾貝爾獎時那段著名致謝辭所說的：「當人類末日之鐘敲響了，並從那最後的夕暉中，從寂無潮音的岩崖中逐漸消失時，世界上還會留下一種聲音：人類那微弱卻永不耗竭的說話聲音。」

據我個人所知，名作家朱天文曾令人駭異的用「優雅」二字來形容卜洛克筆下這位私探史卡德先生，這是不是讓人直接想到五〇年前錢德勒筆下那名優雅高貴的冷硬私探元祖菲力普·馬羅？是滿像的，差不多的正直，差不多的聰明且言辭幽默，也差不多的孤獨，只除了史卡德的形象更渺小了些，譏誚轉成了自嘲，波本威士忌換成了黑咖啡和可樂，對正義的熱望也冷卻成寒涼世界的一點點火光或可望之取暖——我覺得史卡德很像老了五十歲的菲力普·馬羅。

◆「那又怎樣」的哲學問題

卜洛克在每部小說中都不惜花一大堆筆墨寫史卡德戒酒、出席AAA（匿名戒酒協會）的聚會，寫得之複雜之微妙之飽滿眞實，不由讓人懷疑這一定是卜洛克自己的親身經歷，否則哪可能這麼傳神且流水般一路辯證不完。

但戒酒幹什麼？成功的又一天沒喝酒又怎樣？你因此變得更快樂或更有價值一個人？卜洛克筆下這些在大紐約市踽踽獨行的人，不止史卡德自己，也包括警察、酒保、包打聽的丹尼男孩、千奇百怪的各個妓女，甚至包括才teenage的小鬼頭阿傑，無不是老練世故、踮起脚來就能一眼洞穿人生盡頭之人，多看兩眼、多問兩句有關意義的問題，當場就會問倒自己再找不到活著的理由（一個無親無故、隻身住破旅館、靠領救濟金過活的老頭子，即使不喝酒又怎樣？這是史卡德的老年夢魘），因此，他們很自然不敢瞻望未來，不敢沒事問「那又怎樣」一類的哲學問題，只能低著頭過日子，除了生物性的本能驅力外，他們尋求的往往是：做為人的一點最原初的善意，一點最單純的感動、一點你也明明曉得「那又怎樣」的自我設定目標完成（比方說破一個案、莫名其妙把收入十分之一扔教堂奉獻箱、戒一天就成功一天云云），他們也不問自己等什麼，反倒有點天真的行禮如儀。

◆這個城市

在卜洛克另一部小說《刀鋒之先》（*Out of the Cutting Edge*）中，有一段寫到史卡德向某個酒保要個地址，酒保不給，兩人劍拔弩張起來又馬上自覺孟浪相互道歉，「你知道，這個城市。」當下，兩人便默契十足芥蒂全消——這個城市是紐約，罪惡之都，美國推理作家協會票選「最佳謀殺城市」的第一名，每個人皆可隨時隨地死去的地方，卜洛克小說的永恆場景和主題。

紐約這個特質似乎全世界路人皆知，很多人不敢想、但也很多人努力在想：這個城市這樣一路下去最後會怎樣？我記得多年之前好萊塢有部片子好像叫「紐約大逃亡」之類的，時間設定在未來，說彼時的紐約已成爲世界最大的監獄，四面豎立了高牆隔絕起來，所有的凶惡罪犯空投進裡面，讓他們弱肉強食，自生自滅。

滿俏皮也滿聳人聽聞的，但不太對。

不太對的原因是：一種全然的、純粹的、無趣的惡人之國，可怕是可怕，但就像鬧鬼的古堡一樣，除非你倒楣或無知不小心誤蹈其中，否則也沒什麼，你大可離它遠一些。

若說罪惡有什麼可怕，在於它鮮豔、它芬芳，它召喚遠人以來之：性、酒精、毒品、金錢、藝術、權力、乃至死亡無一不能如此。

我不想覆誦多少人講過的，紐約有怎麼樣最好的咖啡和食物，有最好的戲劇、藝術甚至電影（他們有伍廸·艾倫）、有最好的橋云云，我知道，他們甚至還有最好的大聯盟棒球隊，有絕對不是最好但眞的是最粗暴的NBA籃球隊（但他們的確有最好的街頭籃球）。我想指出的只是，在我認識的人之中，最古井不波也最少欲望的人可能是小說家鍾阿城，但阿城曾告訴我他每回去紐約，「他媽的一待就半年，走不了。」原因是阿城喜歡博物館、喜歡藝術品和畫，看不完——紐約連阿城這樣的人都叫得來留得住，我不認爲有太多的人能無動於衷。

就像紐約港口站著的自由女神身上所鐫刻的文字，那些貧苦無依的，那些受盡壓迫的，那些渴望自由……全都可以到我這裡來——是的，他們全來了，什麼都來了。

我一直覺得卜洛克小說最好看的相當一部分，便在於他寫的紐約，這個潘朵拉的盒子，讓所有他筆下的死亡在無比的華麗和無比的險刻凶殘之間穿梭而行，就像《八百萬種死法》這部小說裡的，穿梭在一個優雅且深諳非洲藝術的黑人皮條客，和他旗下六名這個能寫詩、那個懂報導文學的千奇百怪妓女之間；而話說回來，也虧得有紐約這麼個城市來支撐，這樣的死亡已才成立，才說得過，不致於輕飄飄的一吹就走，猶能如當年的漢密特和錢德勒一般，鐵釘般又深又牢的打進讀小說的人心裡。

◆美好的結尾

我也喜歡這部小說的結尾，小說的最後一行。

我總無來由的想到一段禱告詞，據馮內果說，是出自一個希望再也不沾一滴酒的酒鬼（其實是馮內果自己，但多像史卡德）之手：「主啊，請賜我平靜，能接納我無法改變的事，請賜我勇氣，能改變我可以改變的事，並請賜我智慧，讓我能辨別這兩者的不同。」

Lawrence Block

八百萬種死法

EIGHT MILLION WAYS TO DIE

勞倫斯・卜洛克 著　　易萃雯 譯

1

我看到她進來。想要不看到也難。她一頭金髮近於白色，若是長在小孩頭上，會被稱做淡痲黃色。她的頭髮綁成粗粗的辮子盤在頭上，用別針別起來；前額高且光滑，顴骨突起，嘴巴稍嫌過寬。穿著那雙西部馬靴，她看來應該有六呎高，身長主要因爲腿長。她穿條名家設計的酒紅色牛仔褲，上身罩了件香檳色的毛皮短外套。那天已經斷斷續續下了好幾場雨，而她卻沒有帶傘，也沒戴帽子。水珠像鑽石一樣，在她的髮辮上閃閃發光。

她在門口站了會兒，四下張望。那是個星期三下午，約莫三點半，是阿姆斯壯酒吧生意最清淡的時段。午餐那群人早走光了，而下班的人潮也不可能這麼早湧來。再過一刻鐘，會有兩個學校老師進來匆匆喝杯酒，然後是羅斯福醫院一些四點下班的輪班護士。不過這個時候吧台只坐了三、四個人，另外有兩個人在表演台邊的桌子斟著一大瓶葡萄酒喝，如此而已。除了我，當然，我還是坐在後頭的老位子。

她馬上看到我，而我也越過整個房間截到她眼裡的藍光。不過她還是到吧台先問清楚，然後才穿過重重桌子，走到我坐的地方。

她說：「史卡德先生嗎？我叫琴・達科能，是伊蓮・馬岱的朋友。」

「她打過電話給我。請坐。」

「謝謝。」

她坐在我對面，把手提包擱在我倆中間的桌子上，拿出一包香煙和一個隨用隨丟的打火機，然後手上夾著未點的香煙，問我是否介意她抽煙。我說不介意。

她的聲音和我預期的大不相同：非常柔軟，而且是標準的中西部口音。看了她的馬靴、毛皮外套、有稜有角的臉孔，再加上那麼個異國風味的名字，我本以爲她發出的會是自虐狂幻想中的女聲：嚴酷、冷峻，帶著歐洲口音。而且她也比我乍見之下的印象來得年輕。不會超過二十五歲。

她點了煙，把打火機放在香煙盒上。女侍艾芙琳因爲在百老匯附近一家戲院找到個小角色，最近兩個禮拜都只上白天班。她看來永遠像是在呵欠邊緣。琴・達科能正在撥弄打火機玩的時候，她來到桌旁。琴點了一杯白酒。艾芙琳問我要不要再添咖啡，我才回了聲要，琴馬上說：「噢，你在喝咖啡啊？那我也跟你一樣好了，不喝酒。可以嗎？」

咖啡送來後，她加上奶精和糖，攪了攪，啜了啜，然後告訴我她沒什麼酒量，尤其現在時候又早。不過她沒辦法學我喝黑咖啡，她永遠做不到。她喝的咖啡非得又甜又營養，差不多跟甜點一樣，不過她還滿幸運的：從來不用擔心體重。她可以開懷暢吃，卻連一盎司體重也不增加。夠幸運吧？

我同意。

我認識伊蓮很久了嗎?好多年囉，我說。呃，她認識她倒沒有那麼久，事實上她來紐約也沒很久，而且和她也不是很熟，不過她覺得伊蓮人非常好。我不同意嗎?我同意。而且伊蓮脾氣溫和，又很講理，滿不錯的，不是嗎?我同意是很不錯。

我讓她慢慢來。她的閒談漫無邊際。她講話的時候面帶微笑，兩眼盯著你的眼睛不放。不管參加什麼她沒法輕易贏得后冠的選美大賽，她好歹也能領個最佳人緣獎。而且就算她得花些時間才能步入正題，我也無所謂。我沒別的地方可去，也沒別的事好幹。

她說:「你當過警察。」

「幾年前。」

「現在你是私家偵探。」

「不完全是。」眼睛瞪大了。艷藍色，很少見的色調，我在想她是不是戴了隱形眼鏡。軟式鏡片有時候會做些奇怪的事:改變某些色澤，加深別的。

「我沒有執照，」我解釋說:「我決定不要警徽的時候，也決定了不要執照。」也不想填表格或者存檔案或者和稅務員打交道，「我做的事都不公開。」

「不過這是你的職業沒錯吧?你以此維生?」

「對。」

「你怎麼稱呼它?你的職業。」

你可以稱它是撈錢，只不過我撈得不多。通常是工作來找我。我拒絕的比接手的多，而我接下的工作又都是我想不出該怎麼拒絕的那些。現在我正在想，不知道這個女人想從我身上撈到什麼，我又該找個什麼藉口回絕。

「我不知道該怎麼稱呼它，」我告訴她，「你可以說我在幫朋友的忙。」

她的臉亮起來。打從踏進門來，她就一直在笑，不過這笑還是現在才漾進眼裡。「嗯，呸！好極了，」她說：「我是需要幫忙。說起來，我也需要朋友。」

「有什麼麻煩？」

她點上另一支香煙，好再多點考慮的時間，然後垂下眼簾看著自己的雙手把打火機調移到煙盒頂的正中央。她的指甲修剪得非常仔細，長但不奇怪，塗上艷亮的濃紫色。左手中指上戴了枚鑲著方形綠寶石的金戒指。她說：「你知道我是做什麼的。跟伊蓮一樣。」

「我也猜到了。」

「我是妓女。」

我點點頭。她坐直上身，挺挺肩膀，弄正毛皮外套，打開喉嚨上的釦鉤。我聞到她一絲香水味。以前我聞過同樣刺鼻的味道，可是記不得是什麼場合。我拿起杯子，把咖啡喝光。

「我想退出。」

「這種生活？」

她點點頭。「我已經做四年了。我是四年前的七月來這兒的。八月、九月、十月、十一月。四年又四個月。我二十三歲，還很年輕，不是嗎？」

「是的。」

「感覺卻不那麼年輕。」她再一次調整外套，把釦鉤鉤回去。她的戒指亮出閃光。「四年前我下車的時候，一手提了個箱子，一手拎了件牛仔外套。現在我有了這個。是貂皮。」

「很適合你。」

「我願意拿它交換以前那件牛仔外套，」她說：「如果我可以重新活過這四年。不，我做不到。因爲如果可以重新來過，我還是會再犯一次，對不對？眞希望能回到十九歲，而又知道我現在知道的事情，不過那表示我得從十五歲就開始賣身，這樣一來我現在應該已經死了。我又在胡言亂語了，對不起。」

「不必道歉。」

「我想退出這種生活。」

「然後幹嘛？回明尼蘇達？」

「威斯康辛。不，我不會回去。那兒沒什麼值得我留戀。我想退出並不表示我得回去。」

「好吧。」

「如果朝這方向想的話，我永遠沒好日子過。很多人把一切簡化成兩個選擇：如果A行不通，就非選B不可。不過這樣不對，英文還有其他二十四個字母。」

她走投無路的時候，總還可以教教哲學。我說：「爲什麼需要我，琴？」

「噢，我正要說。」

我等著。

「我有個皮條客。」

「他不讓你離開？」

「我還沒跟他提過半個字。我想他可能知道，但我什麼都沒說，而他也什麼都沒說——」

她整個上半身抖了好一會兒，小粒汗珠在她上唇發出亮光。

「你怕他。」

「你怎麼猜到的？」

「他威脅過你嗎？」

「也不算啦。」

「此話怎講？」

「他從來沒有威脅過我，可是我覺得受到威脅。」

「其他女孩有沒有試過離開？」

「不知道。其他的女孩我都不太熟。他跟別的皮條客很不一樣，至少跟我知道的那些不一樣。」

他們全都不一樣。只要問問他們旗下的女孩就好了。「怎麼不一樣？」我問她。

「他比較文雅，不那麼張狂。」

當然。「他叫什麼?」

「錢斯（譯註：Chance，機會）。」

「是姓還是名?」

「大家都這麼叫他。我不知道是姓還是名。也許都不是，只是個綽號。過我們這種生活的人，常用假名。」

「琴是你的眞名嗎?」

她點點頭，「但我用過花名。在錢斯之前，我跟過一個叫達非的皮條客。他自稱是達非·格林，不過他也叫尤金·達非，而且他還有個偶爾會用的名字，我想不起來。」她回想起什麼，微微一笑，「當初加入他旗下時，我還是一隻菜鳥。他雖然沒在我一下車就逮著我，不過也差不多了。」

「是黑人?」

「達非?當然。錢斯也是。達非把我擺上街，在萊辛頓大道攬客。有時候如果那裡太熱的話，我們會過河到長島市。」她眼睛闔上一會兒。張開時，她說：「我突然想起好多事情，想起流鶯生活是怎麼回事。我的花名叫斑比。在長島市，我們都躲在車裡幹那勾當，嫖客會從長島各處湧來。萊辛頓大道可不同，那兒我們有個固定的旅館可以用。眞不敢相信我那麼做過，我以前就是那樣過活。老天，我那時可眞夠嫩!倒也不是天眞無邪。我知道自己到紐約想要幹嘛，不過我眞的是菜鳥一隻。」

「你在街上拉客拉了多久？」

「應該有五、六個月。我不太行。我外表可以，而且你知道，也會表演，可是不夠機靈。有好幾次我陷入低潮根本沒法工作。達非給了我一些藥，但是結果只有更糟。」

「藥？」

「你知道，毒品。」

「噢。」

「然後他就把我安置在一個房子裡，那要好多了，可是他不喜歡，因為比較沒辦法控制我的行動。哥倫布圓環附近有個很大的公寓，我到那兒上班，就像你去辦公室工作一樣。我在那個房子待了……不曉得，大概六個月吧。差不多那麼久。然後我就跟了錢斯。」

「那又是怎麼回事？」

「我當時和達非一道，坐在酒吧，不是皮條客酒吧，是家爵士樂夜總會，然後錢斯就來了，在我們那桌坐下。我們三個坐著聊天，然後他們留我一個人坐著，到別的地方去談，然後達非又單獨回來，要我和錢斯一道走。我以為他是要我搞他，你知道，像跟嫖客一樣，那可把我氣壞了，因為那天晚上我們講好要在一起，怎麼突然變卦。你知道，我沒想到錢斯也是皮條客。然後他就跟我解釋，我以後得幫錢斯工作。我覺得自己好像是他剛剛賣掉的舊車。」

「他真那麼做了？把你賣給錢斯？」

「我不知道他做了什麼。反正結果我跟著錢斯沒出問題，要比跟達非好些。他把我帶出那個房子，要我守住一具電話，算算到現在，呃，也有三年了吧。」

「而現在你要我把你救出火坑？」

「辦得到嗎？」

「不曉得。也許你可以自己來。你難道什麼也沒跟他說過？暗示過，談過之類的？」

「我怕。」

「怕什麼？」

「怕他會殺了我，或者在我身上劃兩道，或者什麼別的。或者他會說服我打消念頭。」她往前傾，指尖濃紫的手指覆在我手腕上。這個動作看得出來頗富心機，不過還是很有威力。我吸進她刺鼻的香味，感覺到她強烈的女人味。我並沒有亢奮，也不想要她，可是我不可能不注意到她散發的魅力。她說：「你不能幫幫我嗎，馬修？」然後，馬上，「你介不介意我叫你馬修？」

我忍不住笑，「不，」我說：「我不介意。」

「我在賺錢，可是留不住錢。而且現在賺的也眞不比以前在街上時多。不過我手頭是有些錢。」

「哦？」

「有一千塊錢。」

我什麼也沒說。她打開皮包，抽出一張素白信封，撕開封口，掏出一疊鈔票擺在我們中間的桌子上。

「你可以幫我去看看他。」她說。

我拿起錢，握在手中。眼前提供的機會是要我在金髮妓女和黑人淫媒中間牽線。這種角色我可從來沒有興趣。

我想把錢退回。可是我才出了羅斯福醫院八、九天，欠他們一筆醫藥費，房租下個月一號得繳，而且又好久——久到我都不想記得有多久——沒寄半毛錢給安妮塔跟孩子們。我皮夾有錢，銀行有更多錢，可是加起來也沒多少。再說，琴·達科能的錢不比別人差，又比較好賺，至於她錢的來路有必要去計較嗎？

我數數鈔票。全是用過的百元大鈔，總共十張。我在桌上留下五張，把另外五張交還給她。她的眼睛瞪大了些，當時我馬上認定她戴了隱形眼鏡。哪有人眼睛會是那種顏色。

我說：「現在五張，事後五張。如果我把你救出火坑。」

「成交。」她說，突然露齒而笑，「其實你現在就可以全拿。」

「有個動力我也許會積極點。還要不要咖啡？」

「如果你也要的話。另外我想吃些甜的。他們這兒有沒有點心？」

「這兒胡桃派不錯，起司蛋糕也滿受歡迎的。」

「我愛吃胡桃派，」她說：「我甜的吃很兇，可是一點也吃不胖。幸運吧？」

2

有個問題，要跟錢斯談，得先找到他人才行。可是她沒辦法告訴我怎麼找。

「我不知道他住哪裡，」她說：「沒有人知道。」

「沒有人？」

「他的女孩沒一個知道。如果我們當中有兩個剛巧湊在一起，而他又不在場的話，這是公認最受歡迎的猜謎遊戲。有天晚上我記得有個叫桑妮的女孩和我碰到一塊，我們就胡鬧著想出一個又一個可能。譬如他和他殘廢的媽媽住在哈林區一間租來的破公寓，或者他在郊區有座農場，每天通車上班，或者他在糖果山上有棟別墅。或者他在車裡擺了兩個行李箱，裝了所有家當，每晚到我們之中一個女孩的公寓睡幾個鐘頭。」她想了一會兒，「只不過他跟我在一起的時候，從不睡覺。如果我們眞上了床，事後他會躺一下子，然後就起床穿衣出門。他有回說過，如果房裡還有別人，他就沒法入睡。」

「那你怎麼聯絡他？」

「有個號碼可以打。不過那是答話服務公司。你隨時可以打這號碼，一天二十四小時，一定有個總機接你電話。錢斯常常打去查問口信。如果我們出門或者什麼的，他每半個鐘頭一定查問一次。」

她給了我這個號碼，我寫在記事本上。我問她，他車都停在哪裡。她不知道。她記不記得那車的牌照號碼？

她搖搖頭，「我從來不注意那類事情。他的車是凱迪拉克。」

「好個意外。他平常都在哪兒晃？」

「不知道。要找他的話，我會留個口信。我不會上街四處找他。你是說他有沒有固定光顧哪家酒吧？他偶爾會去的地方很多，但都不固定。」

「他都做些什麼？」

「你的意思是……？」

「他去不去球賽？賭不賭博？他都做些什麼消遣？」

她仔細考慮這個問題。「他做很多不同的事情。」她說。

「你的意思是……？」

「要看他跟誰在一起。我喜歡到爵士樂夜總會，所以如果他跟我一起的話，我們會去那裡。而要是他想那樣安排晚上的節目，他要找的一定是我。還有個女孩，我其實根本不認識，他們會一塊去聽音樂會。卡內基音樂廳之類的地方。另外一個女孩，桑妮，很迷運動，所以看球他一定帶她。」

「他有幾個女孩？」

「不知道。有桑妮、法蘭、喜歡古典音樂的那個女孩，也許另外還有一、兩個，也許更多。錢斯不太愛談私事，你知道？他的心事全悶在肚裡。」

「你只知道他叫錢斯？」

「對。」

「你跟他一起，呃，三年了，對吧？而你只曉得他半個姓名，沒有地址，外加他答話服務的電話號碼。」

她低頭看手。

「他怎麼拿錢？」

「你是指跟我拿？有時候他親自上門來拿。」

「會先打電話通知嗎？」

「不一定。有時候會。或者他會打電話要我拿給他。約在咖啡店、酒吧之類的地方，要不就在某個轉角，他會開車過去接我。」

「你賺的錢全都交給他？」

她點點頭，「他幫我找公寓，房租、電話、所有的帳單都由他付。我們會一道逛街買我的衣服，錢也是他付。他喜歡幫我挑衣服。我把賺的錢給他，他會還一些給我，你知道，當作零用錢。」

「你沒有偷藏私房錢?」

「當然有。你以爲我這一千塊是怎麼來的?不過很奇怪,我藏的不多。」

她走的時候,酒吧開始擠滿下班的上班族。她走前早已喝夠了咖啡,改飲白酒。她叫來一杯,喝掉半杯。我還是不改初衷,只喝黑咖啡。我記事本裡抄了她的名字、電話,外加錢斯答話服務的號碼,手頭資料實在不多。

不過話說回來,我又需要多少呢?我遲早會找到他,找到以後我會跟他談。順利的話,我會嚇得他不敢惹琴。而且就算不成的話,呃,我手頭好歹還是比今早醒來時多了五百元大鈔。

□

她離開以後,我喝完咖啡,拿出她給的一張百元大鈔付帳。阿姆斯壯酒吧位在五十七和五十八街之間的第九大道上,而我的旅館則在五十七街的轉角旁。我走回去,到櫃台詢問有沒有給我的信或者口信,然後到大廳打公共電話給錢斯的答話服務公司。鈴響三聲後,有個女人回話,重複那號碼的最後四個數字,問我有什麼需要。

「我想跟錢斯先生講話。」我說。

「他應該很快會打電話過來。」她說。聽來是個中年婦女,聲音帶有老煙槍特有的粗啞。

「要留個話嗎?」

我把名字和旅館電話號碼給了她,她問我我打電話有什麼特別的事,我告訴她是私事。

掛上電話時我直發抖，也許是因為啜飲了一整天咖啡。我想喝一杯。我想到可以去對角的寶莉酒吧快快乾它一杯，或者直衝到和寶莉酒吧隔兩個門面的酒鋪買個一品脫波本威士忌。我可以清楚看到誘人的汁液，金賓或約翰走路都行，裝在一品脫扁瓶裡貨眞價實的棕色威士忌。

我又想，得了吧，外頭在下雨，你可不想冒雨出門。我離開電話亭，轉身走向電梯而不是前門，然後回到房間。我把自己反鎖在內，拉了把椅子坐在窗前看雨。喝酒的欲望幾分鐘後就消失了，然後又回來然後又消失了。其後一個小時就這樣來來去去，像霓虹燈似的熄了又亮一直眨眼。我留在原地看雨。

□

約莫七點左右，我拿起房裡的話筒，打電話給伊蓮・馬岱。她的答錄機回話，等嗶聲響過後我說：「我是馬修，見過你的朋友，謝謝你幫忙介紹。也許哪一天我可以回報。」我掛上電話，又等了半個鐘頭。錢斯沒有回電。

我不怎麼餓，但還是勉強下樓找吃的去。雨停了。我走到藍樫鳥餐飲店，叫了份漢堡和薯條。隔兩張桌子有個男的吃三明治配著啤酒。當下我立刻決定服務生送漢堡來時，我也要叫一杯。不過等他眞來了，我又已經改變主意。我漢堡吃得只剩一點，薯條則留下一半，另外喝兩杯咖啡，然後點份櫻桃派，吃掉一大半。

離開那兒時差不多將近八點半。我回旅館一下——沒有口信——然後一路走到第九大道。

轉角那兒原本有家希臘酒吧，老闆是安塔爾和史畢羅，不過現在已經改裝成果菜市場。我轉向城北，經過阿姆斯壯酒吧，穿過五十八街。號誌燈轉換後，我穿過大道，繼續往北走過醫院，抵達聖保羅教堂。我繞過側牆，走下一層狹窄的樓梯到地下室。門把上掛了個硬紙板告示，不過不仔細看還眞看不到。

「匿名戒酒協會」，上頭寫著。

我進去時，聚會才剛開始。有三張桌子排成U字形，兩邊的桌子坐了人，另外還有大概一打椅子排在他們後面。旁邊另外有張擺滿點心的桌子。我拿了個保麗龍杯，從飲料器裡接滿一杯咖啡，然後坐在後頭一把椅子上。兩個人跟我點點頭，我也點頭回禮。

演講的人和我歲數差不多，法蘭絨格子襯衫上罩了件人字形織法的針織外套。他回溯一生從十三、四歲喝下第一杯，說到他四年前加入協會戒掉惡習爲止。他離過好幾次婚，撞壞好幾輛車，丟掉幾個工作，進過幾家醫院。然後他決心戒酒，開始參加戒酒協會，事情這才開始好轉。「事情沒有好轉，」他糾正自己說：「是我有了好轉。」

他們常說這種話。他們有很多事情都常常說，於是你會聽到很多句子重複了又再重複。不過他們講的故事倒還滿有趣的。大夥兒在那兒一起坐在上帝及眾人面前，然後告訴你上帝最最不齒的事情。

他講了半個鐘頭。然後大夥兒休息十分鐘，傳送籃子捐款資助開銷。我擺進一塊錢，然後又接滿一杯咖啡，拿了兩片燕麥餅乾。有個身穿老舊陸軍夾克的傢伙叫我名字打招呼。我記得他名叫吉姆，也回聲招呼。他問我一切都還好嗎，我告訴他還過得去。

「你來這兒，頭腦清醒，」他說：「重要的就是這個。」

「大概吧。」

「隨便哪天，只要我一滴酒也沒沾，就是個好日子。每天一次，每次只要保持清醒一天就行了。對咱們酒鬼來說，天下最難做到的事就是不喝酒，老兄你現在做到了。」

只是我沒有。我出院八、九天了。我會保持清醒兩、三天後又喝起酒來。每次大概就是一杯或者兩杯或者三杯，可以控制住情況；可是禮拜天晚上我喝得爛醉，在第六大道上的布來尼‧史東酒吧暢飲波本，因爲我算好在那兒不會撞上熟人。我記不得怎麼離開酒吧回到家裡，然後禮拜一早上我開始抖個不停，嘴巴乾澀，生不如死。

我什麼也沒跟他講。

十分鐘後，聚會再度開始，這回由每個人輪流發言。開場白一律是報上姓名，說自己是酒鬼，然後謝謝演講者的見證——也就是所謂的「他一生的故事」。然後他們會接著講到他們有多認同他的經驗，或者回憶起過去爛醉日子裡的某些片段，或者談到他們在戒酒過程裡特別棘手的問題。有個女孩看來比琴‧達科能大不了多少，她談到和她男朋友的爭執。另外一個三十多歲的男同性戀者描述一樁那天他在他的旅行社和一名顧客起的衝突。故事聽來滿好玩的，贏得不少笑聲。

有個女的說：「保持清醒再容易不過了。你只消不喝酒，來參加聚會，而且願意改變你他媽的一生。」

輪到我時，我說：「我叫馬修，沒話說。」

□

聚會十點結束。回家路上我走進阿姆斯壯酒吧，坐到吧台。照他們說法，想戒酒就得不上酒吧。不過我在這兒挺舒服的，而且咖啡又香。如果我想喝酒，不論在哪兒都會喝的。

我離開那兒時，早版的《新聞報》已經擺上書報攤。我買了一份，回到旅館房間。琴·達科能的皮條客還沒留話給我，我打到他的電話聯絡處，總機告訴我他已經收到我的口信。我又留一次話說我得儘快和他取得聯絡。

我沖個澡換上浴袍看報。我看全國和國際新聞，可是永遠沒法專心。我關心的新聞規模不能太大，而且發生的地點不能太遠。

是有不少我能關心的。布朗克斯區兩個小孩覷著D線火車開來時，把一位年輕女人推下鐵軌。她平躺在地，雖然在六節車廂駛過她後司機才煞住火車，她竟然毫髮無損。

西街靠哈德遜河碼頭一帶，有個妓女慘遭謀殺。給亂刀刺死，新聞上說。

皇后區科羅納公園一帶一名保全警察生命仍然危在旦夕。兩天前我讀到有兩個男人手持鉛管打他，搶走他的槍。他有太太，還有四個不到十歲的小孩。

電話沒響。我也沒真抱什麼希望。除非好奇，我想不出錢斯會有什麼理由回我電話，而且也許他還記得俗話說的「好奇心殺死了貓」。我是可以自稱警察——史卡德先生比起史卡德警官，或者史卡德警探，的確沒份量多了——不過除非必要，我不喜歡玩這遊戲。我樂見有人就此遽下結論，不過我可懶得推他一把。

所以看來我得花點心思找到他。其實這也未嘗不是件好事。因爲這樣一來，我不但有事可做，我在他電話服務處留下的名字也會慢慢在他腦裡生根發芽。

不可捉摸的錢斯先生。本以爲他的皮條客專用車應該裝有行動電話，外加吧台、毛皮椅罩，以及粉紅鵝絨遮陽板。反正就是高格調的那一套。

我看了體育版，然後回到格林威治村那名妓女慘死的新聞。講得很模糊，除了指出被害者約莫二十五歲以外，連名字或者其他什麼描述都沒有。

我打電話到報社詢問受害者的名字，他們拒絕透露。大概是親人不肯，我想。我打電話到第六分局，可是艾迪·柯勒沒在值班，而我又想不起另外有誰認識我。我拿出記事本，想想現在打電話給她也未免太晚，再說城裡有半數的女人都是妓女，實在沒有理由假定她就是在西區高速公路底下被割成一片片的那個。我收起記事本，十分鐘後又抽出來撥了她的號碼。

我說：「琴，是我，馬修·史卡德。不知道我們碰面以後，你有沒有跟你朋友講過話？」

「沒有。幹嘛問這個？」

「我原以爲可以透過電話找到他，看來他是不會回我的話，所以明天我得親自出門找他。你還沒跟他提過想要退出？」

「一個字也沒講。」

「很好。如果你比我先看到他，就裝作沒事。如果他打電話約你碰面，馬上通知我。」

「打你給我的那個號碼？」

「對。如果聯絡到我，我會代你跟他碰面。如果沒聯絡到，你就儘管赴約，就跟以前一模一樣。」

我又多講了些話，因爲打這通電話想必嚇著了她，得稍加安撫一番。至少我知道死在西街的不是她。至少我可以睡個好覺。

天曉得。我熄燈上床，呆躺在那兒好久好久，然後決定放棄，起床拿起報紙再看。突然起個念頭，或許喝它兩杯可以鎭定神經，幫助睡眠。趕不走這個念頭，可是我至少可以堅持待在原處不動。等四點一到，我告訴自己非打消此念不可，因爲酒吧都在這時關門。十一大道上有家通宵營業的，不過我剛好很幸運的沒想起來。

我關掉燈爬回床上，想到死掉的妓女還有身受重傷的保全警察還有被地下鐵駛過身上的女人，於是我開始納悶爲啥有人認爲該在此城保持淸醒不醉。我帶著這個念頭進入睡鄉。

3

我大約十點半起床，經過六小時輕輕掠過睡鄉表面，我竟然還精力充沛。我沖個澡刮個臉，吃個麵包捲配上咖啡當早點，然後就上聖保羅教堂。這回不是到地下室，而是眞的走進教堂。我入座靜思十分鐘左右，然後點上兩根蠟燭，往濟貧箱裡塞了五十塊錢。在六十街那家郵局裡，我買了張兩百元的匯票，還有一張印有郵票的信封。我把匯票寄給住在長島市西歐榭區的前妻。本想附張字條，但因道歉味道太濃而作罷。錢寄得又少又慢，不過不用我說她也知道。我把匯票包在白紙裡，就這樣寄去。

天灰濛濛的，有點涼意，看來要下更多的雨。刺骨寒風像刀一樣割痛我的臉。體育場前有個男人追著他的帽子直罵，我起了反射動作，趕緊壓緊帽緣。

快到銀行時，想想琴給的預付款所剩實在不多，沒必要愼重其事的進行財務移交。我折回旅館，付了下個月一半的房租。此時我只剩一張百元大鈔還沒用到，我把它換成十元及二十元小鈔。

我爲什麼不事前收下全額一千元呢？我想起自己提過需要動力。好啦，我是有了一個。

我的信全是例行公事——幾張廣告傳單，一封國會議員的競選傳單。沒什麼好看的。錢斯沒留口信。其實我也沒眞抱希望。

我打到他聯絡處再留個話，純粹因爲好玩。

我走出去，整個下午都待外頭，搭了兩次地鐵，不過大部分還是走路。老天一直威脅著要下雨但又一直不下，寒風更加凜冽，不過一直沒有吹掉我的帽子。我闖進兩家警察分局，幾家咖啡店，還有半打酒吧。我在咖啡店喝咖啡，在酒吧喝可樂，和幾個人談過，做了幾份筆記。我打到我旅館櫃台好幾回。我沒在等錢斯來電，只是希望琴找過我的話我能知道。不過沒人打給我。我試了琴的號碼兩次，兩次都是她的答錄機回話。現在每個人都有這麼一台機器，我看有一天它們會開始互相撥起電話來聊天。我沒留話。

快到傍晚時，我鑽進時代廣場一家戲院。一張票看兩部克林·伊斯威特的電影，裡頭他演的都是不守法紀的警察，藉著濫殺壞蛋維持治安。觀衆看來淸一色全像他殺掉的那種人類。他每宰掉一個，他們就大叫一次好。

我在第八大道一家古巴中國餐廳吃豬肉蔬菜炒飯，再查詢一次我的旅館櫃台，然後到阿姆斯壯酒吧喝杯咖啡。我在吧台和人聊起天來，本以爲會在那兒耗一陣子，不過到了八點半我還是拔脚出門，穿過街，走下樓梯到達會場。

演講的是個家庭主婦，以前先生上班孩子上學的時候，老把自己灌得爛醉。她說她小孩發現她昏迷在廚房地板上時，她還說服他那只是她在做瑜伽體操幫助自己戒酒。每個人都笑了。

輪到我時，我說：「我叫馬修，今晚我只聽就好。」

□

克爾文・史莫酒吧位在里諾大道和一百二十七街交口。那只是個狹長的房間，吧台沿著牆邊一線下去，吧台對面另外有一排軟長椅。往裡走到底是個小舞台，上頭有兩個皮膚黝黑的黑人正在演奏安靜的爵士樂，一個彈奏小型鋼琴，另一個拿刷子敲鈸。他們留著平頭，戴著角質邊太陽眼鏡，一身布魯克兄弟店買來的昂貴西裝，看來聽來都像是曾經叱咤風雲的樂團「現代爵士四重奏」——只是成員少了一半。

我可以很清楚的聽到他們的演奏，因爲我才踏進門檻，房裡其他的人全安靜下來。我是這裡唯一的白人男人，每個人都轉移注意力，盯著我久久不放。有兩個白人女人和黑人一起坐在軟長椅上，還有兩個黑人女人共用一張桌子，另外應該還有兩打男人，膚色囊括所有色調——只除了沒有我的。

我穿過這狹長的房間，走進男洗手間。一個身高幾乎夠格打職業籃球的男人正在梳理他燙直的頭髮。他髮油的味道和大麻刺鼻的氣味很難斷定哪個威力較強。我洗好手，打開烘乾機把手擺在下頭猛搓。我走的時候，高個子還在搞他頭髮。

我從男洗手間露出頭以後，房間再度陷入死寂。我走回前面，腳步很慢，肩膀下垂。台上的樂手我是不太確定，不過除了他們以外，我想房裡沒有一個男的沒坐過牢。皮條客、毒販、賭徒、保險掮客。原始世界裡的貴族。

從前面數來第五張凳子上的男人視線和我碰個正著。我花了點時間想想他是誰，因爲多年前我認識他時，他頭髮是直的，而現在他卻留了個溫和版的非洲鬈毛頭。他穿了身檸檬綠西裝，鞋子是某種爬蟲類的皮做的，也許是什麼瀕臨絕種動物。

我轉頭朝向門，經過他身邊走出去。我在里諾大道上往南走過兩個門面，然後站在一盞街燈旁邊。兩、三分鐘以後，他跟著走出來，吊兒郎當很輕鬆的樣子。「嗨，馬修，」他說，一邊伸出手來要跟我拍掌。「老兄你怎麼樣？」

我沒和他拍掌。他低頭看看手，抬頭看看我，眼球轉了轉，頭顱誇張的搖一搖，拍拍兩手在褲腿上搓乾淨，然後把手放在細瘦的臀部上。「好久沒見囉，」他說：「市中心沒你大爺要的牌子？還是閣下閒得發慌，想換個口味逛逛俺的地盤？」

「你看來發了，羅伊。」

他得意的抿抿頭髮。他名叫羅伊·華登，我有回認識個長顆子彈頭的黑人警察，和羅伊玩牌當掉了手槍。他說：「呃，做買賣嘛，你知道。」

「我知道。」

「誠以待人，少不了吃的。這是俺老媽教的。你跑到城北幹嘛，馬修？」

「我在找人。」

「俺看已經找到囉。現在退休啦？」

「好幾年啦。」

「想不想買點東西？需要啥個？能付多少？」

「你賣什麼？」

「差不多啥個都有。」

「跟這些哥倫比亞人做生意還跟以前一樣好？」

「媽的，」他說，一手擦過褲面。我想他那條檸檬綠褲子的腰帶一定藏了把手槍。克爾文·史莫酒吧有多少人，大概就有多少把槍。「這幫哥倫比亞人還可以啦，」他說：「就是別想打歪主意誣他們。你來這兒不是要買東西？」

「不是。」

「你要什麼，老兄？」

「想找個皮條客。」

「媽的，你才經過二十個。還有七、八個妓女。」

「我找的皮條客叫錢斯。」

「錢斯。」

「你知道他？」

「可能。」

我等著。一個穿著長外套的男人沿街走來，每家店前都停一下。他有可能在看櫥窗嗎？不可能。打烊以後，每家店子都拉下跟車庫門一樣的鐵門。男人在每家打烊的店前研讀鐵門，彷彿還眞能看出什麼名堂。

「逛街。」羅伊說。

一輛藍白色的警車駛過，慢下來。裡頭兩名警官盯著我們看。羅伊向他們道聲晚安。我沒吭聲，他們也是。等車開走後他說：「錢斯不常來這裡。」

「我在哪兒可以找到他？」

「難說喲。他哪兒都有可能露臉，不過搞不定是你最想不到的地方。他哪裡都坐不久。」

「聽說了。」

「你上哪兒找過？」

「去過第六大道和四十五街交口一家咖啡店、格林威治村一家鋼琴酒吧、西區四十幾街兩家酒吧。」羅伊全聽進去，若有所思的點點頭。

「俺看不在餐包漢堡店，」他說：「因爲他的女人不在街上拉客。這點俺淸楚。話說回來，他有可能上那兒，懂吧？只是過去晃晃啦。俺說過，他哪兒都會噗個露下臉，只是不會耗太久。」

「我該上哪兒找他，羅伊？」

他提了幾個地方。其中一個我去過，只是忘了講。我把其他地方全記下來。我說：「他長什麼樣，羅伊？」

「啐，媽的，」他說：「就是皮條客的樣，老兄。」

「你不喜歡他。」

「沒啥喜不喜歡的。俺的朋友都是生意往來啦，馬修，可是俺跟錢斯沒生意談，沒買賣做。他不買毒品，俺不買女人。」他猥褻的一笑，露出白牙，「老子白花花的銀子一大堆，不愁妞兒不免費送上門來。」

□

羅伊提到的一個地方在哈林區的聖尼古拉大道上。我走到一百二十五街去。路面寬廣熱鬧，而且燈火通明，但是我開始感覺到一個白人老在黑人街上那種不是完全不可理喻的恐慌。我轉上聖尼古拉大道，走過兩條街到了喀麥隆俱樂部。這是克爾文‧史莫酒吧的廉價版，沒有現場音樂，只有點唱機。男洗手間裡惡臭熏人，馬桶間傳來吸氣的聲音。在吸古柯鹼，我想。

吧台沒有一個人我認識。我站那兒喝了杯蘇打水，看著映在吧台後鏡裡的十五、二十張黑人臉孔。我猛然想到（倒也不是那晚頭一回）：我可能在看錢斯，卻沒認出。我手頭有關他外貌的描述起碼符合在場三分之一人的長相，放寬限制甚至可以涵蓋剩下那些人當中的一半。我還沒看到他半張照片，我的警局朋友想不起這個名字，而如果錢斯是姓的話，檔案裡也找不到他的資料。

我兩邊的男人都轉身背對著我。我看到鏡中的自己：臉色蒼白，穿著暗色西裝，外罩灰色大衣。我的西裝該燙，帽子垮向一邊好像給狂風吹過。而現在我站在這裡，孤伶伶的給夾在兩個模特兒中間。他們肩膀剪裁寬闊、領子大得誇張，外加包布的鈕釦。皮條客以前老愛排隊等在百老匯大道的菲爾・克隆飛男裝店搶購這類西裝，不過如今克隆飛已經關門，不曉得現在他們都上哪裡買去。也許我該查查看，也許錢斯有簽帳卡，也許我可以循此管道找到他。

只是混這種生活的人不簽帳，他們什麼都用鈔票買。他們連車都用現金買。一腳跨進波坦金車行，數一大疊百元鈔票，開輛凱迪拉克回家。

我右手邊的男人對酒保勾勾手指。「再來一杯，份量要對，」他說：「不能走味。」酒保往他杯裡倒了一又二分之一盎司的XO，還有四、五盎司的冷牛奶。他們以前習慣稱這樣調出來的酒叫「白色凱迪拉克」，也許現在還是一樣。

也許我應該待在家裡。我的出現製造不少緊張，我可以感覺到這種氣氛在這小小的空間凝重起來。早晚有人會過來問我，他媽的我以為我在這兒幹什麼，要想個回答應付可不容易。

我防患未然，立刻離開。一輛破計程車正等在紅燈前面。向我那面的門給撞扁了，擋泥板凹凸不平，我也搞不懂這算不算在宣告司機的段數。我還是上了車。

□

羅伊還提到西九十六街一個地方，我要司機載我過去。此時已經過了兩點，我開始感到疲傯。我又踏進另一家有黑人在彈奏鋼琴的酒吧。這台琴聽來走了音，不過也有可能問題在我。顧客有白有黑，分配還頗平均。好幾對男女都是一黑一白，不過這些和黑人配對的白種女人看來像是女友，不像妓女。有幾個男的衣著搶眼，不過沒人亮出像我在往北一哩半那兒看到的全套皮條客行頭。這房間散發出一股紙醉金迷的味道，但比起哈林區和時代廣場那帶的酒吧來，顯然要含蓄許多。

我往電話投進一毛錢，打回我的旅館。沒有留話。那天晚上的櫃台是個黑白混血，講話氣喘如牛，不過好像工作還能應付得來。看他沒事常拿支鋼筆做《紐約時報》的填字遊戲。我說：「雅各，幫個忙。打這個電話找錢斯。」

我給了他號碼。他重念一遍，問我對方是不是叫錢斯先生。我說只是錢斯。

「如果他來接呢？」

「掛斷就好。」

我走到吧台，差點叫了啤酒，不過還是改成可樂。一分鐘後，電話響起，有個大孩子拿起話筒，看來像是大學生。他大聲叫問，酒吧裡有沒有人叫做錢斯。沒人回答。我注意酒保的神色。就算他知道這個名字，我也看不出來。我甚至懷疑他到底有沒有真的在聽。

早先我就可以在每家酒吧耍這花招，搞不好真會有啥斬獲。不過我是浪費了三小時時間才想出這個點子。

哪門子的偵探。我在曼哈頓到處喝可樂，可是連個他媽的皮條客都找不到。在逮著那個婊子養的以前，我恐怕牙齒都要掉光了。

有台點唱機。一張唱片才剛結束，另一張剛起頭，是法蘭克·辛納屈。音樂勾起我一些回憶。我把可樂留在吧台，到哥倫布大道叫了輛要往市中心的計程車。我在七十二街的轉角下車，往西走沒多久到了普根酒吧。顧客黑少白多，不過反正我也沒眞在找錢斯。我找的是丹尼男孩。

他不在那兒。酒保說：「丹尼男孩？早先來過。到頂尖小店去看，穿過哥倫布大道就是。他不在這兒，就在那兒。」

他果眞是在那兒，坐在最裡頭一張吧台椅子上。我好幾年沒看到他，不過要認出他可一點也不難。他既沒長高，膚色也沒變黑。

丹尼男孩的父母都是黑皮膚的黑人。他有他們的臉形，沒有他們的顏色。他得了白化症，跟白老鼠一樣沒有上色。他細瘦矮小，自稱身高五呎兩吋。我老懷疑他謊加了個一、兩吋。

他身穿三件式的銀行家條紋西裝，裡頭露出一條我幾百年沒見人穿的白襯衫。他繫了條紅黑相間的條紋領帶，黑色的鞋子刷得漆亮。我從沒看過他不穿西裝或者不打領帶。鞋子永遠是光可鑑人。

他說：「馬修·史卡德。天老爺，等夠久的話，還眞什麼人都有可能撞見。」

「你好嗎，丹尼？」

「老了。多少年啦！你住得還不到一哩外，可是咱們上回碰頭是什麼時候？我看八百年都不止了。」

「你還是老樣子。」

他仔細看了看我，「你也一樣。」他說，但說服力不夠。這麼個矮子發出的聲音竟然是再正常不過的男中音，看他外表，眞以爲他聽來會像是玩具火車廣告裡的那個小強尼。

他說：「你剛好有事來這一帶？還是特地跑來找我的？」

「我先到普根酒吧問過，他們說你大概會在這兒。」

「眞不敢當。當然，你只是來看看我囉。」

「也不完全是。」

「找個桌子坐坐吧？我們可以談談過去，談談已死的老友。還有你大駕光臨的目的。」

□

丹尼男孩眷顧的酒吧都爲他在冷凍庫擺瓶俄羅斯伏特加。他就喝那個，而且愛喝冰的，但卻不喜歡在杯子裡加上吭吭噹噹又會稀釋酒味的冰塊。我們在後頭找張隱蔽的桌子坐下，有個小女侍忙不迭遞上他的最愛，外加給我的可樂。丹尼男孩低頭看我的杯子，然後抬頭看我的眼睛。

「今天已經喝夠多了。」

「好主意。」

「大概吧。」

「節制，」他說：「不是我說，古早古早那些希臘人還眞什麼都知道。節制。」

他喝掉半杯伏特加。這傢伙一天可以灌掉八杯。就算加起來一天一夸脫好了，全流進一個不可能超過一百磅的人體，可是我還沒見他出過醜。他走路絕對四平八穩，講話絕對咬字清楚，硬是不會醉倒。

那又怎麼樣？跟我有關係嗎？

我啜啜可樂。

我們坐在那兒交換故事。丹尼男孩的工作，如果算他有的話，就是蒐集資料。你跟他講的每件事他全存在腦裡編檔，零星的資料湊起來排列組合一下，他老兄就可以賺夠錢擦亮皮鞋、塡滿酒杯。他會安排不認識的人見面，從中收取佣金。很多觸法的短期企業他也投資一些，不過出了事絕不可能找上他。我還在警局時，他是我最好的線民，不收錢，只向我討些消息做爲酬勞。

他說：「還記得路易·盧登科吧？大家都叫他帽子路易。」我說我記得。「聽過他老媽的事？」

「她怎麼樣？」

「烏克蘭女人，是個老好人，一直住在東九街還是十街之類的。守寡好多年，應該有七十，也許快八十歲了。這樣算來路易該有多大，五十？」

「可能。」

「無所謂。重要的是，這個老太太交了個男朋友，年紀和她差不多的鰥夫。他一個禮拜在那兒待幾個晚上，她做烏克蘭菜給他吃，然後兩人也許去看場電影——如果他們能找到沒有妖精打架的影片。總之，有天下午他到那兒去，興奮得不得了，因爲他在街上發現一台電視機，不知是誰把它當垃圾丟掉。他說有些人腦筋糊塗，好好的東西竟然不要。還說他修東西最拿手，她自己那台影像模糊，這台是彩色的，而且又比她的大兩倍，也許他可以幫她修好。」

「然後呢？」

「然後他把插頭插上，扭開開關看看到底出了什麼毛病，結果電視轟一聲爆了。他丟了隻手臂跟眼睛，盧登科老太太不巧爆炸時正好站在正前方，就這麼個給當場炸死。」

「怎麼回事，是炸彈嗎？」

「對啊。你沒看報。」

「大概看漏了。」

「起碼五、六個月了。照警方研判，肯定是有人在機器上安裝炸彈，不知送到誰家。也許是幫派恩怨，也許不是，因爲那老頭只記得是在那條街上發現電視機的，這算哪門子線索？反正啊，不管收到的人是誰，他起了疑心，把機器跟垃圾一塊丟出去，結果就害死了盧登科老太太。我見過路易，也真好笑，因爲他不知道該找誰發飆。『錯在這個鬼城市，』他跟我說：『錯在這個天殺的鬼城市。』這樣講算是哪門子歪理？你好端端的住在堪薩斯，說不準哪天來個龍捲風把你的房子連根拔起，忽一下就吹到內布拉斯加去。天意嘛，對不？」

「大家都這麼說沒錯。」

「在堪薩斯，老天用的是龍捲風。在紐約，祂用的是動了手脚的電視機。不管是誰，天老爺或者別的什麼人，總是就地取材最方便。還要可樂嗎？」

「現在不要。」

「我能幫你什麼忙？」

「我在找個皮條客。」

「戴奧吉尼斯（譯注：希臘犬儒學派哲學家，主張人性本惡）要找一個誠實的人。看來你的任務倒輕鬆多了。」

「我要找一個特別的皮條客。」

「他們都很特別，有的特別到心理變態。他有名字嗎？」

「錢斯。」

「噢，當然，」丹尼男孩說：「我知道錢斯。」

「你知道我在哪兒可以找到他？」

他皺皺眉，拿起他的空酒杯，又放下來。「他在什麼地方都待不久。」他說。

「我聽來聽去都是這一句。」

「是眞的。依我看，人人都該有個本壘。我不在這兒，就一定在普根酒吧。你的是阿姆斯壯酒吧對不?至少上次我聽到的時候是。」

「現在還是。」

「瞧吧?就算一直沒有碰面，我還是知道你的行蹤。錢斯。我想想看。今天禮拜幾?禮拜四?」

「對，嚴格說來是禮拜五早上。」

「別這麼嚴格。你找他什麼事?如果你不介意我問的話。」

「想找他談。」

「他現在人在哪兒我不知道，不過我也許知道十八或者二十小時以後，他會在哪兒。我先打個電話。如果服務生過來的話，幫我再叫一杯好嗎?你也再來一些吧。」

我好不容易引來服務生注意，要她幫丹尼男孩再倒一杯伏特加。她說:「好，你還要杯可樂嗎?」

打從進門坐下以後，我一直斷斷續續有點想要喝酒的小小欲望，現在欲望突的升高。我一想到再喝一杯可樂，胃部就開始翻騰。我要她這回拿杯薑汁汽水過來。她把飲料遞上時，丹尼男孩還沒講完電話。我坐在那兒，試著不要看酒，可是兩眼找不到別的東西可看。眞希望他快點回來，喝掉那杯天殺的酒。

我吸氣吐氣，慢慢啜著我的汽水，兩手不敢離他的伏特加太近。終於他回座了。「我想的沒錯，」他說:「明晚他會到麥迪遜廣場花園。」

「尼克隊回來啦?我以為他們還在打客場哩。」（譯註：尼克隊〔Knicks〕為紐約的職業籃球隊，主場為麥迪遜廣場花園）

「主賽場沒比賽，好像要開個搖滾演唱會。錢斯會在毛氈拳擊場看禮拜五晚上的拳賽。」

「他常去?」

「也沒有，只是有個叫巴斯孔的輕中量級新秀選手在預測排行榜上名列第一，錢斯對他還滿有興趣的。」

「他身上的肉錢斯也有股份?」

「可能吧，不過也許純粹是研究興趣而已。你笑什麼?」

「想到皮條客對輕中量級選手會有研究興趣啊。」

「你從沒見過錢斯。」

「嗯。」

「他跟他的同行很不一樣。」

「我是開始有這種感覺了。」

「重要的是，巴斯孔一定會上場比賽，只是錢斯可不一定會到場觀賽，不過機會滿大的。你想找他談，花錢買張票就有勝算。」

「我要怎麼認出他?」

「你沒見過他?對，你才說過。你看到他也認不出來?」

「擠在一堆看拳賽的人裡當然認不出。場上一半是皮條客，一半是拳擊手，我怎麼認？」

他想了想，「你打算跟錢斯談的話，」他說：「是不是會惹火他？」

「希望不會。」

「我想知道的是，指出他的人會不會遭殃？」

「應該不會。」

「好，馬修，那你就多花一張票錢吧。算你走運，這只是晚上一場小比賽，不是主賽場的拳王爭霸戰。賽台周圍的票錢應該只要十、十二塊，最多不超過十五塊。你最多只要花三十塊買我們的票。」

「你也一起去？」

「有何不可？票錢三十，外加我的時間五十。你的預算還扛得起這個擔子吧？」

「必要的話是扛得起。」

「抱歉得伸手跟你要錢。如果是田徑比賽的話，我一毛錢也不會拿。可是拳賽我興趣缺缺。說起來你還應該高興才對，因爲如果要去的是曲棍球比賽，最少我得收一百塊。」

「說來我該謝謝老天囉？我們直接在那兒碰頭嗎？」

「嗯，在前門口。九點——這樣我們時間會充裕點。可以嗎？」

「成。」

「我找找看有什麼搶眼的衣服穿去，」他說：「好讓你一眼認出。」

4

他是不難認。穿了身鴿灰色法蘭絨西裝，打條黑色針織領帶，白色高級襯衫上罩了件艷紅色背心。他戴著太陽眼鏡，暗色鏡片鑲上金屬鏡架。丹尼男孩白天想盡辦法睡覺——他的眼睛和皮膚都沒辦法承受日光——除非置身在像普根或頂尖小店一樣燈光黯淡的地方，他連深夜都得戴上暗色眼鏡。多年前他告訴我，他希望這世界有個特殊的開關，可以讓他根據需要隨意調低光線。我記得當時心想：威士忌就有這種功用，它可以叫光線變暗、音量降低、稜角化圓。

我讚美他的打扮。他說：「喜歡這件背心吧？已經好久沒穿了。現在穿上是為了醒目。」

我已經買好票了。場邊的價錢是十五塊。我買了兩張四塊半的票，位子離上帝比離拳擊台要近。持票通過前門以後，我把票交給前頭一個領位員，一邊塞了張摺起的鈔票到他手裡。他把我們帶到第三排兩個相鄰的空位去。

「待會也許兩位得換個位子，」他說：「不過也許不用。反正我保證你們一定可以坐在場邊。」

他走開後，丹尼男孩說：「總有門路可鑽，對不？你給他多少？」

「五塊錢。」

「這樣加起來咱們只付十四塊，就坐到三十塊的位子。你看他一晚賺多少？」

「今晚這種比賽賺不了多少。尼克隊或者遊騎兵隊上場的話，他撈的小費很可能有薪水的五倍不止。當然他也得花錢打點某些人。」（譯註：遊騎兵隊〔Rangers〕為紐約的職業冰球隊，主場亦為麥迪遜廣場花園）

「每個人都想圖利。」

「看來是這樣沒錯。」

「我是說每個人，包括我在內。」

這暗示夠明顯的。我給他兩張二十、一張十塊。他把錢收起來，然後頭一回眞的開始環視賽場。「呃，沒看到他，」他說：「不過他可能要到巴斯孔上場才會來。我先四處走走。」

「好。」

他離開座位，各處走動。我也四下環顧，倒不是爲了揪出錢斯，只是想看看觀衆的德性。很多男的跟我前一天晚上在哈林區酒吧看到的味道極像：皮條客、毒販、賭徒，還有典型的黑人區無賴。大部分的人身邊都有女人作陪。另外有些白種混混，身穿休閒服，看來珠光寶氣，清一色沒有女人作陪。比較廉價的位子上坐的是任何運動比賽都可以看到的那種混合體：有黑、有白、有西班牙裔、有單身、有成對、有的是結隊而來，嘻嘻哈哈吃著熱狗、喝紙杯裡的啤酒，然後偶爾看看台上打得如何。人群中三不五時會露出一張場外賽馬下注店裏移植過來的臉孔，那種臉上用大字清楚的寫著「賭徒」的人。不過人數不多。這年頭還有多少人會拿拳賽來賭？

我轉過頭，看著擂台。兩名西班牙裔的大孩子，一棕一黑，都小心翼翼的深怕受到重傷。他們看來像是輕量級選手，棕色那個一揮一擊力道猛勁，花樣又多。我開始有了興趣。到最後一回合時，較黑的選手想出蹲伏閃避對方攻擊的辦法，身手矯健，動作靈活；鈴響時，裁判宣布他贏。觀衆席有一處傳來一陣噓聲。另外那個孩子的朋友跟家人，我想。

丹尼男孩在最後一回合時回到座位。宣判結果之後幾分鐘，巴斯孔翻越繩圈，到台上揮了一陣空拳。沒多久後，他的對手也走上拳擊台。巴斯孔膚色很黑，肌肉虯結，肩膀下削，胸部挺硬。光線照在他皮膚上，彷彿塗上一層油。跟他對打的義大利孩子來自南布魯克林區，名叫維多·卡內利。他腰部有些贅肉，整個人軟塌塌的看來像一窩麵糰。不過我看過他的比賽，知道他往往以智取勝。

丹尼男孩說：「他來了，中間走道。」

我轉頭去看。收了我五塊錢的領位員正領著一男一女入座。她約莫五呎五，赤褐色頭髮披到肩上，皮膚像細瓷一樣。他六呎一、二，也許有一百九十磅，寬肩細腰瘦臀，頭髮自然捲，不長，皮膚是亮棕色。他穿了件駱駝毛外套和棕色法蘭絨長褲。看來像職業運動員或是搶手的律師或是展翅待發的黑人主管。

我說：「你確定？」

丹尼男孩笑起來，「跟平常的皮條客很不一樣吧？我確定。那是錢斯沒錯。希望你的朋友沒把我們安插在他位子上。」

他沒有。錢斯和他的女孩是第一排的票，而且比較靠近正中央。他們坐下來，他給領位員一些小費，然後走向巴斯孔備戰的角落，跟他還有他的教練、助手說了些話。他們兩人摟了一下，然後錢斯又走回座位。

「我想我該走了，」丹尼男孩說：「我可不想看那兩個蠢蛋打得你死我活。你該不會要我引見吧？」我搖搖頭。「那我最好在混戰開始以前偷偷溜走——我是說台上的。他不會知道我搞的鬼吧，馬修？」

「我一定守口如瓶。」

「很好。如果還需要我別的服務——」

他走上走道。他可能亟需一杯，而麥迪遜廣場花園可不提供冰鎮的俄羅斯伏特加。廣播員此刻正拿著麥克風介紹兩名拳擊手，報出他們的年齡、體重和家鄉。巴斯孔二十二歲，還沒吃過敗仗。卡內利今晚看來也贏不了。

錢斯旁邊有兩個空位。我本想坐過去，但結果還是按兵不動。警告鈴響起，然後是宣告第一回合開戰的鈴響。這個回合進行緩慢，雙方都很沉著，誰也不急著過於投入。巴斯孔出拳漂亮，不過卡內利幾乎每一次都能巧妙閃開。兩人都沒揮出重拳。

第一回合結束時，錢斯旁邊兩個位子還是空的。我走過去，在他旁邊坐下。他正專心盯著台上。我敢說他一定已經注意到我，只是絲毫不露聲色。

我說：「錢斯？我叫史卡德。」

他轉頭看我，棕色的眼睛閃著金點。我想到我顧客的眼睛——毫不眞實的藍色。昨晚我四處在酒吧打探消息時，他沒事先通知一聲就跑到她公寓收錢。她今天中午打電話到我旅館跟我報告。「我很害怕，」她說：「我在想，萬一他問到你的話，我該怎麼辦。還好結果沒事。」

現在他開口說：「馬修‧史卡德。你在我的電話聯絡處留過話。」

「你沒回我電話。」

「我不認識你。我向來不回電話給我不認識的人。我還知道你在城裡到處打聽我的行蹤。」他的聲音低沉雄渾。聽來像是受過訓練，去播音學校上過課之類。「我想看這場比賽。」他說。

「我只要跟你談幾分鐘就好。」

「比賽跟中間休息時都免談。」他眉心攢起，又舒展開來，「我需要專心。你現在坐的位子我也買下來了，你知道，因爲我不要別人打擾。」

警告鈴響起。錢斯轉過頭，眼睛盯住台上。巴斯孔站起來，他的助手把凳子抬出場外。「回你的座位，」錢斯說：「打完以後，我們再談。」

「這是十個回合的比賽？」

「打不到那麼多。」

□

的確。到第三還是第四回合時，巴斯孔開始修理卡內利，賞了他一記刺拳，外加各種拳法連番變化。卡內利是夠聰明，不過巴斯孔年輕力壯，動作又快，步法讓我想到拳王「蜜糖」——是雷・羅賓遜，不是雷・李納德。第五回合時他一記右短拳打到卡內利的心臟，叫他踉蹌了好幾步。如果我把賭金押在那義大利人身上，看到這幕就該知道輸定了。

這個回合結束時，卡內利一副勇猛的樣子，不過他挨揍的時候，臉上也是同樣表情。所以再一個回合後，巴斯孔一輪左鉤拳把他打倒在地時，我一點也不驚訝。他數到三時開始起身，數到八時站起來，然後巴斯孔的拳頭就像雨點一樣往他身上落下，只差沒把拳擊場的柱子拔起來揍他。卡內利再一次倒下去，接著馬上爬起來。裁判跳到兩人中間，直視卡內利的眼睛，然後宣判比賽結束。

有些不死心的人還半眞半假的發出噓聲，卡內利一個場內助手也堅持說他可以撐下去，但卡內利本人好像很高興表演終於結束。巴斯孔得意的猛跳戰舞，鞠好幾個躬，然後縱身一躍翻過繩圈，離開賽台。

在離場的途中，他停下來和錢斯講話。頭髮赤褐的女孩上身前傾，一手搭在拳擊手油亮的黑色臂膀上。錢斯和巴斯孔談了一、兩分鐘，然後巴斯孔便朝他的更衣室走去。

我離座走向錢斯和那女孩。我到的時候，他們已經起身。他說：「我們不打算看重頭戲，如果你打算待下來——」

節目卡最上頭印的兩個中量級選手，一個來自巴拿馬，一個是來自費城南區的黑人孩子，號稱「殺手」。也許比賽會很精采，不過這不是我來此地的目的。我告訴他我也準備離開。

「那就跟我們一起走好了，」他建議說：「我的車停在附近。」他跟身邊的女孩一起步上走道。有幾個人和他打招呼，跟他說巴斯孔在台上表現絕佳，錢斯沒怎麼搭理。我尾隨在後。等我們到了戶外，猛地呼吸到新鮮空氣，我這才發現剛剛裡頭有多氣悶。

在街上他開口道：「桑婭，這是馬修・史卡德。史卡德先生，這是桑婭・韓德瑞。」

「很高興認識你。」她說，不過我不信。她的眼睛告訴我，她要等錢斯表明態度以後，才能決定怎麼待我。我在想，她會不會就是琴提過的桑妮——錢斯看球賽時必帶的球迷。我也在想，如果在別的場合看到她的話，我會不會把她歸爲妓女類。她雖然沒有什麼明顯的妓女特質，不過掛在皮條客的手臂上倒是挺搭調的。

我們往南走一個路段，再往東走半個路段，到了一處停車場。錢斯接過車子，給車場助理一筆贏得不斷謝聲的豐厚小費。車子嚇我一跳，就像早先他的服裝儀容嚇到我一樣。本來預期的是一輛典型的皮條客四輪車，烤漆低俗，內部裝設低俗，外加一些沒品味的小玩意。沒想到卻是輛凱迪拉克，外頭漆上高雅的銀灰，內部清一色亮黑皮革。女孩鑽進後座，錢斯上了駕駛座，我坐在前頭他旁邊。

車行平穩、安靜。車內散出皮革和亮木漆的味道。錢斯說：「有個爲巴斯孔開的慶功宴。

我現在載桑婭過去，待會我們談好以後，我再去找她。你覺得剛才那場怎麼樣？」

「有點搞不懂。」

「哦？」

「看來是作了弊，不過結尾又很逼眞。」

他瞄瞄我，我第一次看到他閃著金點的眼睛露出興味。

「爲什麼這麼說？」

「第四回合卡內利兩次有隙可乘，可是他都放棄。他是智慧型選手，那不可能是他本意。不過第六回合他卯足全力，卻又過不了關。至少從我座位看來是這樣子。」

「你打過拳嗎，史卡德先生？」

「十二、三歲的時候在青年會打過兩場。特軟的手套，還戴頭盔，一回合只打兩分鐘。我出拳不夠高，又笨手笨脚的，一拳也打不到對方。」

「你對運動滿有一套的。」

「呃，大概是因爲看多了吧。」

他沉默了一下。一輛計程車橫向衝來，他平穩的踩住煞車，躲過一劫。他沒破口大罵，也沒猛按喇叭。他說：「本來講好卡內利要在第八回合下台。照說在那之前他應該拿出最佳表現，只是氣勢不能蓋過巴斯孔，免得最後給打在地上敗北看來有詐。第四回合他沒有盡情發揮，原因就是這個。」

「可是巴斯孔不知道你們這些安排。」

「當然不知道。今晚以前，他大部分的比賽都是合法進行的，不過像卡內利這種選手很可能造成威脅。巴斯孔的事業已經起步，何必在這節骨眼上冒險毀掉他不敗的紀錄。跟卡內利對陣，他可以學到經驗；把卡內利打敗，他可以增強自信。」我們現在已經到了中央公園西邊，往城北開去。「決勝負的那擊沒有作假。卡內利本來預定是在第八回合倒地不起，不過我們都暗暗希望巴斯孔能夠提早獲勝。你也看到他做到這點。對他你有什麼評語？」

「他是明日之星。」

「我同意。」

「有時候他右邊防守嫌弱。第四回合——」

「對，」他說：「教練也特別要他注意這點。問題是，他好像總能對付過去。」

「今晚他就不可能對付過去——如果卡內利沒放水的話。」

「沒錯。要卡內利放水是對的。」

□

我們一路到一〇四街以前都在討論拳擊。到了那裡，錢斯小心翼翼來個迴轉，然後把車停在消防栓旁邊。他熄了火，但鑰匙還留在孔上。「我送桑婭上去，」他說：「馬上就下來。」

她跟我說過幸會以後，就沒再說過一句話。他繞過車前，爲她打開車門，然後兩人便踱步走向街口那棟大型公寓大樓的正門。我在記事本上寫下那裡的地址。不到五分鐘他又回到駕駛座，我們再度往城中開去。

過了六個街區，我們誰也沒先開腔。然後他說：「你想找我談話，跟巴斯孔沒關係吧？」

「沒。」

「我就知道。那跟誰有關係呢？」

「琴・達科能。」

他兩眼直視前方道路，我看不出他表情有什麼變化。他說：「哦？什麼事？」

「她想退出。」

「退出？退出什麼？」

「現在這種生活，」我說：「她跟你的關係。她希望你能同意……和她一刀兩斷。」

我們停下來等紅燈。他什麼也沒說。綠燈亮了，我們又過了一、兩個街口，然後他說：「她跟你什麼關係？」

「朋友。」

「這是什麼意思？你跟她睡覺？你想娶她？朋友的意思範圍可大了。」

「這一回範圍很小。她只是普通朋友，要我幫她個忙。」

「要你找我談話。」

「嗯。」

「她為什麼不直接找我？我常常跟她碰面，你知道。她用不著四處在城裡打聽我的動向。怎麼，昨天晚上我才見過她呢。」

「我知道。」

「哦？她看到我時，怎麼一個字也沒提？」

「她怕。」

「怕我？」

「怕你可能不放她走。」

「怕我可能揍她？毀她的容？拿香煙燙她乳房？」

「諸如此類的事。」

他再度陷入沉默。車行平穩得催人欲眠。他說：「她可以走。」

「就這麼簡單？」

「還能怎麼樣？我可不是白妓販子，你知道。」他說出那個詞時，特別加重嘲諷的語氣。「我的女人都是自願跟我的，所謂的自由意志，你知道。沒人強迫她們。你曉得尼采？『女人跟狗一樣，越是打她，她越愛你。』不過我不打她們，史卡德。從來沒有這個需要。琴怎麼會認識你這個朋友的？」

「有個我倆都認識的人居中介紹的。」

他瞟瞟我，「你當過警察。現在是偵探，我想。幾年前你離開警方。因為你殺掉一個小孩引咎辭職。」

說得八九不離十，所以我沒回嘴。我一顆流彈打死一名叫艾提塔・里維拉的小女孩，不過，其實我不是因爲自責太深才辭掉工作。事情的眞相是：那次意外改變了我對世界的看法，所以當警察不再是我想做的事時；當丈夫，當父親，住在長島，這些也不再吸引我。就這樣我自然失去工作，失去婚姻，搬到五十七街，開始在阿姆斯壯酒吧出沒。不用說，是流彈引發了這一連串變化。不過我想我大概原本就在朝這個方向走，至於什麼時候走到，其實只是早晚問題而已。

「現在你成了半混混的偵探，」他繼續說：「她雇你找我談？」

「或多或少。」

「此話怎講？」他沒眞在等我解釋，「沒有冒犯你的意思，不過她眞是白花了她的錢。或者該說我的錢，看你從哪個角度看了。如果她眞想結束我們的安排，只要跟我說一聲就好了，用不著找人幫她講話。她以後打算做什麼？該不會回老家去吧？」

我沒接腔。

「我看她八成會留在紐約，搞不好還是得重操舊業。老實說，這是她唯一的專業技能。她另外還能幹什麼？她打算住哪裡？我提供她們公寓，你知道，幫她們付房租、挑衣服什麼的。想當年，大概也沒人問易卜生，娜拉離家出走以後，要到哪兒去找公寓。如果沒搞錯的話，我看那就是你住的地方。」

我往窗外看。我們就在我旅館前頭，只是我一直沒注意到。

「我猜你馬上會和琴聯絡，」他說：「我有個建議：你可以告訴她你威脅我，把我嚇得屁滾尿流，落荒而逃。」

「我幹嘛這樣？」

「好讓她認為沒在你身上白花錢。」

「她是沒白花錢，」我說：「而且我才不在乎她怎麼想，犯不著撒謊。」

「眞的？既然這樣，你就順便告訴她我馬上要去找她。只是想確定，這一切眞的是她自己的主意。」

「我會跟她提。」

「另外告訴她不用怕我，」他歎口氣，「她們都自以爲有多特別。如果她知道要找人代替她有多容易，我看她八成會氣得上吊。一輛輛公車把她們運來，史卡德。每一天每個小時，她們就像潮水一樣湧進長途巴士總站，準備出賣身體。而且每天還有一大票其他女孩，決定不幹服務生或者收銀員，想換個更輕鬆更賺錢的工作。史卡德，我大可以開家公司接受申請，保證門庭若市，生意興隆。」

我打開車門。他說：「跟你談得很愉快，尤其是早先。你看拳擊很有眼光。請你告訴那個金髮笨妞，沒人想要殺她。」

「我會。」

「如果想找我談話，打到我的電話聯絡處就好。我一定回電話給我認識的人。」

我跨出去，關上車門。他等前頭車子開走，來個迴轉，再次轉上第八大道，往城北開走。他的迴轉違反交通規則，而且左轉到第八大道時又闖了紅燈，不過我看他根本無所謂。我實在想不起來上回是什麼時候看過紐約市的警察因爲交通違規開了罰單。有時候紅燈亮了，你還會看到五部車連著闖過。這年頭連公車也不例外。

他掉轉車頭以後，我抽出記事本記了一筆。對街靠近寶莉酒吧的地方，一男一女正在大聲吵架。「你這樣還算男人嗎？」她厲聲罵道。他甩她一巴掌。她詛咒他，他又摑了她一巴掌。也許他打得她神智不清。也許他們七天有五個晚上都玩這種遊戲。如果插手打斷這種事情，十之八九兩人都會跟你沒完沒了。以前我還是菜鳥警察的時候，我頭一個搭檔的座右銘就是「千萬別管夫妻吵架」。有一回他摩拳擦掌準備對付一名醉鬼丈夫時，那人的太太竟從後頭撲上來。她丈夫打掉她四顆牙齒，可是她還死命護著他，拿起酒瓶往她救星頭上砸去。結果他縫了十五針，外加腦震盪。以前每回他跟我講這故事時，食指都會在疤上按一按。他的頭髮蓋住了疤看不到，不過他的手指每次都按對了地方。

「我說讓他們自相殘殺好了，」他常說：「就算打電話報警的是她也一樣，到時候她還是會跟你沒完沒了。他媽的讓他們自相殘殺好了。」

對街上，那女人說了什麼我沒聽淸楚，男人一拳打在她肚子上。她大叫一聲，好像眞的很痛。我把記事本收起來，回旅館。

□

我從大廳打電話給琴，她的答錄機回話。我才開始留言，她就拿起話筒打斷我。「有時候在家我也把機器打開，」她解釋道：「這樣我就可以決定要不要接。早先跟你通過話以後，一直都還沒有錢斯的消息。」

「我幾分鐘前才跟他分手。」

「你們碰過面？」

「我坐他車子四處逛。」

「結果怎麼樣？」

「我覺得他開車技術不錯。」

「我是說——」

「我曉得你意思。你想離開，他聽了好像無所謂。他跟我保證，你一點也不用怕他。照他的說法，你根本不需要雇我護航。你只要跟他通報一聲就好。」

「對啊，他是會那麼說。」

「你不相信他？」

「難說。」

「他說他要聽你一句話。我看他也想跟你一起安排退租的事。我不知道你敢不敢跟他單獨一道？」

「我也不知道。」

「你可以把門鎖上，隔著門跟他講話。」

「他有鑰匙。」

「你裡頭沒有鎖鏈嗎？」

「有。」

「那就從裡頭拴上啊。」

「噢。」

「要不要我過去？」

「不，不用。嗳，對了，你該來拿另一半錢的。」

「等你跟他談過，一切都解決以後再說。不過如果他出現時，你需要有人作伴的話，我可以過去。」

「他今晚來嗎？」

「我不知道他什麼時候要去。也許這整件事他會光打電話處理。」

「他也許要到明天才來。」

「呃，如果你要的話，我可以窩在沙發睡覺。」

「你覺得有這個必要嗎？」

「要看你了，琴。如果你擔心——」

「你覺得我有沒有必要怕他？」

我想了一下，把跟錢斯對談的情況在腦中重放一遍，冷靜評估他給我的感覺。「不，」我說：「我覺得沒這必要。不過話說回來，我對他所知有限。」

「我也是。」

「如果你會緊張——」

「不，不用小題大作。再說現在已經很晚了。我正在看有線電視頻道的電影。看完以後，我就要睡覺。我會把門鏈鎖上，這是個好主意。」

「你有我的電話號碼。」

「對。」

「有事就打電話給我，沒事也可以。好嗎？」

「當然。」

「不要想東想西。老實說，我看你眞是花了不該花的錢。不過反正那是你的私房錢，你愛怎麼花誰也管不著。」

「當然。」

「總而言之，我想你已經脫離火海。他不會傷害你的。」

「我看你說的應該沒錯，我也許明天打電話給你。馬修，謝謝你囉。」

派。

「好好睡個覺吧，」我說。

我走上樓，也想睡個好覺，可是力不從心。我只好放棄，起床換上衣服，繞過街角到阿姆斯壯酒吧去。本想叫點吃的，可是廚房已經關了。崔娜告訴我，她可以弄個派給我。我不想吃派。

我想叫兩盎司波本威士忌，然後再加兩盎司到我的咖啡，而且我實在想不出他媽的半個理由這樣做有何不可。反正喝不醉嘛。何況也不可能爲這個再進醫院。上回送醫是因爲沒法控制，一杯接一杯，沒日沒夜的喝得爛醉。我已經學到教訓了。我不可能再那樣灌酒，健康不允許，而且我也不想。不過小小一杯睡前酒跟灌得酩酊大醉，中間還是有道非常明顯的界限，不是嗎？

他們要你九十天不許碰酒。你得在九十天內參加九十次戒酒聚會，每天都要重新提醒自己：拒絕今天想喝的第一杯酒。這樣過了九十天，你就可以自由決定下一步該怎麼辦。

我上禮拜天晚上喝了一杯。從那以後，我去過四次會議。如果上床前一杯酒也不喝的話，我就滿了五天。

那又怎麼樣？

我叫杯咖啡。回旅館路上，我在一家希臘熟食店買了個起司丹麥麵包和半品脫牛奶。我在房裡吃掉麵包，喝了一點牛奶。

我把燈關掉上床。現在我滿了五天。那又怎麼樣？

5

我邊吃早點邊看報紙。科羅納區那名身受重傷的保全警察仍然不見起色，不過醫生現在說他有活下去的希望。他們說他或許會局部癱瘓，而且可能終生不癒，但要下斷語還嫌過早。

大中央車站有人搶劫一名婦女，她身上三個購物袋被奪走兩個。布魯克林的葛雷森區，一對父子（曾經因爲從事色情行業被警方逮過；而且據媒體報導，和犯罪組織牽扯不清）從車裡跳出，衝向他們看到的第一戶人家避難，追殺他們的人拿起手槍、散彈槍一陣亂槍掃射，結果那個父親受傷，兒子死掉；而最近才搬進那屋子住的年輕媽媽當時正在前廳的衣櫥掛衣服，流彈砰砰穿過櫥門，轟掉她大半個腦袋。

六十三街的基督教青年會每個禮拜有六天中午都有聚會。演講人說：「告訴各位我是怎麼會到這兒來的。有天早上我醒來以後對自己說：『哇，今天天氣好棒，我這輩子精神從沒這麼好過。我的健康狀況極佳，婚姻美滿，事業順利，頭腦從來沒這麼清楚過。我想我該加入匿名戒酒協會。』」

滿屋子爆出轟轟笑聲。他講完後，大家沒有繞著房間輪流發言，而是看誰舉手，由演講人點名發言。有個年輕人害羞的說他才剛滿九十天，引來一陣掌聲。我也有意舉手，一邊在想該說什麼。我能想到可以講的就只有葛雷森區那個年輕太太，另外或許還有路易·盧登科的媽媽——慘死在動過手脚的電視機下。但這兩個命案跟我有何關係？我還在想該說什麼時，時間到了，大家全站起來跟著念主禱文。這樣也好。反正我可能根本想不出值得鼓掌的話說。

□

散會以後，我在中央公園四處閒蕩。太陽今天總算露面，這是一個禮拜來第一個大晴天。我散了很久的步，看著小孩，跑步的、騎自行車的，還有溜冰的人。這幅健康、天眞、充滿朝氣活力的景象，和每天早上我在報上看到的城市黑暗面，怎麼能共存在同一個時空？

事實上這兩個世界有重疊之處。這些騎自行車的人中，有些會給搶走車子。這些漫步的愛侶中，有些會回到遭竊的公寓。這些嘻鬧的孩子中，有些會行搶或者拿刀槍傷人；有些會被搶或者被刀槍傷到。而這些事如果想太久的話，頭只有越來越痛。

從公園往外走的路上，我在哥倫布圓環碰到一個穿著籃球外套的無賴漢，涎著臉向我討一角錢說要買酒。我們左邊幾碼以外站了他兩個同行，正在共飲一瓶啤酒，一邊興味十足的看著我們。我正打算要他滾一邊去，結果連我自己也沒想到竟然還給了他一塊錢。也許我不想讓他在他朋友面前丟臉。他開始打躬作揖謝得我消受不了，然後我想他大概在我臉上看到什麼表情叫他打個冷顫噤聲不敢再說。於是我便穿過街往旅館走去。

□

沒有信，只有琴要我回電的口信。櫃台人員照理應該要在紙條上註明來電的時間，不過我待的這家可不是五星級飯店。我問他記不記得對方來電的時間，他搖搖頭。

我打電話給她，她說：「嗨，我正在等你電話呢。何不現在過來收錢，還欠你五百。」

「你有錢斯的消息嗎？」

「他一個小時前還在這兒。一切都沒問題。你能過來嗎？」

我要她給我一個鐘頭。我上樓淋浴刮臉，換好衣服，想想不喜歡身上這套裝束，又脫下來。打領帶時領結老不合我意，然後我才猛的意識到自己正在幹嘛：像在準備赴女友的約。太好笑了，我對自己說。

我戴上帽子，穿上外套，走出旅館。她住在莫瑞希爾區，位在三十七街，第三大道和萊辛頓大道之間。我走到第五大道搭車，下車後一段往東的路就散步過去。她那棟建築是大戰前蓋的公寓大樓，紅磚牆面，十四層高，大廳鋪上地磚，有棕櫚盆景。我告訴門房我的名字，他用對講機打到樓上。等確定琴是在等我以後，才把手指向電梯。他一副一本正經的模樣，看來頗爲刻意。於是我想到他或許知道琴的職業，以爲我是上門的顧客，所以才小心翼翼的不敢竊笑出來。

我坐電梯到十二樓，然後走向她的門。快靠近時，門開了。她像杵在畫框中般站在門口，金黃的髮辮、湛藍的眼睛、弧線優美的顴骨，那一刻她眞像是刻在北歐海盜船頭的勝利女神。她和我差不多高，她用力摟我一下時，我可以感覺到她堅實的乳房和大腿壓過來，聞到她散發的濃郁香水味。「馬修，」她說，一邊把我拉進房裡，然後關上房門。「老天，我眞感謝伊蓮介紹我找你幫忙。你知道你是什麼人嗎？你是我的英雄。」

「我只不過和那人談談而已。」

「不管你用什麼方式，反正目的達到了。坐吧，放鬆一下。要不要喝點什麼？」

「不了，謝謝。」

「咖啡好不好？」

「呃，如果不麻煩的話。」

「坐嘛。是即溶的，你不介意吧。我實在懶得煮眞正的咖啡。」

我告訴她即溶也很好。她泡咖啡時，我坐在沙發上等著。房間很舒服，傢俱雖然不多，但還頗有格調。音響設備放出輕柔的爵士鋼琴樂，一隻全黑的貓從牆角探出頭來小心翼翼的看著我，然後又一溜煙跑掉。

咖啡桌上擺了幾本當期雜誌——《時人》、《大都會》、《電視指南》、《自然歷史》。音響上方的牆掛了幅裝框的海報，是幾年前惠特尼博物館爲霍普舉行畫展設計的。另一面牆上飾有一對非洲面具。橡木地板的正中央鋪了塊斯堪的那維亞的特製地毯，是藍、綠色的漩渦狀抽象圖案。

她捧著咖啡回來時，我還在觀賞房間。她說她希望能留下這間公寓。「不過換個角度看，」她說：「還好我不能，你知道？我是說，如果繼續住在這兒，有不少人還會再來找我。你知道。男人。」

「當然。」

「再說，這公寓一點也不像我。我是說，房裡唯一是我挑的只有那張海報。我去過那次展覽，很想把那裡的什麼帶點回家。那人眞能畫出寂寞的感覺。人們聚在一起卻沒眞在一起，各自看著不同的方向。我看了感觸很深，眞的。」

「你打算住在哪裡？」

「找個好地方住。」她信心十足的說。她盤坐在我旁邊的沙發上，一隻長腿疊在臀部下面，咖啡杯立在另一隻膝蓋上。她穿著上次在阿姆斯壯酒吧穿過的酒紅色牛仔褲，配了件檸檬黃毛衣。毛衣下頭看來好像什麼也沒穿。她光著兩隻腳，腳趾甲和手指甲都塗上同樣的紫紅色蔻丹。她原本套了雙臥室用拖鞋，但坐下前把它們踢掉。

我看進她眼裡的藍，方型寶石戒指的綠。突然發現自己的視線被地毯吸引過去：看來彷佛有人把這兩種顏色拿走，然後用鐵絲攪拌器打成漩渦。

她輕吹咖啡，啜一啜，往前傾身把杯子擺在咖啡桌上。香煙放在桌上，她點起一根，然後說：「我不知道你跟錢斯說了什麼，不過你對他眞有一套。」

「這我可不知道。」

「他今早打電話說要過來。他到的時候，我門鏈沒拿下來，不過不知怎的我就是知道其實一點也不用怕他。人有時候就是有這種直覺，你知道？」

我當然知道。鼎鼎大名的波士頓殺人魔從來不需要破門而入。他所有的受害者都是自動開門請他進去。

她噘起嘴巴，噴出一縷白煙，「他說他沒想到我不快樂，還說他從沒想過要強迫我爲他做事。我這樣懷疑他，他好像有點傷心。知道嗎？他說得我都開始快有罪惡感了。而且他還說得讓我覺得自己犯下大錯——把大好機會丟掉，以後反悔也挽不回來。他說：『你知道，女孩回頭我總不收留。』然後我就在想，老天，我這不是斷了自己後路。你能想像有多可笑嗎？」

「唔。」

「天啊，他可眞是個一等一的江湖郎中。說得好像我辭掉大好工作不做，還放棄了將來可以從公司拿到的大筆退休金。呸，省省吧！」

「你什麼時候得搬出公寓？」

「他說月底以前。我想我會早點走。打包一點也不麻煩。傢俱沒一件是我的，只有衣服、唱片，還有霍普畫展的海報。不過你知道嗎？我想其實那些也可以留下。我不需要帶走任何回憶。」

我喝了幾口咖啡，味道比我習慣的要淡。爵士樂放完了，她跟著放張鋼琴三重奏。她再一次告訴我，錢斯對我印象深刻。「他想知道我是怎麼找上你的，」她說：「我含糊其詞，只說你是我一個朋友的朋友。他說我其實不用雇你，只要自己跟他談就好了。」

「他很可能是說眞的。」

「或許吧。不過我懷疑。就算我眞鼓起勇氣找他談，談著談著我大概會打退堂鼓，然後我那整個計劃也只有泡湯，而且我也會讓它一直泡湯，你知道，因為沒有一開始就直截了當跟他攤牌，他一定會想辦法暗示我：離開他，門都沒有。他或許會說：『仔細聽著，婊子，你乖乖給我待著，要不老子割了你的臉。』他也許不會說，不過我會聽出他有這個意思。」

「你今天聽他這樣說了嗎？」

「沒有，重點就在這裡。沒有。」她的手緊按住我搭在扶手的手臂上，「噢，趁我還沒忘記。」她說，我的手臂在她起身時承受了她一些體重。然後只見她在房間另一頭猛掏皮包，沒一會兒她便回到沙發，遞給我五張百元大鈔——搞不好就是三天前我退給她的那些。

她說：「總覺得應該給你紅利。」

「你付的已經夠多了。」

「可是你做得太好了。」

她一隻手臂垂過沙發椅背，整個人向我靠過來。看著她金色的髮辮綰在頭上，我想起我認識的一個女人——一個在翠貝卡區有個統樓層的雕刻家。她刻過蛇髮女妖梅杜莎的頭像，而琴和珍·肯恩那具雕像作品一樣：有同樣寬闊的眉毛，以及高聳的顴骨。

不過表情不太一樣。珍的梅杜莎滿臉憤世嫉俗。琴的臉就比較難於解讀。

我說：「那是隱形眼鏡嗎？」

「什麼？噢，我的眼睛啊？本來就是這個顏色。有點詭異，對不對？」

「很少看到。」

現在我讀懂了她的表情。我看到的是期待。

「很美的眼睛。」

她圓潤的嘴唇泛出一抹笑意。我往她那兒靠近一點，她馬上投進我的懷裡，新鮮、溫暖、充滿渴望。我吻她的嘴、她的喉嚨、她闔上的眼。

她的臥室寬敞，陽光四瀉，地板鋪了層厚厚的地毯。特大號的床還沒整理。有隻黑貓在一只罩上印花棉布的木椅上打盹。琴拉上窗簾，害羞的瞅我一眼，然後開始褪下衣服。

我們接觸的方式不同於一般。她曲線玲瓏，是男人夢想中的魔幻女體，而她又恣情放浪，毫無保留的把自己交了出來。我被自己高漲的慾火嚇到，不過那幾乎完全只是肉體的反應。奇怪的是，我的心智無法融入我們交纏在一起的肉體，就好像從遠方遙遙觀望我們的表演。

最後射出去的那一刻帶來了舒解、放鬆，以及小小的、寶貴的愉悅感覺。我從她身上移開，覺得好像躺在一片布滿黃沙與枯叢的荒漠。一陣駭人的心傷襲來，喉嚨深處隱隱作痛，我覺得眼淚就要流出。

然後這種感覺消失了。我不知道它爲什麼出現，又爲什麼消失。

她說：「嗯——」然後笑起來，側身滾來盯著我的臉，一手搭在我的肩膀上。「感覺好好，馬修。」她說。

□

我穿上衣服，謝絕她邀的另一杯咖啡。她在門邊捧住我的手，再次向我道謝。然後說她搬到新家以後，會通知我她的地址和電話。我要她不必客氣，任何時間，任何原因，她都可以打電話找我。我們沒有接吻。

在電梯裡，我想起她說過的一句話：「總覺得應該給你紅利。」紅利這個字眼用得還眞貼切。

我一路走回旅館，沿途停下兩次。一次買咖啡和三明治；一次是到麥迪遜大道的教堂，準備投五十元到救濟箱，但猛然想起不行：琴付給我的是百元大鈔，而我的小額鈔票加起來又湊不到五十。

我不知道自己爲什麼要照聖經所說：獻出自己所得的十分之一給神。也不知道當初是怎麼開始養成這種習慣。我只記得離開安妮塔和孩子、搬到曼哈頓以後，我才開始奉獻。我不知道教堂拿了這錢是做什麼用途，不過我很肯定：我缺錢的程度絕對不亞於教堂。所以近來我一直試著想要改掉這個習慣。可是每回一有進帳，如果我沒拿出十分之一捐給教堂，心裡就七上八下、惴惴不安。我想是迷信吧。也許我隱隱以爲：這事一旦開始就得持續下去，否則必有大禍臨頭。

天曉得這樣想多沒道理。不管我把自己的錢全數獻給教堂，或者一毛錢也不出，大禍還是會來，而且會持續的來。

這回的十分之一獻金得再等等。不過我還是坐了幾分鐘，感謝空曠的教堂帶給我片刻寧靜。我任由腦子四處馳騁遨遊。才過沒多久，走道另一邊坐了個年邁的男人。他闔上兩眼，神情看來非常專注。

我暗想他或許是在禱告。我想知道禱告是怎麼回事，從中又可以得到什麼。有時候，不管在哪座教堂，我會突然想要禱告，但又不知怎麼進行。

如果有蠟燭可點的話，我會點上一支。不過這家是聖公會教堂，沒有蠟燭。

□

那天晚上我到聖保羅教堂參加聚會，可是一直沒法專心聽講。我的心思不斷跑掉。開放發言時，參加過中午那場的孩子又說一次他已經戒滿九十天，再度引起滿場掌聲。演講人說：「你知道九十天以後跟著的是什麼？第九十一天。」

我說：「我叫馬修，沒有話說。」

□

這天我提早上床。雖然很快入睡，可是卻不斷從夢裡醒來。我越想抓住夢的尾巴，僅存的模糊畫面就跑得越遠。

最後我總算起床，外出解決早餐，買份報紙回房細讀。禮拜天中午這附近有場聚會，我從來不去，不過會議通訊錄上有列出時間地點。等我決定要去的時候，已經過了十二點半。我留在房裡，讀完報紙。

以前喝酒時，時間很容易打發。我往往在阿姆斯壯酒吧一坐就是幾個鐘頭，咖啡裡加點波本，一杯接著一杯小口小口的啜掉好幾個鐘頭，而且不用擔心喝醉。現在你想不加酒如法炮製，可是做不到。硬是做不到。

三點左右我想到琴。我伸手要打電話給她，可是馬上停手。我們上過床，因爲那是她最擅長贈送、而我又不知如何拒絕的那種禮物，但這不表示我們就是情人。我們並沒有因此發展出什麼特別關係。不管我們有過什麼交易，現在一切都已結束。

我想起她的頭髮以及珍·肯恩的梅杜莎，然後想到可以打電話給珍。我跟珍能談些什麼？

我可以告訴她我已經堂堂邁入戒酒的第七天。從她參加匿名戒酒協會以後，我們就失去聯絡。他們要她遠離和酒有關的所有人、地、事，而我就位在禁區裡面。今天我一滴也沒喝，這點我可以告訴她，不過那又怎麼樣？她不會因此就想見我。再說，我也不是因此才想見她。

我們曾有幾個晚上在一起開懷暢飲，也許如今我們可以滴酒不沾，而又同樣開懷。不過我看結果八成會像在阿姆斯壯酒吧純飲咖啡——坐立難安。

我勉強打起精神查出她的電話號碼，不過終究還是沒有撥。

多久。

聖保羅教堂的演講人說了個非常悲慘的故事。他以前吸了好幾年海洛因，好不容易戒掉，卻又染上酒癮，常常喝得不省人事。他看來像是去過一趟地獄，而且記憶猶新。

中場休息時，吉姆在咖啡機旁攔住我，問我一切如何。我告訴他一切都好。他問我酒戒了多久。

「今天是我的第七天。」我說。

「乖乖，好極了，」他說：「眞是恭喜你，馬修。」

輪流發言時，我在想也許輪到我時，我可以發表一小段談話。我不會開口就說我是酒鬼，因爲我已經不是，不過我可以當衆宣布這是我的第七天，或者告訴大家我很高興到場參加之類的話。不過眞輪到我時，我還是重複那句老話。

會後我把摺椅堆回原處時，吉姆跑來找我。他說：「你知道，我們有夥人每次散會以後，都會聚到柯伯小店，只是晃晃、閒聊著打發時間。你也一起去怎麼樣？」

「嗯，我是很想，」我說：「可是今晚不行。」

「那就改天晚上好了。」

「嗯，」我說：「一言爲定，吉姆。」

我其實可以去。我沒別的事好做。結果我去了阿姆斯壯酒吧，吃掉一個漢堡、一塊起司蛋糕，喝掉一杯咖啡。這樣的一餐我在柯伯小店吃其實也可以。

怎麼說呢？禮拜天晚上我一向愛到阿姆斯壯酒吧。此時酒吧內人數不多，只有老顧客。吃完晚餐以後，我捧著咖啡杯坐到吧台，和哥倫比亞廣播電台一名叫做曼尼的技術員閒聊一陣，後來又來個叫做哥登的樂師加入我們談話。我一點喝酒的欲望也沒有。

我回家上床。一早醒來滿頭冷汗，想想大概是做了什麼惡夢。我淋浴刮臉，但恐懼還在。我穿好衣服下樓，在洗衣房丟了籃髒衣服，再到乾洗店託洗一套西裝和一條長褲。我邊吃早點邊看《每日新聞》日報。他們有個專欄記者訪問到在葛雷森區被亂槍射死的那位少婦的丈夫。他們才搬進新家，那是他們夢寐以求的房子，是他們在一個好社區展開新生活的大好機會。沒想到兩名亡命歹徒會特別選上他們的房子避難。「這就像是上帝特別點名要克萊兒・雷茲克受難。」記者這麼寫道。

在「大都會點滴」版上，我得知兩名寶華利貧民區的無賴漢大打出手，爲的只是他們在地鐵車站垃圾桶找到的一件襯衫。其中一個拿了支八吋的彈簧刀把另一個刺死。死者五十二歲，凶手三十三歲。我暗想：如果這事不是發生在地鐵站的話，或許根本不會上報。寶華利貧民區的居民互相殘殺，早就已經不是新聞。

我繼續翻閱報紙，彷彿預期會找到什麼，模模糊糊有種不祥之感一直盤據心頭。我微微感到宿醉，然後馬上提醒自己：我前一天晚上啥也沒喝。今天是我戒酒的第八個大好日子。

我走到銀行，把五百塊的報酬抽出一部分存進戶頭，剩下的則換成十元和二十元的小額鈔票。我走到聖保羅教堂，想及早捐掉那五十塊錢，只是當時正在進行彌撒。我只好掉頭走向六十三街的基督教青年會，結果不幸聽到這輩子聽過最最無聊的見證。我看演講那人八成是把他從十一歲開始喝過的每杯酒都細細數過。他語調平板，就這麼嗡嗡嗡的拖過整整四十分鐘。

會後我坐在公園，到攤上買支熱狗吃掉。我三點左右回到旅館，小睡一下，四點半左右再次出門。我買份《郵報》，繞過轉角走進阿姆斯壯酒吧。買報紙的時候我一定已經瞄到頭條的標題，只是不知怎麼視而不見。我找張桌子坐下，點杯咖啡，然後看到頭條新聞。

「應召女郎割成片片」，標題這樣寫著。

我知道有這可能，也知道這可能不再重要。我閉上眼睛靜坐一會，兩手緊抓報紙，想要完全憑藉意志的力量改變這個故事。顏色，她北歐人的那種湛藍眼睛在我緊閉的雙眼裡閃過。我胸部抽緊，再一次感覺到喉嚨深處隱隱作痛。

我翻過這天殺的一頁，果然第三頁上就印著我想到的內容。她死了。那雜種殺了她。

6

琴·達科能死在星河旅館十七樓的一個房間——這是五〇年代蓋在第六大道上的少數摩天旅館之一。房間才剛租給一個來自印第安那州韋恩堡的查爾士·歐文·瓊斯。他禮拜天晚上九點一刻登記住宿一晚時，已經先以現金付清房租，在那之前半個鐘頭他曾打過電話預約房間。根據初步調查，韋恩堡找不到任何人叫做查爾士·歐文·瓊斯，而他在住宿卡上登記的地址街道也不存在，所以可以斷定他當時給的只是假名。

瓊斯先生進房以後沒打電話出來，也沒有點用飲料食物記到他旅館帳上。過了不知幾個小時以後他離開了，而且沒有在櫃台留下鑰匙。他在門上掛了「請勿打擾」的牌子，而旅館雜役也一直很謹慎的遵照指示——直到禮拜一早上十一點退房時間。當時一名女僕先打內線電話過去，鈴響許久都沒人接，敲門也沒人來應，所以她才拿出鑰匙開門。

她走進《郵報》記者所說的「無可名狀的恐怖現場」。一名裸女躺在床角的地毯上，床和地毯都浸滿她的血漬。女人身上重重傷口，不知給戳刺了多少次。凶器照法醫判斷，或許是刺刀或者開山刀。凶手把她的臉砍得「一片血肉模糊」，但有個不死心的記者溜進達科能小姐「

位於莫瑞希爾區的豪華公寓」，拿到一張死者生前的照片。琴在照片裡的金髮和平時很不一樣，整個披瀉到肩上，只綁了條髮辮盤在頭上，宛如花冠。照片中的她眼睛清澈明亮，一副天眞無邪的模樣。

確定死者身分根據的是一只女用皮包，在犯罪現場找到。皮包裡有一筆現金，警方辦案人員因此排除金錢是謀殺動機。

還挺有把握的呢。

我放下報紙，發現自己兩手在抖。我不很驚訝。我裡頭抖得更是厲害。艾芙琳的眼睛瞟向我，她走過來時，我點了兩杯波本。

她說：「你確定嗎，馬修？」

「有何不可？」

「你已經好一陣子不喝了。你眞打算現在開戒？」

我暗想，關你屁事，小姐？我深深吸進一口氣，再吐出來，然後說：「也許該聽你的。」

「再添些咖啡怎麼樣？」

「好。」

□

我回到那則新聞。根據初步檢驗，死亡時間大約是半夜十二點。我拚命回想，他殺她時我在幹嘛。散會後，我到阿姆斯壯酒吧，不過我到底是幾點離開的呢？我記得不算太晚，但我東摸西摸準備上床的時候，恐怕也已經將近午夜。當然死亡時間也只是大概的估計，所以他開始把她剁掉的時候，我很可能已經入睡。

我坐在那兒不斷的啜飲咖啡，新聞看了一遍又一遍。

我從阿姆斯壯酒吧走到聖保羅教堂。我坐在後排竭力回想。一幕幕影像跳進又跳出。兩次和琴見面的片段交織閃過我和錢斯的談話。

我把那於事無補的五十塊錢投進救濟箱裡。我點上一根蠟燭，凝視良久，彷彿在等待火焰中跳出什麼影像。

我走回去，再度坐下。有個年輕神父走過來，輕聲細語很抱歉的告訴我，晚上關門時間已到。我點點頭，站起來。

「你好像有心事，」他關心的問：「我能幫上什麼忙嗎？」

我搖搖頭。

「我看你偶爾就會過來一下。有些事講出來會比較好過。」

是嗎？我說：「我根本不是天主教徒，神父。」

「那無所謂。如果你有什麼煩惱——」

「只是聽到壞消息，神父。有個朋友死了。」

「噢——」

我有點擔心他會講一大套上帝的神秘旨意之類的大道理來安慰我，不過他好像只是在等我講下去。我好不容易才找個藉口離開。我在外頭人行道上站了好一會兒，不知道下一站該去哪裡。

當時是六點半左右。還得等兩個小時聚會才開始。雖然可以早到一個鐘頭，四處走走，喝喝咖啡，和人聊天，不過我從來不幹。我有兩個鐘頭要耗，可是卻不知道做什麼才好。

他們告誡過我，不要讓自己餓過頭。我在公園吃了熱狗以後，就什麼東西也沒碰。我一想到食物，胃裡馬上開始翻攪。

我走回旅館。一路上經過每個地方好像不是酒吧就是酒鋪。我上樓回房，一直待在那裡。

□

我提早幾分鐘到達會場。有五、六個人叫我名字，向我問好。我拿了些咖啡坐下。

演講人簡短的說完他的酗酒史，然後就把剩下時間統統拿來告訴大家四年前他戒酒以後發生的種種事情。他的婚姻破裂；最小的兒子被車撞死，肇事人一逃了之；他長期失業，多次因爲過度沮喪必須住院治療。

「不過我一直沒再碰酒，」他說：「我頭一回來這兒時，大家都告訴我，天下沒什麼事會壞到得靠喝酒麻痺自己。你們告訴我，戒酒想要成功，就得有本事看著自己的手指給一根根剁掉也不碰酒。老實說，有時候我在想，我能夠一直滴酒不沾，靠的完全是他媽的固執而已。不過這又有何妨？反正你們說的我照單全收就是。」

中場休息時我想離開，但想想又拿了杯咖啡和幾塊巧克力餅乾。我可以聽到琴在告訴我她偏愛甜食。「我甜的吃很兇，可是一點也吃不胖。幸運吧？」

我吃起餅乾。好像在嚼稻草一樣，可是我照嚼不誤，然後和著咖啡呑下。

開放發言時間，有個女的開始喋喋不休的講起她的人際關係。她是人見人厭的長舌婦，每天晚上都要重放一次錄音帶。我把耳朵關起來。

我在想：我名叫馬修，是個酒鬼。有個我認識的女人昨晚被殺。她雇我以免被殺，我拍著胸脯向她保證她的安全，她相信我。殺她的凶手誆了我，而我相信他，結果她死了，現在我做什麼都於事無補。這個念頭不斷的在啃我、嚙我，叫我坐立難安，而每繞過一個轉角就是一家酒吧，每走過一個路口就是一家酒鋪。喝酒不能讓她起死回生，但不喝酒也是一樣。他媽的我爲什麼得活得這麼辛苦？爲什麼？

我在想：我名叫馬修，是個酒鬼，我們圍坐在這一個個天殺的房間裡，永遠重複著同樣天殺的告白，而在這同時，外面那個世界裡人與人像野獸一樣自相殘殺。我們說「不要喝酒，參加戒酒協會」，我們說「重要的是保持頭腦清醒」，我們說「不要急就戒得成」，我們說「一天一天來」。我們就這樣像洗過腦的殭屍一樣反覆誦唱，而在這同時，世界正在走向毀滅。

我在想：我名叫馬修，是個酒鬼，我需要幫助。

輪到我時，我說：「我名叫馬修，謝謝各位所做的見證，我獲益很大。我想今晚我只聽就好。」

□

禱告後我馬上離開。我沒有去柯伯小店，也沒去阿姆斯壯酒吧。我往我旅館的方向走去，過門不入，往前繞過轉角，到了位在五十八街的法瑞小店。

那裡顧客不多。點唱機上放著東尼·班奈的歌曲。酒保我不認識。

我看看吧台後方。首先攫住我視線的是波本威士忌的商標「早年時光」，我點了一杯不加冰。酒保爲我倒酒，把杯子擺在我正前方的吧台上。

我拿起酒杯細看。我在想我能看到什麼異象。

我一飲而盡。

7

沒什麼大不了的。起先我甚至完全沒有感到酒力，然後我的頭就開始陣陣刺痛，而且噁心想吐。

這也難怪，我的身體不習慣酒。我已經戒掉一個禮拜。想想上回我整整一個禮拜不碰酒是什麼時候？

想不起來。也許是十五年前，我猜。也許二十，也許更久以前。

我站著那裡，一隻手臂癱在吧台上頭，一隻腳踩在我旁邊那張吧椅底下的橫桿，努力想要分析自己當時的感覺。我的結論是：有點不再像幾分鐘前那樣叫我痛心。話說回來，我也有種奇怪的失落感。但——失落了什麼？

「再一杯？」

我開始點頭，然後馬上打住，改成搖頭。「現在還不要，」我說：「可以給我幾個一毛錢銅板嗎？我得打幾通電話。」

他拿我的一塊錢換成零錢，指給我公用電話的方向。我把自己關在電話亭裡，拿出記事本跟筆，然後開始打電話。我花了幾毛錢得知達科能案由誰來辦，又花了幾毛找他，最後我終於給接到中城北區分局的辦公室。我說想找德肯警探講話，有個聲音應道：「等等。」然後，「喬，找你的。」中斷片刻以後，另一個聲音說：「我是喬・德肯。」

我說：「德肯，我叫史卡德。我想知道達科能的案子你有沒有逮到人問話。」

「名字再說一遍。」

「馬修・史卡德。我不是想跟你打聽什麼，而是要提供消息給你。如果你還沒逮到那個皮條客，我可以給你一點線索。」

沉默一會兒後他說：「我們還沒有逮捕任何人。」

「她有個皮條客。」

「我們曉得。」

「有他的名字嗎？」

「聽著，史卡德先生——」

「她的皮條客名叫錢斯。那可能是姓、是名，或者只是綽號。黃色檔案沒有他的資料，那個名字沒有。」

「你怎麼會知道什麼黃色檔案？」

「我當過警察。聽著，德肯。我手頭有很多消息想要給你。好不好就讓我講個幾分鐘，然後你想問什麼都可以。」

「成。」

我所知道有關錢斯的一切，全都告訴了他。我跟他詳述錢斯的外表，他座車的外觀，還有車牌號碼。我說他手下至少有四個女孩，其中一個叫桑婭·韓德瑞，可是大家都叫她桑妮，而且大概描述了她的長相。「禮拜五晚上他把韓德瑞送到中央公園西區四百四十四號。她也許住在那兒，不過有可能只是去參加為一名叫巴斯孔的新秀拳擊手所舉行的慶功宴。錢斯在巴斯孔身上有些投資，也許那棟大樓有人特地為他慶祝。」

他有意打斷，但我還是講下去。我說：「禮拜五晚上錢斯得知琴·達科能想要結束他們的關係。禮拜天下午他到她的住處找她，告訴她他不反對。他要她在這個月月底以前搬家。公寓是他找的，房租是他付的。」

「等等，」德肯說，我聽到紙張的窸窣聲。「登記的承租人名叫大衛·高德曼。達科能的電話也是列在他的名下。」

「你找到大衛·高德曼了嗎？」

「還沒有。」

「我看你不會找到。還有個可能是，你會發現高德曼原來是錢斯雇來為他掩飾身分的律師或者會計師。我只能告訴你：錢斯長得不像會叫做大衛·高德曼。」

「你說過他是黑人。」

「沒錯。」

「你見過他。」

「沒錯。雖然他沒有固定出入的場所，不過我知道他可能在哪裡出沒。」我把幾家酒吧的名字念給他聽，「我還查不出他的住處，我想他是有意保密。」

「沒問題，」德肯說：「我們可以倒回去查。你給了我們他的電話號碼，記得吧？我們可以根據他的號碼查出地址。」

「我想那是他電話服務處的號碼。」

「唔……他們應該有他私人的號碼吧。」

「也許。」

「你好像很懷疑。」

「照我看，他不喜歡讓別人找到。」

「那你怎麼有幸找到他的？你跟這個案子有什麼關係呢，史卡德？」

我很想掛斷。我已經把知道的全說出來了，實在不想回答別的問題。不過我比錢斯好找得多。如果我掛德肯的電話，他一定會火速把我找去問話。

我說：「我禮拜五晚上和他碰面。達科能小姐要我代她求情。」

「求什麼情？」

「告訴他她想跳出火坑。她自己不敢說。」

「所以你就代她表達意見？」

「沒錯。」

「怎麼？那你自己也是拉皮條的嗎，史卡德？她從他的火坑跳到你的？」

我握住話筒的手一緊。我說：「不，我不幹那種勾當，德肯。怎麼？難道你老媽想換個人幫她拉皮條嗎？」

「去你——」

「小心不要他媽的血口噴人。我可是好心好意把內幕消息白白送給你，這個電話我根本犯不著打。」

他一聲不吭。

我說：「琴·達科能是我一個朋友的朋友。如果你想知道我的背景，可以找一個叫古吉格的警察打聽，我們以前認識。他還在城北分局吧？」

「你是古吉格的朋友？」

「我們有點犯沖，不過他可以告訴你我的爲人。我告訴錢斯她想退出，他說他無所謂。第二天他去找她，說的也是這話。然後昨天晚上她就被殺。你們仍然推斷死亡時間是半夜十二點嗎？」

「嗯，不過那也只是估計個大概。他們找到她已經是十二小時以後，你也曉得屍體的情況，驗屍官很可能迫不及待想改辦別的案子。」

「唉。」

「我看最可憐的是那個旅館女僕。她從厄瓜多爾來，八成是非法移民，英文幾乎一個字都不會講，結果偏偏讓她撞上那種慘狀。」他噴出鼻息，「你要不要瞧瞧屍體，幫我們確認一下？保證叫你看了終生難忘。」

「你們難道還沒辦法肯定她的身分？」

「哦，倒也不是，」他說：「我們有指紋。她幾年前在長島市被逮過一次。當街拉客，關了十五天。之後沒再被抓。」

「她後來固定在一棟房子裡接客，」我說：「然後錢斯又把她安置在三十七街的公寓裡工作。」

「眞是跑了大半個紐約。你另外還有什麼資料沒有，史卡德？對了，如果需要的話，怎麼跟你聯絡？」

我沒別的資料了。我把我的地址跟電話告訴他。我們彼此又禮貌的寒暄幾句，我掛上電話，電話響了起來。一毛錢講三分鐘，我超過時間，欠了四毛五。到了酒吧，我拿一塊錢到吧台換零錢，把錢投到投幣孔，然後回到吧台再叫一杯。還是「早年時光」，不加冰。

這杯味道更好。等酒流進胃裡，我覺得體內有什麼硬塊開始融化。

參加聚會時他們告訴你，會叫你喝醉的一定是第一杯。你先喝一杯，然後就一發不可收拾，你會想都不想，一杯接著一杯直到灌得爛醉。這樣說來，也許我不算醉鬼，因爲我的情形不同。我喝了兩杯，心情比不喝前大好，而且也沒有再喝的需要。

不過我想給自己一個機會。我在那兒站了幾分鐘，考慮要喝第三杯。

不，不，我其實並不想喝。我這樣不是很好嗎？

我在吧台留下一塊錢，伸手把我剩下的零錢撈起，然後邁步回家。我走過阿姆斯壯酒吧，一點也不想進去，當然也沒有喝酒的欲望。

晚報現在應該已經出來了。我要不要往前繞過轉角買它一份？

不要，今天需要清靜。

我在旅館的櫃台前停步。沒有留話。是雅各當班，他正懶洋洋的哼著歌兒玩填字遊戲。

我說：「嗨，雅各。謝謝你那天晚上幫的忙，幫我打了那通電話。」

「噢，小意思啦。」他說。

「不，幫了個大忙，」我說：「眞的感激不盡。」

我上樓準備睡覺。我累垮了，而且氣喘不休。有那麼一會兒，就在睡意來襲以前，我再次經歷到那種奇怪的失落感。但我到底失落了什麼？

七天，我想道。你整整七天不碰酒，還有大半個第八天。然後你失去了它們。失去了將近八天。

8

我第二天買了日報。新近發生的一件慘案已經把琴·達科能趕出頭版。在華盛頓高地住宅區，一名哥倫比亞長老會醫院的年輕住院外科醫生在河邊大道散步時，遭搶被殺。他並沒有抗拒搶匪，但還是難逃一死。死者的太太有孕在身，待產期是二月上旬。

妓女慘死案已經移到裡頭的社會版。報導說的全是前一天晚上德肯告訴過我的。

我四處遛達好久。中午我到基督教青年會晃一下，但無法定下心神。做見證時我忍不住提早溜走。我在百老匯一家熟食店買了個燻牛肉三明治，配上一瓶黑啤酒。晚餐又喝一杯。八點半時我走向聖保羅教堂，在附近繞過一圈，想想還是不進地下室的會議室爲妙，便又折回旅館。我強迫自己待在房間。我想喝酒，可是今天已經喝過兩杯。我決定一天兩杯是我的上限。只要不超過這個配額，我應該不會惹上麻煩。這兩杯我隨時隨地都可以喝：不管是一早起來或者入睡以前，不管在我房裡還是酒吧，不管我是獨自一人還是有人作陪。

第二天禮拜三，我起得很晚，到阿姆斯壯酒吧吃頓早餐。我走到市立總圖書館，在那兒看了幾小時雜誌，然後上布來恩公園閒晃，結果給毒販搞得暈頭轉向。他們的勢力範圍廣披多座公園，以爲肯移駕公園的人都是他們的潛在顧客，搞到你在那兒看個報紙，都不斷有人跟你兜售興奮劑、鎮定劑、大麻和迷幻藥，還有一些天曉得是什麼的鬼玩意。

我當晚參加八點半的聚會。聚會常客米德莉宣布那天是她戒酒十一年紀念日，然後贏得如雷掌聲。她說她並沒有什麼秘方，只是戒一天算一天這麼熬過來。

我在想，如果我上床前不喝的話，就算是新的一天。我狠下心來做此決定，但會後我卻跑到寶莉酒吧一連喝掉兩杯。我跟一傢伙展開熱烈的討論，他硬說要請我一杯。我當機立斷，要酒保給我可樂。我對自己的表現非常滿意——知道自己的上限而且身體力行。

禮拜四我晚餐配喝啤酒。跑去聚會，但中途離席。我在阿姆斯壯酒吧小歇一下，不知怎麼硬是沒法在那兒點酒。匆匆離開。我惶惶不安，在法瑞小店跟寶莉酒吧進進出出，卻啥也沒點。離寶莉酒吧不遠的酒鋪還沒打烊，我買瓶波本威士忌帶回房裡。

我先淋浴，準備上床。然後我撕開瓶上封籤，往杯裡注入兩盎司波本，喝進肚裡，然後就寢。

禮拜五我起床第一件事是再喝兩盎司波本。我感覺到酒力讓我全身舒暢，一天過去都沒再喝。只有上床前再飲一杯後倒頭就睡。

禮拜六我起床時頭腦清醒，沒有喝酒欲望。我能自我節制實在是一大樂事。我眞想衝到會場和衆人共享我快樂的秘密。不過我可以想像他們的反應，那種嘴臉，那種嘲笑。滴酒不沾者那種「吾比汝聖潔」的表情。再說，就因爲我可以自我節制，並不表示把這方式介紹出去別人會肯賞臉。

我上床前喝了兩杯，幾乎沒有感覺，但禮拜天一早醒來覺得很不對勁，於是馬上慷慨的倒了杯醒腦酒慰勞自己。結果功效奇佳。我瞄瞄報紙後查看會議通訊錄，知道格林威治村下午有個聚會。我搭地鐵到那裡，會場幾乎清一色的同性戀人士。中場休息時我溜之大吉。

我到旅館小睡片刻。晚飯後我把報紙看完決定要喝續杯。我往杯裡倒了兩、三盎司波本，一飲而盡。我坐下來想再投入報紙，但總無法專心。我想再來一杯，但馬上提醒自己當天配額已經用罄。

然後我恍然頓悟：我早餐那杯是十二個鐘頭以前喝的，這要比我前一天晚上喝過後到今早那杯之間的時間還長。所以說，今早那杯的酒力事實上早已散出我的體內，嚴格說來不能算是今天喝的。

這表示我在上床前，還有權利再喝一杯。

我很高興自己悟出這點，決定獎勵自己的見識，以最高的敬意品嘗這杯。我在玻璃杯倒了差半吋才滿的玉液瓊漿，然後好整以暇的慢慢啜飲，捧著杯子坐在椅上，和俊男廣告裡的模特兒一式一樣。我很理性，知道重要的是每天喝的杯數，而不是每杯的大小，不過我又馬上想到我對不起自己。我第一杯酒——如果可以算是第一杯的話——其實根本沒有幾滴。如此看來，我還欠自己大約四盎司好酒。

我倒了我認爲有四盎司的波本，一乾到底。

我很高興的發現到，酒對我沒有明顯影響。我絕對沒醉。事實上，我長久以來就是現在最爽。老實說，我實在爽到不該呆坐在房裡浪費時間。我該出去走走，找個舒服的地方，喝杯可樂或者咖啡。不喝酒，因爲一來我實在不需要，再說我又已喝滿限額。

我在寶莉酒吧叫杯可樂。在第九大道一家同性戀酒吧點了杯薑汁汽水。有些顧客看來有點眼熟，我在想會不會是因爲那天下午在格林威治村的戒酒聚會打過照面。

往市區方向再走一個街區，我又有重大發現。我已經自我節制好幾天，在那之前我一個多禮拜完全沒碰黃湯，這不就證明我的能耐驚人？去他的，如果我可以限定自己一天只喝兩杯，這已經充分證明我根本不需要限定自己一天兩杯。我過去是有酗酒的惡習，這點我當然不能否認，不過我很明顯的是已經超越了那種層次的生活。

所以說，儘管我當然是不需要再喝一杯，但如果想要的話當然可以來他一杯。而老實說，我的確是想要一杯，所以何不就叫一杯喝喝呢？

我走進酒吧間，叫了雙份波本，不加冰。我還記得酒保有個亮光光的禿頭，記得他在倒酒，也記得我拿起杯子。

那是我記得的最後一件事。

9

我突然醒來，意識乍地來到，而且開到最大音量。我躺在醫院床上。

那是第一個打擊。第二個稍後跟上：我發現已經是禮拜三。從禮拜天晚上拿起第三杯酒以後，我什麼都不記得了。

多年來我偶爾會失去意識。有時候丟掉的是就寢前的半個鐘頭，有時候好幾個鐘頭。我從來沒丟掉過整整兩天。

□

他們不讓我走。我是前一天晚上送醫就診的，他們想把我徹底隔離戒酒五天。一位實習醫生說：「酒力在你體內還沒散掉。你只要一離開這裡，保證五分鐘不到就禁不住誘惑。」

「不，我不會。」

「你幾個禮拜前才在這兒治療過的，醫院留有存檔。我們好不容易才把你體內的毒素清掉，結果看你只維持多久？」

我默不作聲。

「你知道你昨晚怎麼被送來的？你起了痙攣，全身大抽搐。以前有過這種症狀嗎？」

「沒有。」

「反正你以後還會再有。如果你再這樣喝下去的話，保證一定再犯。不是每一次，不過遲早要來。而且你遲早要死在它手上——如果你沒先死在別的什麼手上的話。」

「閉嘴。」

他抓住我肩膀，「啐，我才不閉嘴，」他說：「我他媽的幹嘛閉嘴？我總不能彬彬有禮，考慮到你的感覺，我他媽的只想堵住你滿嘴胡說八道。看著我，仔細聽我說。你是酒鬼。再不戒酒你只有死路一條。」

我默不作聲。

他全計劃好了。我得在戒酒室待十天，然後去史密哲中心做二十八天的復健治療。等搞清楚我沒有醫療保險，也沒有復健需要的幾千塊錢，他只好放棄後半段計劃，不過他還是堅持我得在戒酒隔離室禁閉五天。

「我不用留下，」我說：「我不會再喝。」

「說的比唱的好聽。」

「我是實話實說。再說如果我不同意的話，你也拿我沒轍。」

「如果你這麼做的話，就是『違反醫生忠告』出院。」

「違反就違反吧。」

他怒視我幾秒鐘，然後又聳聳肩。「隨便你，」他語氣輕鬆，「也許下一次你會聽話。」

「不會有下一次了。」

「噢，是會有下一次，」他說：「除非你五體投地的地方比較靠近別家醫院。或者你在送到這裡以前死掉。」

□

他們拿還給我的衣服簡直慘不忍睹，因爲我在街上滾過，其髒無比，襯衫和外套沾了血漬。他們送我進院時，我頭皮的傷口不斷出血，縫了幾針。我顯然是在全身抽搐時傷到頭部，要不就是早先漫遊時中的紅彩。

我身上的現金夠付醫藥費。一個小奇蹟。

早上下過雨，街道還是一片濕。我站在人行道上，信心開始慢慢流失。對街有家大酒吧。我口袋的錢夠買一杯，我知道喝了我會心情好些。

我改變主意，回到旅館。我得鼓足勇氣才能走向櫃台，詢問有沒有給我的信或留言，就像我做了什麼可恥的事，得向櫃台人員深深致歉。最糟的是，我不曉得自己昏醉時到底做了什麼事。

櫃台職員的表情沒有異樣。也許我不省人事的時間都待在房裡，獨自關著猛喝悶酒。也許我禮拜天晚上離開旅館後就沒再回去。

我上樓後馬上剔除了第二個假設。我顯然禮拜一或禮拜二曾經回來，因為我已把買來的波本威士忌喝完，另外還有半夸脫的金賓蘇格蘭威士忌擺在空空如也的波本酒瓶旁邊。瓶上的標籤寫明店家位在第八大道。

我想道，好吧，這算是第一個考驗。你不是喝，就是不喝。

我把酒倒進水槽，沖淨兩只瓶子，丟進垃圾桶裡。

那些信全是垃圾傳單。我把它們統統丟了，然後看起給我的口信。安妮塔禮拜一早上來電。有個叫吉姆·法柏的人禮拜二晚上打過，而且留下號碼。此外，錢斯昨晚打了一通，今早又來一通。

我花了很久時間沖個熱水澡，小心翼翼的刮完鬍子，然後換上乾淨衣服。我把我從醫院穿回來的襯衫、襪子和內衣褲丟掉，只留下西裝。也許乾洗店可以把它恢復原狀。我拿起那些留言，再看一遍。

我的前妻安妮塔。錢斯——殺了琴·達科能的皮條客。還有一個名叫法柏的傢伙。我不認識什麼法柏，除非他是我爛醉時漫遊碰到的什麼酒鬼，兩人迷迷糊糊的自以為是失散多年的好友。

我把寫了他電話號碼的紙條撕掉，考慮是否該不辭勞苦跋涉下樓，還是撥給旅館總機轉接外線。如果我沒把酒倒掉，搞不好這時候就會灌下一杯。結果我還是移駕下樓，到大廳的電話旁打給前妻。

這場談話實在有夠奇怪。我們和往常一樣，小心翼翼的保持禮貌，等我們像拳擊賽第一回合的拳擊手一樣避開對方的拳頭以後，她問我爲什麼打電話找她。「我只是回你電話而已，」我說：「抱歉沒有馬上打過去。」

「回我電話？」

「留言條上說你禮拜一打過電話。」

沉寂片刻。然後她說：「馬修，我們禮拜一晚上談過。你回了我電話，難道你一點也不記得？」

我背脊一陣涼，彷彿有人用粉筆在黑板上咕吱劃過一道。「我當然記得，」我說：「不過這張字條怎麼又會跑回信箱？我還以爲你又打來一次。」

「沒有。」

「我看一定是留言條掉在地上，然後哪個好心的白癡幫我擺回信箱，結果字條剛剛才交到我手上，害我以爲你又打來一次。」

「看來應該是這樣。」

「錯不了的，」我說：「安妮塔，那天晚上通話時我喝了兩杯，記憶有點模糊。也許我忘了什麼，要不要提醒我一下？」

我們談到米奇牙齒矯正的事情，我要她再找別的醫生問問。這事我記得，我向她保證。還談了別的嗎？我提到我會很快再寄錢給她，因爲最近我發了一筆小財，給小孩矯正牙齒的費用應該不成問題。我告訴她我也記得這段談話。她說此外就沒別的——只除了，當然，我也跟孩子講過話。噢，當然，我告訴她。我還記得跟孩子聊了什麼。就這樣了嗎？噢，這麼說來我的記性其實還不算壞，對吧？

掛上電話時，我抖得非常厲害。我坐在那裡，竭力回想她剛才描述給我聽的那次談話，但只是枉費心神。從我禮拜天晚上喝下那第三杯，到我在醫院掙脫酒的魔咒，這段時間對我是完全空白。一切，所有一切，完全沒在我腦裡留下痕跡。

我撕掉留言條，再撕一半，把碎片塞進口袋。我看著另外一紙留言。錢斯留下的是他電話服務處的號碼。我先打電話到中城北區分局。德肯不在，但他們給了我他家的電話。

他接電話時，聽來好像沒睡好。「等等，我點支煙，」他說。等他再拿起話筒時，聲音又恢復正常。「我剛剛看個節目，」他說：「結果在電話機前盹著了。有什麼事嗎，史卡德？」

「那個皮條客一直想要找我。錢斯。」

「怎麼找法？」

「打電話。他留了個號碼，是他的電話服務處。所以他可能還在城裡，如果你要我設計引他——」

「我們沒在找他。」

我吃了一驚，以爲我一定是在失去記憶的那段時間和德肯通過話，也許是他打給我，或者我打給他，但我什麼也不記得。不過等他再講下去，我才知道其實不是這麼回事。

「我們把他找到警局盤問，」他解釋道：「本來打算發出逮捕令，結果他主動登門造訪，還帶了個滑頭的律師。其實他本人就相當滑頭。」

「你放他走了？」

「我們沒有半個他媽的理由可以扣留他。他從估計的死亡時間前六個鐘頭，到那之後的七、八個鐘頭都有不在場證明——無懈可擊的不在場證明，我們還找不出破綻。幫查爾士・瓊斯登記住進星河旅館的櫃台職員根本說不出他的長相，他連那男人是黑是白都不太確定。他模模糊糊記得瓊斯似乎是個白人。把這資料拿給地區檢察官起訴，準鬧笑話。」

「他大可以另雇別人幫他租那房間。那些大旅館，他們根本不知道進進出出的都是些什麼人。」

「沒錯。他可以雇人租那房間，而且他也可以雇人殺她。」

「你眞這麼想？」

「我可不是給雇來想的。我知道我們治不了那個婊子養的。」

我想了一下，「他打電話給我幹嘛？」

「我怎麼知道？」

「他曉不曉得是我引你找他的？」

「我可沒露口風。」

「那他到底找我做什麼？」

「你何不親自問他？」

電話亭裡好悶。我開個門縫，放點空氣進來。「也許我會這麼辦。」

「嗯，不過千萬不要和他在暗巷碰頭，聽到沒？因爲他很可能另懷鬼胎。」

「這我知道。」

「如果他眞把你架走，別忘了留個暗語給我好吧？我看電視上他們都是這麼做的。」

「我盡力就是。」

「暗語不要太好解，」他說：「不過也不能太難，你知道？難度太高的話，我可能解不開哩。」

□

我丟下一毛錢，打到他的電話服務處。講話刮啞像是老煙槍的那個女人說：「八〇九二。請問找誰？」

我說：「我叫史卡德。錢斯打過電話給我，這是回電。」

她說他馬上會再撥來，並且要了我的號碼。我告訴她以後，就上樓回房，癱在床上。

不到一個鐘頭電話響了，「是錢斯，」他說：「謝謝你回我電話。」

「我大約一個小時以前才看到你留的話，留過兩次。」

「我想跟你談談，」他說：「面對面。」

「好。」

「我就在樓下你們大廳這兒。也許我們可以在這附近喝杯酒或者咖啡。你能下來嗎？」

「行。」

10

他說：「你還是認爲是我殺了她，對不？」

「我怎麼想重要嗎？」

「對我很重要。」

我借用了德肯的台詞，「沒人雇我來想。」

我們走到離第八大道幾家店面的咖啡館，坐在裡頭的雅座。我的咖啡什麼也沒加，他咖啡的顏色只比他的膚色稍淺一些。我還點了個英式烤鬆餅，因爲覺得自己好像有洞該塡，但結果一口也沒碰。

他說：「不是我幹的。」

「好吧。」

「我有你可以說是『完美的不在場證明』。有一整屋子的人可以指證我當晚的行蹤。我根本不可能在那旅館出現。」

「這倒方便。」

「你這話什麼意思？」

「隨你以爲是什麼意思。」

「你是說我可以雇人代打。」

我聳聳肩。和他隔著桌子對坐，我覺得心急氣躁，不過更重要的是：我覺得好累。我一點也不怕他。

「也許我可以，不過我沒有。」

「隨你怎麼說。」

「該死，」他說，吞下幾口咖啡，「她和你的關係應該比你那天透露的要深吧？」

「錯。」

「只是個朋友的朋友？」

「對了。」

他看著我，眼神活像探照燈似的打進我眼裡。「你和她上過床，」他說。我還來不及開口，他又說：「當然，你上過她。她另外還能怎麼謝你？那女人只說一種語言。我希望那不是你得到的唯一報酬，史卡德。我希望她不是完全只靠賣肉謝你。」

「我的費用是我家的事，」我說：「我們怎麼達成交易干你屁事。」

他點點頭，「我只是想搞清楚你的來路。」

「我沒有來路，也沒有去向。我辦了件事，而且領到全額費用。結果顧客死了。我跟這事沒有關係，這事跟我也沒有關係。你說你跟她的死亡沒有關係。這或許是實話，或許不是。我不知道，也不必知道，而且老實說，我沒半點興趣，那是你跟警方之間的事。我不是警察。」

「你以前是。」

「不過我不再是。我不是警察，不是死者的兄弟，也不是舉著火劍的復仇天使。你以為我在乎是誰殺掉琴·達科能？你以為我他媽的會在意？」

「是的。」

我看著他。

他說：「是的，我認為你在乎。我認為你在意是誰殺了她。我正是因為這樣才來這裡。」

他溫和的笑笑，「瞧，」他說：「我想雇你，馬修·史卡德先生。我要你查出真凶。」

□

我花了好半天，才相信他是說真的。然後我就開始全力說服他打消此念。如果眞有什麼線索可以追查出殺琴的凶手，我告訴他，警方辦到的機會最大。他們有足夠的權威、人力、才幹、人脈，以及技術。這些我一樣都沒有。

「你忘了一件事。」他說。

「哦？」

「他們不會去查。對他們來說，他們已經知道是誰殺了她。他們沒有證據，所以他們也無能爲力，不過那只是他們不想卯足全力追查的藉口。他們會說：『對，我們知道錢斯殺了她，可是我們沒法證明，所以只有辦別的案子去也。』天曉得他們手頭還有多少別的案子待辦。而且就算他們眞的動手辦案，頂多也只會找些蛛絲馬跡歸罪給我。他們根本沒興趣知道地球上是不是還有別人想要她死。」

「譬如誰？」

「這就要靠你去查了。」

「爲什麼？」

「爲錢，」他說，又笑起來，「我不會要你白做。我的錢源源不斷，全是現金。絕不叫你吃虧。」

「我不是這個意思。你爲什麼想雇我辦這案子？你爲什麼想找出凶手——假設我眞有可能找到他？總不是要救你脫難，因爲你並沒有落難。警察找不出證據把你定罪，而且也不太可能找到。如果這案子一直懸在那兒，對你又有什麼妨礙？」

他定定看著我，非常平靜。「也許我是關心我的名譽。」他提議道。

「怎麼說？照我看，你的名譽還因此提升不少哩。如果外頭謠傳你殺了她卻逍遙法外，你手下還有哪個女孩敢對你不忠？就算你跟她的謀殺沒有關係，我也可以了解你爲什麼會甘心讓人誤會。」

他食指輕敲喝空的咖啡杯。他說：「有人殺了我一個女孩。沒有人可以這樣對待我而不用償命。」

「她被殺的時候已經不是你的人。」

「有誰知道？你知、她知，還有我知。我其他的女孩，她們知道嗎？酒吧和大街上的人知道嗎？外頭那些人只知道，我一個女孩被殺，而凶手卻安然無事。」

「這有損你的名譽？」

「至少我看不出有什麼幫助。還有別的原因。我的女孩會怕。琴被殺了，但凶手還沒關起來。萬一他重施故技呢？」

「再殺一個妓女？」

「再殺我的一個，」他聲音平和，「史卡德，那凶手是支上膛的槍，而我又不知道他槍口現在指向誰。也許有人找琴下手是想給我好看。也許我還有個女孩是他下一個目標。我知道一件事：我的生意已經受到影響。我禁止我的女孩應召出門，這只是第一步；碰到新顧客上門，如果看出什麼蹊蹺也不能接。這就等於是告訴她們把話筒拿開話機。」

服務生捧了壺咖啡晃過來，再幫我們塡滿杯子。我還沒碰我的英式鬆餅，上頭融化的奶油已經開始凝結。我要他把餅拿走。錢斯在咖啡裡加上牛奶。我還記得那回和琴對坐，她在咖啡裡混入大量奶精和糖。

我說：「爲什麼找我，錢斯？」

「我說過。警方不會卯足全力辦案。只有付錢才能找到人爲我賣命。」

「還有很多別的私家偵探。你可以包下整家偵探社，要他們不分晝夜爲你効力。」

「我從來不喜歡團隊運動。寧可看一對一競賽。再說，你知道內情。你認識琴。」

「我不知道這能多給我多少勝算。」

「而且我認識你。」

「因爲我們見過一次？」

「還喜歡你的格調，那也算數。」

「是嗎？你唯一知道的是我看拳賽很內行。那可不算什麼。」

「已經夠了。而且我知道的不只這個。我知道你做事的方法。我四處問過，你知道。很多人認識你，他們大部分都講你好話。」

我沉默一、兩分鐘，然後開口說：「我有可能是殺她的變態凶手。凶殺現場弄得像是變態幹的，也許事實正是如此。」

「禮拜五我知道她想退出，禮拜六我告訴她沒事，禮拜天突然有個瘋子冒出來剁她。這些只是巧合嗎，你說？」

「巧合無時不有，」我說：「不過我不認爲這事只是巧合。」老天，我好累。我說：「我不想接這案子。」

「爲什麼？」

我心想：因爲我什麼也不想做。我想躲在暗角，把整個世界關在門外。我想喝酒，該死。

「你總需要錢用吧。」他說。

一針見血。我上回領的費用不夠我撐上多久。再說我兒子米奇又需要矯正牙齒，以後大大小小的花費不知道得花多少。

我說：「我得考慮。」

「行。」

「現在我沒法集中注意力。我需要一點時間理理頭緒。」

「多久時間？」

幾個月，我想，「幾個小時。今晚我會打電話給你。我能不能直接聯絡到你，還是得打到你的電話服務處留話？」

「選個時間，」他說：「我會在你旅館前面和你碰頭。」

「你不用這麼麻煩。」

「電話上拒絕要容易多了。我想面對面談，我的機會應該比較大。再說，如果答案是肯定的，我們還得詳談細節，而且也得先給你些錢。」

我聳聳肩。

「選個時間。」

「十點。」

「在你旅館前面。」

「好，」我說：「如果要我現在決定，我會拒絕。」

「好在你可以考慮到十點。」

他付了咖啡的錢。我沒和他爭著付帳。

我回到旅館房間，竭力要靜心思考，可是做不到。我連靜下來坐都辦不到。我不停的從床移到椅子，再移回去，一邊納悶為什麼沒有直截了當一口回絕。現在我得苦苦熬到十點，然後鼓足勇氣拒絕他的高薪聘用。

我想都沒想自己到底在幹什麼，拿了帽子穿上外套就繞過轉角邁向阿姆斯壯酒吧。我進門時，還不知道自己要點什麼。我大剌剌走向吧台，比利一看到我馬上開始搖頭。他說：「我不能賣酒給你，馬修。抱歉得很。」

我感到血氣沖上臉部。我又難堪又生氣。我說：「你說什麼？我像發了酒瘋不成？」

「不像。」

「為啥我他媽的到這兒得綁手綁脚？」

他躲過我的眼光，「規則不是我定的，」他說：「我也沒說你在這兒不受歡迎。咖啡、可樂或者正餐都可以，拜託，你是常來捧場的老主顧了。可是我不能倒酒給你。」

「誰說的？」

「老闆說的。你那天晚上在這兒的時候——」

噢，老天。我說：「比利，那天我很抱歉。老實跟你說，我幾乎晚上都不好過。我連來了這兒都不記得。」

「甭擔心。」

耶穌基督，我眞想挖個地洞，「我那天晚上情況很糟嗎，比利？我惹了麻煩？」

「唉，也沒什麼啦，」他說：「你醉了，你知道？這種事難免發生，對不對？以前我有個愛爾蘭房東太太，如果晚上我醉得七葷八素回去，第二天跟她道歉，她總會說：『天可憐見，孩子，這種事主教也可能會犯。』你沒惹什麼麻煩，馬修。」

「那——」

「聽著，」他往前傾身說：「我只能重複上頭告訴我的。他說，如果那傢伙想把自己醉死我可管不著，如果他想進來我歡迎，不過我不賣酒給他。這話不是我講的，馬修。我只是他的傳聲筒。」

「我了解。」

「如果我能作主的話——」

「反正我也不是進來喝酒的，」我說：「我來是想喝咖啡。」

「既然這樣——」

「既然這樣個大頭鬼，」我說：「既然這樣，我想我要的還是酒，要找肯賣我酒的人難不成得要我下跪？」

「馬修，別爲這個傷了和氣。」

「用不著你告訴我該不該爲這個傷了和氣，」我說：「我不需要聽你這些狗屁。」

我的憤怒有股淨化作用，讓我神清氣爽。我昂首闊步離開那裡，燃燒的怒氣噴出純淨的火焰。我站在人行道上，考慮該上哪兒喝他一杯。

有人叫我名字。

我轉過身。一個穿著舊陸軍夾克的人正對著我笑開了臉。起先我想不出在哪兒見過此人。他說很高興跟我不期而遇，問我近況如何，我這才知道是誰。

我說：「噢，嗨，吉姆。我還好，我想。」

「要去參加聚會嗎？我跟你一塊走。」

「噢，」我說：「今晚恐怕不行。我約好跟人碰面。」

他只是笑。我腦中喀嚓一聲，猛然想起來。我問他是不是姓法柏。

「對。」他說。

「你打電話到旅館找過我。」

「只是打聲招呼，沒什麼事。」

「我沒認出你的名字。要不我一定回電。」

「當然。你確定你眞的不去，馬修？」

「我希望我可以。噢，上帝——」

他靜靜等著。

「我有了麻煩，吉姆。」

「誰都難免，你也知道。」

我不敢看他。我說：「我又開始喝酒。我戒了，不知道，大概七、八天的樣子。然後我又忍不住，本來還不錯的，你知道，我能節制，可是有天晚上突然就垮下來。」

「拿起第一杯就注定要惹麻煩。」

「不知道，也許吧。」

「我打電話正是爲了這個，」他溫和的說：「我在想，你也許需要一些幫助。」

「你早就知道了？」

「禮拜一晚上開會時，你情況非常不穩。」

「我去了那兒？」

「你不記得了，對吧？怪不得我老覺得你兩眼失神。」

「老天！」

「怎麼了？」

「我醉醺醺的跑去參加戒酒聚會？」

他笑起來，「你說得好像犯了什麼滔天大罪。你以爲你是破天荒第一個？」

我想死。「太可怕了。」我說。

「什麼那麼可怕？」

「我永遠不能回去。我永遠不敢再走進那個房間。」

「你覺得很丟臉對不？」

「當然。」

他點點頭，「我以前也因爲酒醉失去記憶覺得丟臉。我不想，也不敢知道，自己到底做了什麼。不過別擔心，你的表現不算太糟。你沒惹麻煩，你沒亂說話，你只是潑了杯咖啡——」

「噢，老天。」

「你又沒有故意潑到別人身上。你只是喝醉了，沒什麼大不了的。也許你想知道：你那天晚上好像不太起勁。不對，應該說：你魂不守舍。」

我總算勇敢的迸出一句：「結果我給送進醫院。」

「你已經出院了？」

「我今天下午辦好出院手續。我住院是因爲全身痙攣。」

「還好你現在沒事。」

我們默默走了一小段路，然後我說：「我沒辦法等到聚會結束，十點鐘得跟人碰頭。」

「提早一點走不就結了。」

「也好。」

□

我覺得每個人好像都盯著我直看。有些人跟我打招呼，我就想他們話裡一定別有含意。其他人什麼也沒說，我就認爲他們是刻意迴避——因爲那天我酒醉失態惹到他們。我強烈的自覺逼得我快瘋了，恨不得奪門而逃溜之大吉。

見證時間我坐不住，跑來跑去猛添咖啡。我知道我的行動已經引起不少人側目，可是咖啡機好像有股強烈的吸力，我抵擋不住。

我的心思不斷跑開。那晚的演講人是布魯克林區的救火員，故事生動精采，但我硬是沒法集中注意力。他說他們消防隊個個隊員都是海量，有誰達不到標準就得調走，毫不通融。「隊長是個酒鬼，他希望身邊人人都是酒鬼，」他解釋道，「他以前常說：『手頭上的醉鬼消防隊員如果夠多的話，隨便到哪兒救火都不成問題。』他說的沒錯。各位，我們什麼都肯做，哪裡都肯去，什麼該死的險都肯冒。因爲我們全醉得不管死活了。」

眞是該死的大謎團。我自我節制一直做得好好的，可是說砸就砸。

休息時間我在籃裡擺一塊錢，然後再添一杯咖啡，這回我勉強吃了塊燕麥餅乾。討論時間我坐回椅子上。

我老是跟不住話頭，可是好像也沒人發現。我儘可能仔細聽，儘可能待久點。九點四十五分我起身溜走，儘可能輕手輕腳。我覺得每隻眼睛都在盯著我，我很想向衆人宣告：我不是要去喝酒，而是要去赴約，要談生意。

後來我才想到，我其實可以待到結束。聖保羅教堂離我的旅館只有五分鐘的路。錢斯應該會等。

也許我只是想找個藉口，在輪到我發言以前離開。

□

十點時我在旅館大廳。我看到他的車停下來，我走出門穿過人行道來到路沿。我打開車門，坐進去，把門關上。

他看著我。

「那個工作還有缺嗎？」

他點點頭，「如果你要的話。」

「我要。」

他再一次點頭，把車上檔，然後駛離路沿。

11

中央公園的圓形車道繞一圈差不多有六哩長。我們已經逆時鐘繞到第四圈，凱迪拉克一路平滑的往前駛去。講話的主要是錢斯。我早拿出記事本，偶爾在上頭寫寫。

起先他談到琴。她的父母是芬蘭移民，在威斯康辛州西部一座農場定居下來，離那兒最近的城是淸水鎭。琴本名叫奇拉，從小就得幫忙擠牛奶，在菜園除草。她九歲時，她哥哥開始對她性騷擾，每晚進她房間非禮她。

「只不過有一次她講起這事時，哥哥換成了她舅舅，另一次是她爸爸，所以有可能這一切只是她幻想出來的。不過也有可能她那樣換來換去，是爲了讓這段過去回憶起來較不眞實。」

她念高一時和一個中年的房地產經紀人發生關係。他告訴她，他打算爲她離開他太太。她整理好行李，兩人一路開到芝加哥，在當地的帕瑪旅館待了三天，三餐都叫客房服務送進房裡。第二天那個經紀人喝醉酒後就開始涕泗縱橫，不斷告訴她，他會毀了她一生。第三天他心情比較好，可是隔天早上她一醒來卻找不到他，桌上留了張紙條說他已經回到太太身邊，房錢多付了四天，還說他永遠忘不了她。紙條旁放了個旅館專用信封，裡頭有六百塊錢。

她住滿多出的四天，在芝加哥四處閒逛，和幾個男人睡覺。其中兩個主動拿錢給她，她本想要其他幾個也付她錢，可是說不出口。她想過要回農場。然後，就在帕瑪旅館的最後一個晚上，她釣上那兒另一個房客，是奈及利亞派去參加當地某個商務會議的代表。

「那可斷了她的後路，」錢斯說：「跟男人睡覺就表示她不能再回農場。她第二天一早起來馬上搭了公車來到紐約。」

她的神女生涯起步不對，一直到他從達非手裡把她買走，爲她找間專用公寓操業以後，她的生活才有了轉機。她的容貌舉止都適合從事這行，只是不習慣主動在街上拉客。

「她很懶，」他說，然後想了一會。「妓女都很懶。」

他手下有六個女人爲他工作。現在琴死了，只剩五個。他先概括性的談談她們，然後就一個個仔細說明，告訴我她們的姓名、地址、電話，以及個人資料。我做了很多筆記。公園繞完第四圈後，他從右一拐，由西七十二街出去，開過兩個路口，然後停在路沿。

「馬上回來。」他說。

我坐在原位不動，看著他跑到轉角的電話亭打電話。引擎還在空轉。我看看才做的筆記，想從他提供的片段訊息找出一個共同的模式。

錢斯回到車裡，看著後視鏡來了個俐落但不合法的迴轉。「只是打到我的電話服務處，」他說：「得隨時保持聯絡。」

「你實在應該在車裡裝個電話。」

「太複雜了。」

他開到市中心再往東，在一棟白磚公寓房前的消防栓旁停下，這裡是十七街，介於第二和第三大道之間。「收錢時間。」他告訴我。他又一次讓引擎空轉，不過這回過了十五分鐘他才出現，愉快的大步走過穿著制服的門房，敏捷的滑坐到駕駛盤後頭。

「這是唐娜的住處，」他說：「我跟你講過唐娜。」

「你說的詩人。」

「她興奮死了。舊金山一家雜誌社要登她寫的兩首詩。她可以免費拿到六本刊出她詩的那期雜誌。那就算是她的稿酬——只有雜誌沒有錢。」

眼前的交通燈轉紅，他踩下煞車，左右看過以後，便直闖過去。

「有幾次，」他說：「刊登她詩的雜誌付錢給她。有一回她拿到二十五塊，是她最高的稿費。」

「聽來這樣賺錢滿累的。」

「詩人賺不到錢。妓女都懶，不過這位拿起筆寫詩的時候可勤快得很。她可以一坐七、八個鐘頭琢磨字句，信封裡老塞了五、六綑詩，這邊退稿就寄那邊。她花的郵費比賺到的稿費還多。」他沉默一會兒，又輕輕笑起來，「你知道我才從唐娜手裡拿了多少錢？八百塊，而且還是這兩天賺的。當然，也有些日子她的電話連一次都沒響過。」

「不過平均算起來賺的還是不少。」

「比寫詩好賺就是。」他看著我，「想兜兜風嗎？」

「我們不是一直就在兜風嗎？」

「我們一直在繞著圈子轉，」他說：「現在我要帶你到一個完全不同的世界。」

□

我們一路開下第二大道，穿過下東城，經由威廉柏格橋進入布魯克林。下橋後一連拐了好幾次彎，把我的方向感全搞亂了，而且道路標誌一點幫助也沒有，因爲名字都很陌生。不過我看著沿路住家從猶太區換成義大利區，再換成波蘭區，也有個概念我們到了哪裡。

開到一條陰暗沉靜的街上，兩邊全是木造雙拼屋，錢斯把車停在一棟三層樓的磚造建築前面，建築正中是一道車庫門。他用遙控器拉起鐵門，車子進去以後，又把門關上。我跟著他爬上樓梯，走進一間天花板很高的寬敞房間裡頭。

他問我知不知道我們人在哪裡。我猜是綠角。「很好，」他說：「看來你對布魯克林不陌生嘛。」

「其實這一帶我不太熟。不過肉市場那塊賣波蘭燻腸的廣告招牌是個提示。」

「噢。知道我們在誰家嗎？有沒有聽過一位卡西米爾・勒凡道斯基博士？」

「沒有。」

「你是沒有理由聽過。他挺老了，已經退休，得坐輪椅。是個大怪人。什麼話都悶在肚裡。這地方以前是消防站。」

「我就說嘛，看來有那個味道。」

「幾年前兩個建築師買下這地方，大事整修。他們把室內隔間完全打通，一點一滴全都重新設計。他們當時手頭一定有不少閒錢可花，因爲他們一點也不節省。看這些地板，還有窗飾。」他指出細節，評語不斷。「然後他們看膩了這個地方，還是彼此看不順眼，我也不確定原因。總之結果他們把房子賣給勒凡道斯基博士。」

「那他現在住這兒囉？」

「沒他這個人，」他說。他說話的方式不斷改變，從下層階級變成大學生，然後又變回去。「鄰居從沒見過這老博士。他們只看到他忠心的黑僕開車進來，又開出去。這是我的房子，馬修。要不要我帶你參觀一下，只收一毛錢費用。」

這地方眞不錯。頂樓有個健身房，舉重、體操設備樣樣齊全，還有三溫暖和按摩浴池。他的臥房也在同一樓，床鋪位在正中，上頭鋪了毛皮床罩，頂上正對天窗。二樓的書房有一面牆排滿了書，另外還有個八呎長的撞球桌。

房裡到處都是非洲面具，間或散立著一組組非洲雕刻。錢斯偶爾會指著其中一座，告訴我是哪一族做的。我提起在琴的公寓也看到非洲面具。

「那些是跳舞專用面具，」他說：「丹安族的。我在每個女孩的公寓都擺了一、兩樣非洲玩意。當然不是什麼價值連城的東西，不過也不是垃圾。我不收集垃圾。」

他從牆上拿下一個樣式頗爲粗獷的面具要我仔細觀察。眼洞是方形的，臉形模塑非常精確均衡，散發出強力的原始感。「這是道剛族做的，」他說：「你手拿著。雕刻的美光用眼睛看絕對不夠，手一定也得加入。哪，玩賞看看。」

我從他手裡接過面具，發現比我預期的要重。雕刻用的木頭材質非常密實。

他拿起矮柚木桌上的電話，撥了個號碼。他說：「嗨，親愛的，有留話嗎？」他聽一會兒，然後放下話筒。「平靜無波，」他說。「要喝咖啡嗎？」

「如果不麻煩的話。」

他說一點也不。咖啡在煮的時候，他談起非洲雕刻，說他們的工匠完全沒有把自己的作品當成藝術。「他們做的每樣東西都有特定用途，」他解釋說：「也許是保護房子，或者是抵擋惡鬼，或者是用在某種部落儀式裡。如果面具失靈的話，他們會把它丟了，找人再刻新的。舊的只是垃圾，不燒掉也全扔掉，因爲它已經毫無用處。」

他笑起來，「然後歐洲人大駕光臨，發現了非洲藝術。現在的最新情況是：非洲出現大批雕刻工，整天製造面具和雕像，好外銷到歐洲和美國。這些成品走的是傳統路線，爲的是配合顧客需要。不過說來好笑，東西做得實在不好，完全沒有感情在裡頭，一點也不眞。你拿一個在手裡觀察，然後拿個眞品來看，如果你對那類東西眞有感覺的話，馬上就可以分辨出不同。很奇怪，對不？」

「很有趣。」

「如果我手邊有什麼垃圾的話，我會給你看，可是我沒有。剛開始我買過一些，總得從錯誤中學習。不過後來我把它們處理掉了，全扔進那個壁爐燒得精光。」他微微一笑，「我買的第一個眞貨還在，掛在臥室牆上。也是丹安族的。非洲藝術是啥我半點概念也沒有，可是我第一眼在骨董店看到那面具時，馬上就被它完整的藝術性吸引住。」他停住口，搖搖頭，「天知道我在說什麼狗屁。當時的情況是：我看著那塊平滑的黑木，覺得像在照鏡子一樣。我看到我自己，我看到我父親，我穿越天曉得幾千年，看到遠古的祖先。你知道我意思？」

「不太懂。」

「媽的，也許我自己也不懂。」他搖搖頭，「你猜那些雕刻工看到我這樣會怎麼說？他們會說：『呸，這個瘋子黑鬼要這麼多老面具幹嘛？他幹嘛把那些玩意全掛在該死的牆上？』咖啡好了，你什麼都不加，對吧？」

□

他說：「你們偵探都是怎麼辦案的？你通常第一步都怎麼做？」

「四處打聽啊。除非琴是碰巧給瘋子殺死的，她的死和她的生活一定有密切關係。」我敲敲我的記事本，「她的生活有很多你不知道的地方。」

「大概吧。」

「我會找人談談，看看他們能提供什麼資料。也許拼拼湊湊可以看出什麼名堂來。也許不夠。」

「我的女孩對你不會有任何保留。」

「那好。」

「倒也不是說她們眞的知道什麼，不過如果她們知道的話——」

「有時候我們知道一些事情，卻不知道我們知道。」

「有時候我們說出一些事情，卻不知道我們說了。」

「的確。」

他站起來，兩手叉在臀上。「你知道，」他說：「我本來沒打算要帶你過來。我不認爲你需要看這房子，不過結果你沒問我還是把你帶來了。」

「很棒的房子。」

「謝謝。」

「琴是不是很欣賞這地方？」

「她沒來過。她們沒一個來過。有個德國老太太每個禮拜過來打掃一次，把這兒弄得乾乾淨淨。她是唯一進過這房子的女人，因爲屋主現在是我，而以前住這兒的兩個建築師都不太親近女人。哪，就剩下這些咖啡。」

咖啡味道極棒。我已經喝過頭了，但實在忍不住還要再喝。我早先誇讚時，他跟我說過，這咖啡是混合了牙買加藍山和烘焙較久過的哥倫比亞咖啡豆磨出來的。他說要送我一磅，我告訴他我住旅館，自己沒有磨豆機，拿了也用不上。

我在啜咖啡時，他又打一通電話到他的服務處。他掛上電話後，我說：「你要不要給我這裡的電話？這個號碼該不會保密吧？」

他笑起來，「我不常來這兒。打到服務處比較容易找到我。」

「好吧。」

「再說這兒的電話號碼我也不太記得，還得查查以前的帳單看看我有沒有記對號碼。而且就算你撥了這個號碼，也是白搭。」

「怎麼說？」

「因為鈴不會響，這兒的電話只能打出去。當初買下這地方以後，我裝了電話還有分機，那時和電話保持近距離，不過我從來沒把這號碼給過別人，連我的電話服務處也沒給。」

「哦？」

「然後有天晚上我在這兒，打撞球吧我想，該死的電話突然響起來，嚇我一大跳。原來有人想問我，要不要訂《紐約時報》。兩天以後，我又接到一通電話，打錯號碼了。於是我就想到，以後我會接到的電話不是撥錯號碼，就是推銷東西。所以我馬上拿了把螺絲起子，把每個話機拆開，裡頭都可以看到個小鈴舌，在電流通過某根鐵絲時打出鈴聲，我把所有話機的小鈴舌統統拿走。有一回，我在其中一個話機撥這號碼，結果聽來像在響鈴，但其實房裡聽不到鈴聲。」

「聰明。」

「也沒有門鈴聲。門邊是有個按鈕，但是沒接東西。從我搬進來以後，那扇門一直沒有開過，而且從窗戶望進來，什麼也看不見。另外我還裝了很多警鈴，倒也不是因爲綠角有什麼搶案——這裡可是居家環境上好的波蘭社區，不過老勒凡道斯基博士需要安全，也需要隱私。」

「看來是這樣。」

「我不常來這兒，馬修。不過我開車一進這兒，那扇車庫門可以把整個世界關在外面。這兒什麼也碰不到我，什麼也碰不到。」

「想不到你會把我帶到這兒。」

「我也是。」

□

錢的問題我們留到最後才談。他問我要多少，我說我要兩千五百塊。

他問我這筆錢可以買到什麼。

「我不知道，」我說：「我不以鐘點計費，也不記錄我的花費。要是最後我錢花得太兇，或者案子拖得太久，也許我得再跟你要錢。不過我不會寄帳單給你，你不付帳的話，我也不會告你。」

「很不正式。」

「沒錯。」

「這方法我喜歡。現金交易，不給收據。花錢我不在乎。我的女人錢賺得多，不過我要負擔的也多。房租、營業花費，還得賄賂。你把個妓女弄進人家大樓裡，總得塞住一些人家的嘴巴。你不能跟其他房客一樣，聖誕節給門房二十塊就算了事。你得每個月給他二十，聖誕節給一百塊，大樓其他員工也得送錢。這加起來可也不少。」

「想必如此。」

「不過純利還是很多，而且我又不會把錢浪費在吸毒跟賭博上。你說多少？兩千五？我剛才要你拿起來看的道剛族面具花了我兩倍的錢還不止。我付了六千二，而且拍賣的藝廊現在都跟買主抽一成佣金，所以加起來有多少？六千八百二。另外還得付營業稅呢。」

我一聲也沒吭。他說：「見鬼，我不知道講這些是要證明什麼。大概是要表示我這個黑人很有錢吧。等一下。」他拿了一大疊百元大鈔回來，數了二十五張給我。舊鈔，全都不連號。我在想他房裡平常都擺多少現金，身上又帶多少。多年前我認識一個放高利貸的，他每次出門口袋的鈔票絕對在一萬塊以上。這不是秘密，所有知道他的人都知道他隨身帶有鉅款。不過沒有人動過他的腦筋。

□

他開車送我回家。回去的路線跟來時不一樣，是走普拉斯基橋進入皇后區，然後穿過隧道回到曼哈頓。我們一路話都不多，我不知道什時候盹著了，他一手搭上我肩膀把我拍醒。我眨眨眼，坐直身子。我們停在我旅館正前方的路沿上。

「到府專送。」他說。

我跨出車門，佇立在路旁。他等幾輛計程車駛過後，才開始迴轉。我目送他的凱迪拉克消失。

思緒像累垮了的游泳選手在我腦裡掙扎。我累得沒辦法思考，只有上床睡覺。

12

「我跟她其實不很熟。我是一年前左右在美容院和她認識的，一起喝了杯咖啡。聊天時我隱隱約約感覺到她做的不是什麼正經行業。我們交換了電話號碼，偶爾打個電話閒聊，不過一直沒有眞的很親近。然後差不多兩個禮拜以前，她打電話說想碰個面。我很驚訝。我們已經好幾個月沒有聯絡。」

我們在伊蓮·馬岱的公寓，位於第一和第二大道之間的五十一街上。地板上鋪著白色絨毛地毯，牆上掛著色調大膽的抽象油畫，立體音響放出輕柔優雅的音樂。我喝咖啡，伊蓮喝減肥汽水。

「她想要幹嘛？」

「她告訴我她打算離開她的皮條客。她希望能一刀兩斷，又不受傷害。所以才會找上你的，記得吧？」

我點點頭，「她爲什麼選你？」

「不知道。我覺得她好像沒什麼朋友。這種事她不可能和錢斯其他的女孩談，而且想來她也不願意和完全不是同行的人討論。再說她很年輕，你知道，跟我比起來。她也許是把我當成什麼聰慧的老姑媽。」

「你就是這樣的人沒錯。」

「可不是嗎？她呢，大概二十五吧？」

「她說二十三。我想報上說的是二十四。」

「老天，可眞年輕。」

「是啊。」

「再添些咖啡，馬修？」

「已經夠了。」

「我想我知道她爲什麼挑上我。我覺得是因爲我沒有皮條客。」她癱坐在椅子上，二郎腿放下後又蹺起來。我想起以前在這公寓的時光，我們一個躺在沙發上，一個坐在布墊旋轉椅上，同樣悠揚的音樂繚繞耳際，柔化房裡剛硬的線條。

我說：「你後來沒有過，對吧？」

「對。」

「大部分女孩呢？」

「她認識的都有。在街上接客非得有一個不可。總得有人保護她們的地盤，在被捕以後，也得有人保她們出來。不過如果自己有間這樣的公寓，情形當然就不同了。雖然說是這麼說，但我知道的大部分妓女還是有男朋友。」

「跟皮條客一樣嗎？」

「不，不一樣。男朋友不會包辦一批女孩子。他只不過剛好是你的男朋友，而你也不用把賺到的錢交給他。只是你會幫他買很多東西，就因為你想買給他；你隨時都準備著要拿鈔票拉他一把——譬如碰到他倒楣的時候，或者有個生意機會他想試試，或者就因為他急需一筆現金。反正，你給他錢的機會多得很，男朋友就是這麼回事。」

「可以算是擁有一個女人的皮條客。」

「可以算是，只不過每個女孩都會指著天發誓，她的男朋友與衆不同，他們的關係與衆不同。不過有一點絕對不變：女的賺，男的花。」

「你從來沒有過皮條客？或者男朋友？」

「從來沒有。我有次去看手相，看相那個女人對我印象深刻。『你有條雙重智慧線，親愛的，』她告訴我，『你的理智控制著你的感情。』」她走過來，攤開手掌給我看。「就在這兒，瞧。」

「看來不錯。」

「有夠筆直。」她回座喝口汽水，然後坐到我旁邊的沙發上。她說：「我知道琴被殺，第一件事就是打電話給你，但你不在。」

「我沒收到你的留話。」

「我沒留話。我掛上電話，打給我很熟的一家旅行社。幾小時以後，我已經坐上往巴貝多（譯註：Barbados，位於西印度群島東端的小國）的飛機了。」

「你擔心自己上了黑名單？」

「倒也不是。我只不過想到是錢斯殺了她，不過我可不認爲他會把她所有的親戚朋友一網打盡。不，我只是覺得自己該輕鬆一下了。在海灘飯店住上一個禮拜，下午曬曬太陽，晚上賭賭輪盤，外加一些鼓樂和土著舞，可以讓我再撐很長一段時間。」

「聽來不錯。」

「第二天晚上出門，我在游泳池邊開的雞尾酒會碰到一個男的。他住在我那家隔壁的飯店，很好的人，是稅務律師，一年半前離婚，和一個年齡小他太多的女孩談了場非常辛苦的戀愛。當時他已經振作起來，結果好端端的誰沒碰到卻碰到了我。」

「然後呢？」

「然後我們那個禮拜就發展出一段小小的羅曼史。在海灘上漫步，浮潛，打網球，浪漫的燭光晚餐，在我的陽台上品酒。我那陽台剛好正對大海。」

「你這兒的陽台正對著東河。」

「感覺可不一樣。我們玩得很盡興，馬修。性交也很愉快。我覺得我表現不錯，你知道，扮演害羞的角色。不過其實我不用扮演，我本來眞的很害羞，是後來才慢慢放開的。」

「你沒告訴他——」

「開什麼玩笑?當然沒有。我告訴他我在藝廊工作,負責修補古畫。我是專門修復藝術品的自由工作者。他大感興趣,問我好多問題。如果我腦筋清楚,選個比較普通的工作,回答起來應該容易很多。不過,你知道,問題就在我想要引起他的興趣。」

「當然。」

她把兩手擱在腿上審視。她的臉平滑沒有皺紋,可是她的年齡已經開始寫在手背上了。我在想她到底幾歲。三十六?三十八?

「馬修,他想在城裡跟我碰面。我們沒有提到愛之類的字眼,可是都覺得我們之間可能有點什麼,可以帶出什麼結果。他就是想繼續交往下去,看看會怎麼發展。他住在麥瑞克區,你知道地方?」

「當然,就在長島。離我以前住的地方不遠。」

「那邊還不錯吧。」

「有一部分很不錯。」

「我給了他個假電話號碼。他知道我名字,可是我這兒的電話沒有登記。我還沒有他的消息,也沒在等。我要的只是曬一個禮拜太陽,和一個小小的羅曼史,這些我都要到了。不過我想,偶爾我還是可以打個電話給他,號碼給錯的事隨便編個理由就可以搪塞過去,那事要騙他很容易。」

「或許。」

「不過何苦來哉?我甚至可以騙到當上他太太或者女友或者別的什麼,我也可以放棄這間公寓,把嫖客的電話本丟進焚化爐裡。不過何苦來哉?」她看著我,「我日子過得很好,又有存錢。我賺的錢一向存下來。」

「然後投資,」我想起來了,「房地產對不對?皇后區的公寓房子?」

「不只是皇后區。如果必要的話,我可以現在收山,以後日子照樣能過。不過我幹嘛退休,要男朋友又有啥鳥用?」

「琴·達科能爲什麼想要退休?」

「你認爲她想退休?」

「不知道,她爲什麼想要離開錢斯?」

她沉吟一下,搖搖頭說:「我一直沒問。」

「我也沒有。」

「我一向搞不懂爲什麼會有女孩需要皮條客。所以不管是誰告訴我她想甩掉拉她皮條的,本人絕對不會追問原因。」

「她是不是愛上誰了?」

「琴?有可能。不過她沒提過。」

「她是不是打算離開紐約?」

「沒聽她講過,不過如果她眞有那打算的話,也不會告訴我的,對吧?」

「唉，」我說。我把空杯擺在矮桌上，「我看她是跟誰有了感情。眞希望知道是誰。」

「爲什麼？」

「因爲要找凶手這是唯一的方法。」

「你眞以爲事情就是這樣？」

「事情通常就是這樣。」

「如果明天我被殺掉，你會怎麼做？」

「我想我會送花。」

「我是說眞的。」

「說眞的？我會查查看麥瑞克區的稅務律師。」

「恐怕有好幾個，你說呢？」

「可能。不過這個月在巴貝多度了一個禮拜假的應該不多，你說他住在你隔壁的飯店？我看要找他一定不難，要把他跟你的命案連在一起也很容易。」

「你眞肯爲我做這麼多？」

「當然。」

「沒有人會付你錢。」

我笑起來，「伊蓮哪，我們兩個的交情可是夠久了。」

的確。以前我還在警界的時候，我們有過特殊約定。她需要警察才能給的協助時，我會幫她忙——不管是觸了法還是惹上不好惹的嫖客。交換條件是：在我要她的時候她一定奉陪。我突然想到，那我成了什麼？不是皮條客，也不是嫖客。那算什麼？

「馬修，錢斯爲什麼雇你？」

「查出是誰殺了她。」

「爲什麼？」

我想想他給的理由，「不知道。」我說。

「你爲什麼接下這工作？」

「需要錢用，伊蓮。」

「你沒那麼在乎錢的。」

「我當然在乎。我應該開始準備養老金了。老實說，我對皇后區這些公寓房子也有點心動呢。」

「一點也不好笑。」

「我打賭你一定是個風流女房東。我敢說你每回收房租的時候，房客一定愛死了。」

「有家代理公司打點這些事情，我從來沒見過我的房客。」

「幹嘛要講？澆了我一頭冷水。」

「是唷。」

我說：「幫琴辦完事以後，她和我上床。我去她那兒，她付錢給我，然後我們上床。」

「然後呢?」

「就像給小費一樣，是她說謝的方式，很友善。」

「比聖誕節收到十塊錢要棒。」

「但她會那麼做嗎?我是說，如果她心裡有人的話。她會不管三七二十一跟我上床嗎?」

「馬修，你忘了一件事。」

她看起來，有那麼一會兒，就像是哪個人聽慧的老姑媽。我問她我忘了什麼。

「馬修，她是妓女。」

「你在巴貝多的時候，也是妓女嗎?」

「不知道，」她說:「也許是，也許不是。不過我可以告訴你一件事。跳完求偶舞以後我高興極了，因爲只有我們躺在床上時，我才比較淸楚我在幹嘛。跟男人上床是我的職業。」

我想一下，然後說:「早先我打電話給你，你要我給你一個鐘頭，不要馬上過來。」

「怎麼樣?」

「那是因爲你已經約好嫖客了吧?」

「反正不是因爲我還沒穿好衣服。」

「你需要錢用嗎?」

「我需要錢用嗎?這是哪門子問題?我已經收下錢啦。」

「可是你不賺這個錢，還是有地方住啊。」

「而且還是不會挨餓，不用穿補過洞的絲襪。你扯這些幹嘛？」

「所以你今天接客，只是因爲這是你的職業。」

「大概吧。」

「那我接這案子，你幹嘛還問我爲什麼？」

「因爲是你的職業。」她說。

「可以這麼說。」

她想到什麼，笑了起來。她說：「海因希・海涅臨死時——你知道，那個德國詩人？」

「嗯。」

「他臨死時說：『上帝會原諒我，這是祂的職業。』」

「說得好。」

「用德文說來可能更好。我接客，你辦案，上帝原諒。」她垂下眼瞼，「只希望輪到我歸天的時候，」她說：「祂在值班。希望祂不要剛好選那個節骨眼到巴貝多度假。」

13

離開伊蓮住處的時候，天色轉黑，街上滿是下班的車潮。又下雨了，惱人的雨絲拖慢通勤人回家的脚步。我看著川流不息的車群，想到或許其中一輛坐的是伊蓮的稅務律師。我在想：如果他發現她給的是假號碼的話，不知道會做何反應。

眞想的話，他要找她不難。他知道她的名字。電話公司雖然不會透露未經登記的號碼，不過他只要稍微有點關係，應該可以找人幫他打聽出來。就算這點行不通，他也可以透過她那家飯店查出她的行蹤。他們可以告訴他，她找的是哪家旅行社，如此這般查下去，他自然會問到她的地址。我當過警察，自然而然就會想到這類方法，可是難道一般人就不行嗎？我覺得好像沒那麼困難。

也許當他發現她給的電話是假的，大受傷害。或許知道她不想見他，也讓他不想見她。不過難道他不會馬上想到，她很可能只是不小心給錯號碼？打到查號台問不出她電話時，應該猜到她給號碼或許只是無意中顚倒了兩個數字。那他爲什麼不繼續查下去呢？

也許他根本就沒打過電話給她，連號碼是假的都不知道。也許他早在回太太和小孩身邊的路上，就把她的號碼給沖進飛機上的馬桶。

也許他偶爾會有強烈的罪惡感，想到那個修補古畫的女人癡癡守在家裡等他電話。也許他已經開始懊悔自己太過莽撞。當初何必把她的號碼沖掉？他大可偶爾抽空和她約會，不必讓她知道他還有妻小。天曉得，有人帶她暫時逃開畫筆跟松節油，她恐怕要感激得五體投地，涕泗縱橫呢。

□

回家途中我到一家熟食店叫了份三明治，外加湯和咖啡。《郵報》登了則荒誕的報導。皇后區兩個鄰居連月爭吵不休，只爲了其中一人的狗在他出外時常會吠。前一天晚上，那人遛狗時，狗在他鄰居門前一棵樹旁撒尿。他的鄰居當時正好望出窗外，登時氣沖沖的拿了把箭射狗。狗主立刻衝回家去，拎出一管華特P-38型手槍——二次大戰留下的紀念品。他的鄰居攜出弓箭和他對峙，狗主當下一槍把他打死。鄰居八十一歲，狗主六十二，兩人隔鄰而居長達二十多年。狗的年齡報紙沒提，不過倒登了牠一張照片，只見牠讓名警官牽著，死命想跑。

□

中城北區分局離我的旅館只有幾條街。我當晚九點過後不久到那兒時，天還下著半大不小的雨。我走到櫃台，一個留著八字鬍、頭髮蓬鬆的年輕小伙子把樓梯指給我看。我爬到二樓，馬上找到警探辦公室。辦公桌旁坐了四名便衣警察，再往裡頭還有兩個在看電視。禁閉室內坐的三名年輕黑人在我走進時，馬上提高警覺。不過等他們看清我不是他們的律師後，又換上冷漠的神色。

我走到最靠門邊的辦公桌。一名禿頭警察放下正在打的報告，抬眼看我。我告訴他，我和德肯警探有約。

另一張辦公桌的警察抬起頭迎上我的視線。「想必你就是史卡德，」他說：「我是喬・德肯。」

他握手過於用力，好像在跟我較勁。他指了張椅子要我就座後便跟著坐下，在他爆滿煙蒂的煙灰缸裡捻熄手中的煙頭，另點一支，往後靠坐，兩眼平視看我。他的眼睛是那種讀不出半點訊息的淡灰色。

他說：「外頭還在下雨？」

「下下停停。」

「壞天氣。要點咖啡嗎？」

「不了，謝謝。」

「我能幫上什麼忙嗎？」

我說我想知道琴・達科能的案子他能提供什麼消息。

「為什麼？」

「我答應某人要查。」

「你答應某人要查?你是說你有了客戶?」

「可以這麼說。」

「是誰?」

「這我不能透露。」

他右頰下側有根肌肉扯了一下。此人約莫三十五歲，超重幾磅，所以外表看來想必比他實際年齡稍大。他的髮色暗棕近於黑色，頭髮還沒掉，而且梳理得服服貼貼——實在該跟樓下那傢伙借把吹風機吹鬆些才好看。

他說:「你無權隱瞞，你沒有開業執照。而且就算你有，這也算不上機密資料。」

「怎麼，你要告我嗎?」

「沒這意思。不過你跑來這兒要我幫忙——」

我聳聳肩，「我不能告訴你我客戶是誰。他有意追查眞凶，就是這樣。」

「而他以爲雇了你，就可以提前找到。」

「顯然如此。」

「你也這麼想?」

「我想到的只是賺錢維生。」

「老天爺，」他說:「誰又不是?」

我說對了話。現在我對他不是威脅，只是和他一樣要討生活的普通人而已。他歎口氣，拍拍桌面，起身穿過房間走到一排排檔案櫃去。他塊頭挺大，八字腿，袖子上捲，領口敞開，走路和水手一樣左搖右晃。他拿來一宗牛皮紙褶形檔案，一屁股坐下來，在檔案夾層裡找出一張照片丟到桌上。

「哪，」他說：「看個過癮吧。」

那是琴·達科能一張五乘七的黑白光面照片，面目全非。我盯著照片，勉強克制住一波波欲嘔的感覺。

「眞夠狠的。」

「法醫說他大概是用開山刀之類的東西砍了她六十六刀。要你數的話，你肯嗎？眞不知道他們怎麼做得下去？我他媽的敢說這工作比我的還糟。」

「血可眞多。」

「讓你看黑白的算你走運，彩色的才夠瞧呢。」

「可以想像。」

「他砍到動脈。那樣一砍，血會噴得滿屋子都是。這輩子沒見過這麼多血。」

「他一定全身是血。」

「絕對免不了。」

「那他怎麼還能神不知鬼不覺的跑出旅館？」

「那晚很冷。他可能帶了件大衣，往身上一罩就全蓋住了。」他吸口煙，「要不也可能他在宰她的時候，啥也沒穿。你知道，她全身一絲不掛，也許他覺得應該入境隨俗。這樣一來，事後他只要沖個澡就好。那兒有間挺漂亮的浴室，他又有的是時間，何不樂得一用？」

「毛巾用過嗎？」

他看看我。淡灰的眼珠還是難以解讀，不過我感覺到他的表情多了那麼點尊敬的味道。「我不記得有什麼弄髒的毛巾。」他說。

「房裡血淋淋的一片，沒注意到毛巾也是情有可原。」

「不過總該有人把這存檔，」他翻閱手中的檔案，「你知道一般的過程：得把現場所有東西拍下來；另外，所有可能可以列爲證據的東西都得裝進袋子，貼上標籤，存進檔案。然後東西就給送進倉庫。不過等開庭審訊的時候，卻要什麼缺什麼。」他闔上檔案，上身前傾。「想聽個故事嗎？兩、三個禮拜前，我接到我姊姊的電話。她跟她先生住在布魯克林，米伍德區。那一帶你還熟吧？」

「以前很熟。」

「呃，以前情況可能比較好。不過現在也沒那麼糟啦。我是說，咱們整個城就跟化糞池一樣。所以比起來也還可以。總之她打電話是因爲他們那天回家，發現鬧了小偷。有人闖空門，拿走一台手提電視，一台打字機，還有一些珠寶首飾。她打電話問我該怎麼報案，要打給誰等等。我馬上問她有沒有保險。沒有，她說，因爲划不來。我要她忘了這事。不用報案，我告訴她。犯不著浪費時間。

「她問我，不報案的話，怎能抓到小偷？所以我還得跟她解釋，竊案早已排到最低順位，沒人想管。你塡個表入檔，可是警察不會到處幫你追查。當場逮到小偷是一回事，可是他媽的調查可沒人有那個時間去幹。她說好吧，這點她可以了解，不過假如警方湊巧找回竊物的話呢？如果她根本不報案，東西怎麼可能交還給她？於是我還得跟她強調，咱們這整個制度就是一團爛污。咱們的倉庫塞滿找回的竊物，也有一綑綑失主塡的報竊單存檔，可是該死的贓物永遠沒法物歸原主。我跟她講了又講，現在也不用跟你重複一遍把你煩死。總之搞半天我看她還是半信半疑。因爲沒有人願意接受事實。」

他從檔案裡找出一張紙，蹙眉念道：「一條浴巾，白色。一條手巾，白色。兩條抹布，白色。沒說用過沒。」他抽出一疊光面照片，迅速翻看。我站在他肩後斜看琴・達科能遇害的現場照片。她只出現在其中幾張；攝影師把謀殺現場完全拍攝下來，房裡每一吋地都上了鏡頭。一張浴室的照片可以看到架上掛著未用的毛巾，「沒有髒毛巾。」他說。

「他拿走了。」

「嗄？」

「他總得洗個澡——就算他只消把外套罩在血衣上。再說那兒毛巾看來不夠，應該每種都有兩條。高級旅館的雙人房，他們不只供應一條浴巾和一條手巾。」

「他拿走毛巾幹嘛？」

「也許包開山刀吧。」

「他原先進旅館時就該有個什麼箱子裝刀，或者袋子之類的。出去時照做不就成了？」

我同意他的說法。

「而且幹嘛把刀包在髒毛巾裡？假如你沖個澡擦乾身子以後，想把開山刀包好再裝進手提箱裡，爲什麼擺著乾毛巾不用，要拿濕的？」

「說的也是。」

「不必浪費時間擔心這個，」他說，一邊拿著照片輕敲桌面，「不過我是該注意到幾條毛巾——份內的事。」

我們一起審閱檔案。死亡檢查報告沒什麼特別的，死因是多重傷口造成失血過多。寫得非常含蓄，不過也不算說錯。

我也看了證人審訊報告，還有其他表格以及大大小小會出現在命案受害人檔案的各種文件。我的頭開始隱隱作痛，精神和體力漸漸不濟。德肯後來乾脆讓我獨自看檔案。他又點支香煙，回頭繼續打他原先在打的文件。

到後來我實在支撐不住，只有闔上檔案交還給他。他把檔案歸回原位，回座前順便繞到咖啡機那兒。

「兩杯都放了糖和奶精，」他說，把其中一杯擱在我面前，「也許你不喜歡。」

「很好啊。」我說。

「現在我們知道的你也知道了，」他說。我告訴他我感激不盡。他說：「聽著，你提供那皮條客的線索，省掉我們不少時間跟麻煩。我們欠你一份人情。如果能幫你賺幾個錢，我不會拒絕。」

「再下來你們怎麼做？」

他聳聳肩，「我們照一般程序進行調查——追查線索，收集證據，直到有充分證據可以交給地區檢察官研判。」

「聽來像在背書。」

「是嗎？」

「下一步呢，喬？」

「噢，老天，」他說：「這咖啡可眞噁心，你說呢？」

「還好啊。」

「以前我老以爲是杯子作怪。所以有一天我買了這只專用杯，你知道，這樣我喝咖啡就可以用瓷杯不用保麗龍杯。也不是什麼了不得的瓷杯，你知道，就是一般咖啡店用的那種。你曉得我意思。」

「當然。」

「結果用瓷杯咖啡喝起來還是一樣糟。而且杯子買來的第二天，我好端端在打我的逮捕報告，卻一個不留神把他媽的那鬼玩意給撞下書桌，砸碎了。你跟人有約？」

「沒有。」

「那咱們下樓去吧，」他說：「上附近一家店裡坐坐。」

14

他帶我繞過轉角，往南走過一條街，來到第十大道一家小店——望之即知那裡不知生產過多少酒鬼。我沒注意店名，也許本來就沒有名字，不過如果取名叫「戒酒中心前一站」的話，倒挺合適。吧台前兩個身著廉價西裝的老人坐在一起默默喝酒。一個四十多歲的西班牙人站在吧台遠遠另一端，啜著手裡八盎司杯裝的紅酒，一邊在看報紙。酒保瘦骨嶙峋，身穿T恤和牛仔褲，正盯著一台小型黑白電視的螢光幕看得起勁。他音量開得極小。

德肯和我找了張桌子，然後我便到吧台拿酒，他要雙份的伏特加，我點的是薑汁汽水。我把飲料捧回桌上，他的眼睛瞅著我的薑汁汽水沒作聲。

看來其實很像蘇格蘭威士忌加蘇打水，因爲顏色差不多。

他喝了些伏特加後，開口道：「噢，老天，這酒可眞管用，管用極了。」

我沒吭聲。

「你早先問什麼咱們下一步該怎麼走，這難道你自己沒法回答？」

「也許可以吧。」

「我要我姊姊再買一台電視，還有打字機，然後門上多加幾把鎖，不過不用費事報警。達科能的案子下一步要往哪兒走？咱們哪兒也不用走。」

「我早料到你會這麼說。我們知道是誰殺了她。」

「錢斯？」他點點頭，「不過他的不在場證明挺有力的。」

「唉，那只是鍍金的啦。是有不少人願意聯手幫他脫罪。不過那又怎麼樣？案子還是有可能是他幹的。能提供他不在場證明的，全都是會幫他撒謊的人。」

「你認爲他們說的全是假話？」

「也不是，不過我可不敢保證他們都很誠實。再說，他也有可能雇了殺手。這點我們已經談過。」

「沒錯。不過如果案子是他幹的，他已經脫罪，因爲他的不在場證明找不出瑕疵。如果他另外雇了人，我們不可能查出是誰——除非好運突然光顧。你知道，這種事有時候可能發生，運氣突然從天而降。酒吧裡有個人漏了口風，有個和錢斯結怨的人剛好聽到，自然把話傳開，然後我們就得到了寶貴的資料。不過就算有這種巧合出現，要想湊出個案子起訴錢斯，我們可還有一段長路好走。再說，我們也沒打算要拚了老命找出凶手。」

他說的話，我聽了倒不覺得意外，只是心裡難免一沉。我拿起薑汁汽水發呆。

他說：「幹我這行有一半是要會看機會多大。只揀有機會成功的案子辦，其他的全得擱一邊涼快。你知道這城裡謀殺率多高？」

「我知道是越來越高。」

「還用你來告訴我嗎？每年都在提高。所有的犯罪每年都在提高；只不過有些比較不嚴重的，統計數字開始下降，因爲大家都知道報案也沒用。就像我姊姊的竊案吧，你回家發現有人闖空門，小偷只是把你的錢拿走而已？呸，不必小題大作嘛，對不對？應該感謝老天你還活著，跪下來禱告感恩才是。」

「不過琴・達科能——」

「去他的琴・達科能，」他說：「有這麼個傻不隆咚的小賤人大老遠從一千五百哩外跑來這兒賣肉，還把錢交給一個黑人皮條客，有人要把她剁掉關誰屁事？我是說她爲什麼不乖乖待在他媽的明尼蘇達州？」

「是威斯康辛。」

「我的意思是威斯康辛州。這些娘兒們大部分都是明尼蘇達來的。」

「我知道。」

「以前的謀殺率大概是一年一千個案子。五個區平均每天三個，感覺已經夠高了。」

「是夠高了。」

「現在多了一倍，」他上身前傾，「不過這不算什麼，馬修。大部分殺人案都是夫妻出了問題，或者兩個朋友一塊喝酒，其中一個殺了另外一個，第二天卻忘得一乾二淨。那種案子的比例一直沒變，跟以前一樣。變的是陌生人謀殺案——死者跟凶手互不相識。想知道居家環境危不危險就要看這種案子比例多高。如果你把紐約其他的案子擺一邊去，單獨把陌生人謀殺案畫成圖表，馬上可以看出比例像火箭一樣往上直衝。」

「昨天皇后區有個人拿箭射狗，」我說：「結果他的鄰居拎支點三八手槍把他斃了。」

「我也看到這條新聞，說什麼狗跑錯草坪撒尿？」

「大概就是那樣。」

「圖表上不會有，那是兩個熟人。」

「嗯。」

「不過說穿了全都一樣，大夥殺來殺去。他們連停下來想想也不肯，橫下心就那麼做了。你從警界退休多久了，幾年吧？我可以告訴你，現在比你記得的要糟好多。」

「這我相信。」

「不是開玩笑的。外頭跟原始叢林一個樣，而且所有的野獸全武裝起來。人人有槍。你知道多少人出門帶槍？這些誠實的老百姓總得拿槍自衛吧，所以他們全買了一把，然後有一天不是用來自殺，就是殺他老婆或者鄰居。」

「拿著弓箭的鄰居。」

「就是這麼回事兒。不過又有誰能告訴他不許買槍？」他拍拍肚子上那插了把左輪手槍的皮帶。「我非帶槍不可，」他說：「這是規定。不過告訴你，就算不是警察我也少不了它。要不我會覺得像沒穿衣服。」

「以前我也跟你一樣。你慢慢會習慣的。」

「你什麼武器也不帶？」

「對。」

「一點也不害怕？」

我走到吧台拿飲料，伏特加給他，薑汁汽水給自己。我捧著飲料回座後，德肯一口氣咕嚕把酒全部喝光，然後就像洩氣的輪胎一樣歎起氣來。他拱起雙手，點上香煙，深深吸口氣，狠狠吐口煙——好像巴不得趕緊把肺清乾淨。

「他媽的紐約。」他說。

沒希望了，他說，然後開始告訴我到底有多沒希望。他一一數說整個司法犯罪系統的所有毛病，從警察到法庭到監獄。叨念這些是如何不管用，而且全都一天不如一天。亦沒辦法逮捕犯人，也沒法把他定罪，甚至不能把那龜兒子關進牢裡。

「監獄都客滿了，」他說：「所以法官不願意判刑太久，而保釋單位又過早放人。還有哪，地區檢察官拿減刑做爲交換條件要犯人認罪，然後這些罪名又給辯護律師辯成無罪——全都因爲法庭日程表排得過滿，而法律又千方百計的要保護被告權益，搞得你差不多等於得拿到被告犯罪的照片才能把他定罪，不過搞不好又會翻案，因爲你沒事先得到同意擅自拍照，嚴重侵犯到他的隱私。更妙的是，沒有警察。跟十二年前比，我們少了一萬個人。街上少了一萬名警察！」

「我知道。」

「壞人多一倍，警力減少三分之一，上街還有保障嗎？你知道是怎麼回事？咱們這城市破產了。沒錢付警察，沒錢讓地鐵繼續通車，做什麼都沒錢。整個國家都在『漏』錢，錢全落在沙烏地他媽的阿拉伯手裡了。那些混賬憑他媽的一桶桶黑油，就換走咱們一箱箱白花花的銀子。」他站起身，「換我去買了。」

「不要，我來付。我可以報帳。」

「也對，你有個客戶。」他坐下來。我又捧著同樣的飲料回座，他問：「你到底喝的什麼鬼？」

「薑汁汽水。」

「嗯，我看也是。怎麼不來點眞的？」

「我近來有點戒的意思。」

「是嗎？」他豎耳聽著，兩隻灰色的眼睛緊盯著我。他舉起杯子，喝掉一半，砰一聲把杯子放回破舊的木桌上。「你的主意不錯，」他說，我本以爲他指的是薑汁汽水，哪知他的話鋒已經轉向。「辭掉不幹，退出這行。你知道我怎麼打算？再混六年就好。」

「那時候就滿二十年了？」

「滿二十，」他說：「可以領退休金，然後我就他媽的要遠走高飛了。不幹這行，不住這爛城市。佛羅里達、德州、新墨西哥，找個溫暖、乾燥又乾淨的地方住下。噢，佛羅里達不行，聽說那兒很糟，一大票他媽的古巴人，犯罪率跟這兒一樣高。再說那兒又是毒品轉運站，一大夥哥倫比亞瘋子。你知道他們吧？」

我想到羅伊·華登，「我認識的一個人說他們還好，」我說：「他說只要不欺騙他們就沒事。」

「我他媽的賭你絕對不敢動這腦筋。有沒有看到長島那兩個女孩的新聞？應該是六個、不，八個月以前了。姊妹，一個十二歲，一個十四歲，有人在一家廢棄加油站的儲藏室發現她們，兩手反綁在後，頭部各中兩槍，好像是點二二口徑的，可是有誰在乎呢？」他喝完剩下的酒，「總之案子很奇怪，不是強暴，找不出線索。看來是私下執刑，不過有誰會把一對十來歲少女私下正法呢？

「結果案子不查自明，因爲一個禮拜以後，有人闖進她們家殺掉她倆的母親。我們在廚房發現她，晚餐還在爐子上煮。你知道，這家子是哥倫比亞人，父親做毒品生意，當地除了走私翡翠以外，就屬毒品買賣最吃香了——」

「我還以爲他們種很多咖啡。」

「那或許只是幌子而已。我講到哪兒？反正重點是，一個月以後那個父親死在哥倫比亞的首都。他耍了某某人以後逃命，結果他們在哥倫比亞逮著他，不過他們先殺掉他的妻小。瞧，哥倫比亞人的遊戲規則不一樣。你跟他們耍詐，他們殺的不只是你，還把你一家大小全斃掉。小孩不管幾歲，全逃不過。你養狗養貓還有熱帶魚，牠們也得跟著陪葬。」

「老天爺。」

「黑手黨一向體貼家人。他們宰掉你，會事先安排不讓你家人目睹慘狀。現在我們有批罪犯非殺掉全家才肯罷休。」

「老天爺。」

他雙手撐在桌上保持平衡，倏的站起來。「這回我付，」他宣布說：「我可不稀罕用皮條客的錢喝酒。」

□

回座時他說：「他是你的客戶，對不？錢斯？」我沒接腔，於是他說：「呸，你昨晚跟他碰面，他要見你，而現在你有個你不肯透露姓名的客戶。二加二肯定等於四，對不？」

「我沒辦法告訴你怎麼加。」

「就先當我猜對了，他的確是你客戶。只是爲了便於討論，可以吧？你也不算是透露了名字。」

「好吧。」

他往前靠，「他殺了她，」他說：「那又爲什麼要雇你辦案？」

「也許他沒殺她。」

「噢，當然有，」他擺擺手，揮掉錢斯無辜的可能性，「她說她不想幹了，他說可以，第二天她就魂歸西天。你省省吧，馬修。凶手是誰很清楚嘛。」

「那我們就得回到你的問題。他爲什麼雇我？」

「也許是想藉此脫罪。」

「怎麼說？」

「也許他想到我們會想到：如果他有罪，一定不會雇你。」

「不過那跟你原先想的完全不一樣。」

「沒錯。」

「你眞以爲他是那麼想？」

「我怎麼知道那個嗑藥的黑牌皮條客怎麼想？」

「你認爲他嗑藥？」

「他總得把錢花掉吧？不過錢可不是拿去付鄉村俱樂部的會費，或者在慈善舞會買個上座。換我問你一個問題。」

「請。」

「你眞以爲他有那麼一絲絲可能沒有殺她？沒有設計她，或者找人幹掉她？」

「是有這個可能。」

「爲什麼？」

「光說他雇我好了。那可不是爲了脫罪，因爲根本沒罪可談。你自己就說過，沒法把他定罪。你已經打算擱下這個案子，接手別的。」

「他可不一定知道。」

這點我懶得辯。「換個角度看好了，」我提議道：「假設我從沒打電話給你。」

「什麼時候沒打？」

「我打的第一通。假設你不知道她打算離開她的皮條客。」

「就算你沒說，我們也會從別的來源知道。」

「哪個來源？琴死了，錢斯也不可能上門告訴你們。全世界恐怕沒有別人知道這事了。」

除了伊蓮，不過我可不想把她扯進來。「我不說，你不會知道。至少不會馬上知道。」

「那又怎麼樣？」

「那樣的話，你會怎麼想這案子？」

他沒有馬上回答。他低頭看看他快空的杯子，兩條垂直的紋路弄皺他的前額。他說：「我知道你的意思。」

「你會把凶手歸成哪類？」

「就是你打電話以前下的結論。是個精神病。知道嗎？我們已經不能再這樣叫他們了。一年前左右上頭交代下來，我們以後都不許叫他們精神病，得改個稱呼，叫ＥＤＰ。」

「ＥＤＰ是什麼？」

「情感受挫者(Emotionally Disturbed Person)。中央大道不知道哪個騷包閒得發慌，這城裡的瘋子滿坑滿谷快擠死人了，我們的優先考慮倒是該怎麼稱呼他們。我們可不想傷到他們脆弱的心。總之，我會把凶手歸成精神病，開膛手傑克的現代紐約版。他打個電話召妓，然後把她剁掉。」

「如果眞是精神病幹的呢？」

「你應該很清楚。你會開始禱告上帝賜給你具體證物。在這案子裡，指紋沒多大幫助。那是個人來人往的旅館房間，起碼有一百萬個隱藏指紋，採了也沒用。不過如果冒出個血淋淋的大指紋，而且你知道非凶手莫屬，那就萬事OK了。只是我們沒那麼好運。」

「就算你們交上好運——」

「就算我們運氣好，單單一個指紋也沒啥用處，除非手上有個嫌犯。華盛頓那邊不會爲一個指紋追緝全國。他們老說以後一定可以，不過——」

「他們已經說了不知道多少年了。」

「永遠也不可能。就算可能，到時候我也早滿了二十年，到亞利桑那州享淸福去了。如果找不到可以循線追查下去的具體證據，我看我們也只能等那瘋子再幹幾票。再來幾個作案手法類似的案子，遲早他會出紕漏，然後你就可以逮到他，把他的指紋和星河旅館一些隱藏指紋比對看看，然後就可以定他的罪。」他把酒喝得一滴不剩，「然後他會一路認罪，要求減刑爲過失殺人，然後最多關個三年他又會出來犯案，不過我可不想再談這種鳥事了。老天在上，這輩子我再不想談這種鳥事了。」

□

下一個回合是我請。原先他覺得喝皮條客出錢的酒有失體面，這會兒幾杯下肚以後，他已經毫不在意了。現在他看來眞是一副醉相，不過你得知道怎麼去看。他的眼睛像上了層釉，整個人的模樣也罩上一層同樣色調的釉。現在他不折不扣是個醉鬼談話的典型模式：很大聲，很禮貌的好像在跟你對答，不過他其實只是在跟他自己講話。

如果我灌的黃湯跟他一樣多的話，我一定不會注意到這點。不過我很清醒，酒在他身上一起作用，我馬上感覺到我們之間的鴻溝急遽擴大。

我努力想把話題定在琴·達科能的案子上，不過話題老是跑掉。他想談紐約所有的毛病。

「你知道問題出在哪兒，」他壓低聲音，挨近我說，好像酒吧除了我倆還有別的顧客。其實另外就只剩一個酒保而已。「我告訴你好了，問題出在黑鬼身上。」

我沒接腔。

「還有拉丁美洲爛貨。黑人跟拉丁美洲人。」

我提到警察也有黑人跟波多黎各人。他馬上提出答辯。「聽著，我比你清楚，」他說：「以前跟我搭檔很久的一個傢伙，叫拉瑞·海因斯，也許你認識他——」我不認識。「——他人挺不錯，把命交在他手上我都放心。我操，我還眞把命交到他手上過。他黑得跟煤炭一樣，不管在警局裡外，我都沒碰過比他更好的人。不過這跟我現在講的一點關係也沒有。」他橫過手背抹抹嘴巴。

「哪，」他說：「你搭不搭地鐵？」

「必要的時候。」

「呸，有選擇的話，沒人會搭地鐵啦。地鐵就是咱們整個城的縮影嘛，設備一天到晚壞，車廂到處是髒兮兮的噴漆，尿騷味重死了，警察全拿那兒的犯罪沒法度，不過我眞要講的是，操，每回上了地鐵，我四處一望，你曉得我人在哪裡嗎？我跑到他媽的外國去了。」

「什麼意思？」

「我是說他們一個個不是黑人就是拉丁美洲來的。要不就是東方人，最近又多了好些中國移民，另外還有韓國人哪。現在老韓可是標準公民哩，在城裡開起一家家好棒的蔬菜店，一天工作二十小時，把小孩送進大學念書。我說這全是陰謀。」

「什麼陰謀？」

「唉，媽的，聽來很無知、很偏激我知道，可我就是這麼想。以前這兒是白人的城沒錯，現在我動不動就懷疑自己是紐約最後的白人。」

沉默拖得好長。然後他說：「他們現在會在地鐵裡抽煙，你注意到沒？」

「注意到啦。」

「以前從來沒有過。以前就算誰敢掄起斧頭把父母砍死，也不敢在地鐵點煙。現在咱們的中產階級市民都若無其事的在那兒呑雲吐霧。還是最近九個月的事呢。你知道怎麼開始的？」

「怎麼開始的？」

「還記得差不多一年前嗎？有個傢伙在PATH地鐵線上抽煙，PATH線上的警察要他熄掉，那傢伙馬上拔槍把他打死。記得吧？」

「記得。」

「那就是導火線。只要看過那條新聞，不管你是誰，警察還是一般市民，下回你看到對座的傢伙點煙，我包你不敢急巴巴的要他熄煙。所以啦，有些人就開始抽煙，也沒人敢管，然後做的人就越來越多。老實說，咱們這兒連報個搶劫之類的大案子都是浪費時間，在地鐵抽煙他媽的誰會眞的在乎？法律如果不執行，當然就沒人遵守。」他皺皺眉，「想想PATH線那個警察。你想跟他一樣死法嗎？叫別人熄掉煙，然後砰一聲，你就一命嗚呼。」

我發現自己開始跟他講起盧登科的母親：只因爲她朋友帶給她一台有問題的電視，轟一聲她命就沒了。然後我們便交換起恐怖故事。他提到一個社工人員給騙上一棟公寓的頂樓強暴多次以後，被推下樓摔死。我回憶起一條新聞說，有個十四歲的男孩被同齡的孩子一槍斃命，兩人互不相識；凶手聲稱是因爲受害者取笑他才下的毒手。德肯談起好幾個虐待兒童致死的案例，另外還有個男的把他女友的女嬰悶死，因爲每回他倆出門看電影都得由他掏腰包找人帶小孩。我提到葛雷森區那個女人，她在衣櫥掛衣服時，給散彈槍打死。我們的對話頗有「故事大競技」的味道。

他說：「市長自以爲他有解決辦法。死刑，祭出黑色的大電椅。」

「我看是有可能。」

「大家一定贊成。死刑至少有個功效，任誰都不能否認。你抓個混賬把他電死，至少你可以確定他以後不會再犯。幹，我第一個投票支持。把電椅再抬出來，把他媽的執刑過程播出來，插些廣告，賺幾文錢，多雇幾個警察。你想知道一件事嗎？」

「什麼事？」

「咱們早有過死刑，不過死的不是殺人凶手，是普通老百姓。咱們無緣無故給宰掉的機會可比殺人犯上電椅的機率還大。咱們一天就有五、六、七次死刑哩。」

他聲量放大，引得酒保也側耳傾聽。我們的談話勝過他原本在看的節目。

德肯說：「我喜歡那個電視爆炸的故事。搞不懂怎麼會漏看的。每回都以為啥沒聽過，結果總有新的冒出來，對不對？」

「大概吧。」

「這個都市叢林裡，有八百萬個故事。」他吟誦道：「你還記得那個節目吧？幾年前在電視播過。」

「記得。」

「每回節目收尾都講同一句話：『這個都市叢林裡，有八百萬個故事。今天播的是其中之一。』」

「這我記得。」

「八百萬個故事，」他說：「你知道這城裡有什麼玩意兒嗎？這個他媽的都市叢林臭爛污裡有什麼，你可知道？有八百萬種死法。」

□

我把他拖出酒吧。在外頭清涼的晚風裡，他沉默下來。我們繞過兩條街，最後來到離警局不遠的路口。他的車是部水星車系的，車齡只有幾年，不過車角撞得有點坑坑凹凹。車牌前頭的字母明示其他警察：這是輛用來辦案的車子，不能開罰單。一些常識比較豐富的混混，也可以認出這是警車。

我問他有沒有醉到不能開車。他不太喜歡這個問題。他說：「你是幹嘛的，警察啊？」然後想想這個反應實在有夠荒謬，他就開始笑起來。他扶著打開的車門，笑得歇斯底里，上身在車門上前仰後合。「你是幹嘛的，警察啊？」他咯咯笑道：「你是幹嘛的，警察啊？」

他這心情像電影裡的快鏡頭一樣，一閃而過。馬上他又嚴肅起來，換上一張板板的臉孔，兩眼瞇起，下巴翹起如同牛頭犬。「聽著，」他說，聲音低沉冷硬，「不要他媽的自以為高人一等，懂不懂？」

我不知道他到底在說什麼。

「你這個假清高的王八。你也比我好不到哪兒去，你這婊子養的。」

他把車轉出，噗一聲開走。在我視力所及範圍之內，他開得似乎還過得去。我希望他不需要去太遠的地方。

15

我直接走回我的旅館。酒鋪全打烊了，不過酒吧還在營業。我沒費多大勁就能過門不入，也能抗拒五十七街假期旅館附近那些流鶯誘人的召喚。我向雅各點個頭，確定沒人打過電話給我，然後上樓。

假清高的王八。比我好不到哪兒去。他醉得有夠難看，心事講太多以後，就像刺蝟一樣死命保護自己。他用的字其實沒多大意義，他說話的對象可以是任何人，甚至只是夜晚的天空。

不過，這些字眼不斷在我腦裡迴響。

我上床後翻來覆去，只好起身開燈，拿了記事本坐在床沿。我複習自己做過的筆記，然後把我們在第十大道那家酒吧的談話記上兩筆。另外又寫上我的幾點想法——像貓玩線球一樣，我開始在腦裡撥弄這種種想法，只是越撥圈子越小，同樣的念頭不斷重疊環繞。我只好扔下筆記，拿起早先買來的一本平裝書翻閱解悶，但看不進去。同樣一段眼睛掃過了一遍又一遍，卻完全不知所云。

這是我好幾個鐘頭以來，頭一回眞的想喝它一杯。我坐立不安，亟欲快快平靜下來。和旅館隔三個鋪面有家熟食店，他們的冰箱擺滿啤酒；我以前不省人事可從不能怪罪啤酒。

我待在原處不動。

錢斯沒問我爲他工作的理由。德肯聽我說是爲錢，也能接受。伊蓮願意相信我這麼做是因爲這是我的工作。這些其實也都沒錯。我是眞的需要錢用，而偵辦案子多多少少也算得上是我的工作。

不過我還有別的動機，也許是更深一層的動機。追查琴的凶手可以代替喝酒。

暫時吧，至少。

□

我醒來時，陽光普照。等我淋浴完畢，刮好鬍子上街時，太陽又不見了，躲在厚厚的雲層後面。一整天太陽就這麼來來去去，好像是管他的老兄不想做任何承諾。

我吃了簡單的早餐，打幾個電話，然後走到星河旅館。登記查爾士·瓊斯住宿的職員沒在當班。我看過檔案夾裡他的偵訊報告，也沒眞寄望能再從他口裡套出別的話來。

一位副理讓我看了瓊斯的登記卡。他在姓名欄上用印刷體寫了Charles Owen Jones；在簽名欄上用印刷體寫了C. O. JONES，全是大寫字母。我把這點指出來，副理表示這種差異頗爲常見。「有些人會在其中一欄寫上全名，另一欄則用縮寫，」他說：「不管寫得一不一樣，都無所謂。」

「不過這可不是簽名。」

「怎麼不是？」

「他是用印刷體寫的。」

他聳聳肩，「有些人什麼都用印刷體寫，」他說：「那人打電話訂房，事先付了現金。在這種情況下，我想我們職員是不會挑剔簽名的問題。」

我的重點並不在此。叫我好奇的是，瓊斯刻意避免留下筆跡，這點我覺得頗費猜疑。我看著他印刷體寫下的全名。Charles的前三個字母，我發現自己暗自在想，和Chance（錢斯）的前三個字母一樣。而這——老天在上，又暗示了什麼？但——何苦鑽這牛角尖而害了自己的客戶？

我問副理，命案發生前的幾個月內，瓊斯先生有沒有住過旅館。「這一年來都沒有，」他斬釘截鐵的說：「住宿登記都按照字母順序在電腦入了檔，有個警探已經查過。如果你沒別的事——」

「有多少客人簽名時，會用大寫印刷體的？」

「不知道。」

「讓我看看最近兩、三個月的登記卡好吧？」

「要找什麼？」

「看誰印刷體寫得跟這人一樣。」

「噢，我看不可能，」他說：「你知不知道有多少卡得查？我們旅館有六百三十五間房，史——」

「史卡德。」

「史卡德先生。這等於一個月有一萬八千張登記卡。」

「除非你們所有的客人都只待一個晚上。」

「平均是三個晚上。就算這樣，一個月也有六千多張登記卡，兩個月就是一萬兩千張。你知道要花多久才能看完一萬兩千張卡？」

「一個人一小時大概可以看幾千張，」我說：「因爲他只消檢查簽名是不是大寫字母就好了。差不多幾個鐘頭就夠了。可以由我來，或者找你們一個職員做。」

他搖搖頭，「這我無權決定，」他說：「眞的不行。你是普通市民，不是警察。我雖然很想合作，不過我職權有限。要是由警方發出通令——」

「我知道我是在請你幫忙。」

「如果這種忙我有權幫的話——」

「我知道這有點強人所難，」我繼續說：「佔用你的時間，造成你的不便，我願意花錢補償。」

小一點的旅館應該行得通，不過在這兒我是浪費時間。我看他恐怕連我是在賄賂都搞不清楚。他重複說，如果警方幫我發出通令的話，他很樂意照辦；這回我沒再堅持。我問他是不是可以借用瓊斯的登記卡影印。

「噢，我們這兒就有影印機，」他說，很高興終於幫得上忙，「請等一下。」

他拿了張影印本回來，我向他道謝。他問我還有沒有別的事，言下之意我應該可以滾蛋。我說我想看看案發現場。

「可是警方已經檢查完畢，」他說：「房間正在整修。地毯得換，你知道，牆壁得漆。」

「我還是想看看。」

「可實在沒有什麼可看的。我想今天那兒該有工人。油漆工已經走了，我想，不過地毯工人——」

「我不會礙事的。」

他把鑰匙給我，讓我自己上樓。我找到房間，暗許自己的辦案能力。門上了鎖，地毯工看來是去吃午餐，舊地毯已經移開，新地毯覆過三分之一的地板，剩下部分還捲著待鋪。我在那兒待了幾分鐘。正如副理所說，房裡真的沒什麼可看，空曠一無傢俱，也沒有琴的半點痕跡。剛上漆的牆壁閃閃發亮，浴室也光可鑑人。我像靈媒一樣四處走動，想藉著指尖捕捉一些感應，可是毫無所獲。

窗口遙對市中心，視野被其他高大建築切割成碎片。在兩座建築間的縫隙，我瞥見遠處的世界貿易中心大樓。

她有時間在此眺望過嗎？瓊斯先生曾經望出窗口嗎？事前還是事後？

□

我搭地鐵到市中心。火車是新來的那批，車廂內由黃、橘、褐搭配成悅目的花色，不過塗鴉人已經把這美麗破壞無遺，所有的空間都佈滿他們難以辨認的訊息。

我沒看到有人抽煙。

我在西四街下車，往南再往西走到摩頓街，法蘭·謝克特在此處一棟四層棕石建築的頂樓上有間小公寓。我按她那一樓的電鈴，透過對講機報上姓名，前廳的門嗶一聲打開。

樓梯間滿是味道——一樓的烤麵包味，再上去是貓的臭味，頂樓是絕對錯不了的大麻煙味。我在想，一棟建築的性格眞可以由它樓梯間的異味描繪出來。

法蘭在她門口等我。淡棕色的短鬈髮圈著一張圓圓的娃娃臉。她是鈕釦鼻、上翹唇，鼓鼓的兩頰花栗鼠都會引以爲傲。

她說：「嗨，我是法蘭。你是馬修。我就叫你馬修可以嗎？」我說當然可以，於是她的手便搭到我臂上引我入內。

屋裡大麻的味道濃多了。這公寓是間工作室。滿大一個房間，一面牆凹進去有個小廚房。傢俱包括一張帆布椅，有靠枕的沙發椅。幾個塑膠牛奶箱疊在一起，擺書和衣服。還有一張大水床，上鋪假毛皮床罩。水床上方的牆面掛了幅上框的海報：是張室內圖，壁爐冒出一個火車頭。

我拒絕喝酒，接受了一罐減肥可樂，一屁股坐在靠枕沙發上：坐起來比看起來舒服。她坐帆布椅，想來也是坐著比看著舒服。

「錢斯說你在辦琴的案子，」她說：「他要我把你想知道的都跟你講。」她的聲音有種小女孩喘不過氣的味道，我聽不出到底裝的成份有多少。我問她和琴交情如何。

「不熟。我見過她幾次。有時候錢斯會一次帶兩個女孩共進晚餐，或者看表演。我想我大概每個人都碰過面。唐娜我只見過一次，她迷迷糊糊，一副在太空裡迷路的樣子。你見過她嗎？」我搖搖頭。「我喜歡桑妮。我不知道我們算不算是朋友，不過她是我唯一會打電話聊天的人，我一個禮拜打給她一、兩次，有時候她會打來，你知道，我們可以講講話。」

「不過你從沒打給琴？」

「噢，沒有。我連她電話也沒有。」她想了一下。「她眼睛很漂亮，我闔上眼，還可以看到它們的顏色。」

法蘭自己的眼睛也很大，介於棕和綠色之間。睫毛長極了，我突然想到也許是假的。她身材矮小，是拉斯維加斯歌舞團所謂的「小馬」體型。她穿了條褪色的李維牛仔褲，褲管捲起，高聳的胸部上緊緊套了件亮粉紅色毛衣。

她不知道琴計劃離開錢斯，聽了這消息她覺得頗爲好玩。「嗯，這我可以了解，」她沉吟片刻後說：「他不是眞的關心她，你知道。你不會想一輩子守住一個不關心你的男人。」

「你爲什麼說他不關心她?」

「很多小事可以看出來。我想他是很高興有她在身邊，因爲她不惹麻煩，又是搖錢樹。不過他對她沒感情。」

「他對別的女孩有感情嗎?」

「對我是有，」她說。

「還有別人嗎?」

「他喜歡桑妮。大家都喜歡桑妮，她人很有趣。我不知道他是不是關心她。或者唐娜，我敢說他不在意唐娜，不過我看唐娜也不在意他。我想他們是純粹生意往來。唐娜，我看唐娜是誰都不在意。我看她根本不知道世界上還有別人。」

「露比呢?」

「你見過她?」我沒有。「呃，她滿——你知道，有異國風味的，是他喜歡的型。另外，瑪莉露是智慧型的，他們一起聽音樂會之類的狗屎，去林肯中心，古典音樂，不過那可不表示他對她有感情。」

她開始咯咯笑起來，我問她什麼事那麼好笑。「噢，我才想到，我是那種典型的笨妓女，以爲她是皮條客的最愛。不過你知道嗎?只有跟我在一起，他才能完全放鬆。他可以到這兒來，脫掉鞋子，神遊太空。你知道佛教的『羯魔』吧?」

「不知道。」

「呃，那跟輪迴轉世有關係。不知道你信不信那個。」

「從沒想過。」

「呃——我也不知道我到底信不信，不過有時候我覺得錢斯和我前世認識。不一定是情侶或者夫妻之類的關係。我們有可能是兄妹，要不或許他是我父親，或者我是他母親。我們也有可能是同性，因為轉世以後性別或許會變。我是說我們搞不好是姊妹之類的。什麼都有可能，眞的。」

電話打斷她的思路。她穿過房間去接，背對著我，一手叉在臀上。我聽不到她的談話。她講沒一會兒便蓋住話筒，轉頭看我。

「馬修，」她說：「不是我要催你，只是想知道你大概要問多久？」

「不久。」

「那我可以約他一個小時後過來？」

「沒問題。」

她扭過頭，靜靜講完話，然後掛上。「那是我一個老顧客，」她說：「他人是眞的好。我跟他說一個鐘頭。」

她坐回帆布椅。我問她是不是搭上錢斯以前，就住這公寓。她說她跟錢斯一起兩年又八個月，不，在那之前她和其他三個女孩合租喬爾西那兒一處較大的地方。錢斯為她準備好這間公寓，只等她搬進來就好。

「傢俱是我搬來的，」她說：「只除了水床，那本來就在這兒。我把我的單人床丟了。那張瑪格莉特的海報是我買的，面具是錢斯的。」我沒注意到面具，轉過頭才看到我身後的牆上掛了三個肅穆的黑檀木雕。「他很內行，」她說：「知道面具是哪個部落做的等等。這類事情他很清楚。」

我說這公寓派上目前這種用途不太恰當。她皺皺眉，一臉迷惑。

「你這行大部分的女孩都住在有門房的建築，」我說：「有電梯等等設備。」

「噢，沒錯。我剛才沒聽懂。嗯，的確。」她粲笑起來，「這兒是不一樣，」她說：「來這兒的嫖客不認爲自己是嫖客。」

「怎麼說？」

「他們自認爲是我的朋友，」她解釋道：「他們當我是愛吃迷幻藥的格林威治村小妞——我正是，而他們則是我的朋友——也沒錯。我是說，擺明了講，他們到這兒是要爽一下；不過，到按摩院去幹可以更快更容易，直截了當，沒什麼枝枝節節，懂吧？不過上這兒來，他們可以脫掉鞋子，吸個大麻，再說這兒又是格林威治村溫馨性感的小公寓。我是說，你得爬三層樓梯上來，又有個大水床讓你滾來滾去。我的意思是，我不是妓女，我是他們的女朋友。我不計費。他們給我錢，是因爲我得付房租，而且你知道，我只是個可憐的格林威治村小妞，一心想當演員當不成——這是騙鬼，但誰在乎？不過我還是每個禮拜上兩早上的舞蹈課，禮拜四晚上跟艾德·柯文思上表演課，去年五月我還在翠貝卡劇院演了三個週末的戲。我們演易卜生的《

死人復甦》(*When We Dead Awake*)，你信不信我有三個嫖客過去捧場？」

她聊起那齣戲，然後開始告訴我，她的顧客除了錢外還送她禮物。「我根本不用買酒。事實上，我還得把酒分送出去，因爲我自己不喝。而且我已經幾百年沒買大麻。你知道誰手裡的大麻最棒？華爾街那幫人。他們會買一盎司過來，我們吸一些，然後剩下的全歸我。」她對我眨眨她長長的睫毛。「我還滿愛抽的。」她說。

「猜得出來。」

「怎麼猜？看我神志不清？」

「味道。」

「噢，對。我沒聞到是因爲我在這兒，不過每回出去以後再進來，哇！就像我一個朋友有四隻貓，她指著天發誓牠們沒味道，天曉得那騷味可以熏死人。她只是習慣了而已。」她換個坐姿，「你抽不抽，馬修？」

「不抽。」

「你不喝酒，不吸大麻，了不起。要不要再來罐減肥可樂？」

「不！謝了。」

「確定？呃——介不介意我吸一點？只是想稍稍放鬆一下。」

「請便。」

「因爲有這麼個客人要來，吸一點可以幫我進入情況。」

我說沒關係。她從爐上的架子取下一袋大麻，非常熟練的捲了根煙。「他可能也會想抽。」說著她又捲了兩根。她點上一支，把其他東西全收起來，然後回到帆布椅。她一路直抽，吞雲吐霧之際聊起她的生活，最後把剩下的一小截熄掉，留待稍後再吸。她的神態並沒有因爲吸大麻現出不同，也許她已經吸了一整天，我到的時候早就進入高潮。也許她就是現不出吸毒相，就像有些酒鬼現不出醉酒相。

我問她錢斯來這兒時抽不抽，她聽了頗覺好笑。「他從來不喝酒、不吸毒。跟你一樣。對了，你是不是就因爲這樣認識他的？你們兩個都在『非酒吧』打發時間？還是說你們的『非毒販』是同一個人？」

我想辦法把話題拉回琴身上。如果錢斯對琴沒感情，她有沒有可能和別人約會？

「他根本不在乎她，」她說：「你知道嗎？我是他唯一的愛。」

我現在可以聞到她話裡的大麻味。她的聲音沒變，但她的腦子已經跟著大麻接到別的線路去了。

「你想琴是不是有了男朋友？」

「我有男朋友，琴有嫖客。其他女孩有的全是嫖客。」

「如果琴有什麼特別的——」

「當然，我懂。有個不是嫖客的人，所以她才想和錢斯拆夥。你是這個意思？」

「有可能啊。」

「然後他就殺了她。」

「錢斯？」

「你瘋了啊？錢斯還沒在乎到要殺她的地步。你知道找人代替她要花多久時間？媽的。」

「你是說那男朋友殺了她。」

「當然。」

「爲什麼？」

「因爲他進退兩難。她離開錢斯，準備好要和他快快樂樂過日子，可是他要這個幹嘛？我是說他有老婆，有工作，有個家，在北邊郊區的史卡代有棟房子——」

「這些你怎麼全知道？」

她歎口氣，「我只是吸了毒在胡說八道，寶貝。我只是在瞎編故事。你還搞不懂啊？他結過婚，喜歡上琴。愛上妓女又叫她愛上你是再刺激不過了，而且這樣子你又可以免費上床，不過你可不想改變你的生活。萬一她說，喂，我現在自由了，把你太太甩掉，我們一起跑向夕陽，而夕陽是他在鄉村俱樂部的陽台遠遠觀賞就好的，他可不想跑過去。於是下一步只有刷刷幾下，她死了，他又回到拉其蒙。」

「一分鐘前還是史卡代哩。」

「隨便哪裡啦。」

「他會是誰呢，法蘭？」

「那個男朋友嗎？不知道，誰都可能。」

「是個嫖客？」

「我們不會愛上嫖客的。」

「她會在哪裡認識男人？她認識的又會是哪種男人？」

她努力想一想，然後聳聳肩放棄了。我們的談話到此一直沒有進展。我用她的電話，談了一會兒，然後把我的名字和號碼寫在話機旁的一疊便箋上。

「如果你想到什麼的話——」我說。

「如果想到，我會打給你。要走了？確定不想再來罐可樂？」

「不，謝了。」

「好吧，」她說。她走向我，手背摀住懶洋洋一個大哈欠，透過長長的睫毛抬眼看我。「噯，我眞的很高興你過來這裡，」她說：「需要伴的話，隨時可以打電話給我，好嗎？只是過來坐坐聊聊。」

「好。」

「我等你唷，」她輕聲說，踮起腳尖，出乎意外的在我臉頰上吻了一下。「我眞的等你唷，馬修。」

樓梯下了一半，我開始笑起來。她像反射動作一樣輕易滑入妓女的角色，道別時熱情誠摯，非常逼眞。怪不得那些股票經紀人不在意爬那些樓梯，怪不得他們會去捧場看她表演。乖乖隆的咚，她還眞是演員，而且演技不賴。

走過兩條街，我還可以感覺到她在我臉頰印上的那一吻。

16

唐娜·康萍的公寓位在東十七街一棟白磚建築的十樓。客廳窗戶朝西，我到那兒時，時露時藏的太陽正露出臉來，陽光灑遍房間。四處都是濃綠茂盛的植物——在地板和窗台上，在窗口懸垂而下，在房間所有大小桌子上。陽光篩過層層葉子，在暗色的拼花地板上投下重重細密的光影。

我坐在一把柳條扶手椅上啜著濃香的黑咖啡。唐娜棲坐在旁邊一條有靠背的橡木長板凳上，凳子約四呎寬。她說那原本是教堂座椅，純英國橡木，英王詹姆士一世時期做的，也有可能是伊莉莎白女皇時期的。因爲年代久遠顏色轉暗，被三、四個世紀以來虔誠的臀部磨得非常平滑。得文郡一個鄉下地方的牧師有一天決定整建教堂，於是她才有機會在一次拍賣會上買到這條長椅。

她長了張和椅子頗能匹配的臉——長長的，由高廣的前額收束到尖尖的下巴。她的皮膚蒼白，彷彿她唯一吸收到的陽光都是篩過層層綠葉而來。她穿了件圓翻領的白色縐紗寬襯衫，灰色法蘭絨短褶裙下穿了條黑色緊身褲；仿鹿皮的拖鞋，露出尖尖的腳趾。

長窄的鼻子，薄唇小嘴。深棕的頭髮披到肩上，由前額正中那點直直往後梳下。黑眼圈，右手兩指上有煙草污漬。沒擦指甲油，沒戴首飾，沒有明顯的化妝痕跡。不漂亮，當然，不過有種中世紀的氣質和美相當接近。

她和我看過的妓女完全不一樣。她看來眞像詩人——至少和我想像中的詩人一樣。她說：「錢斯要我和你徹底合作。他說你想找出是誰殺了牛奶皇后。」

「牛奶皇后？」

「她長得像選美皇后，然後我又聽說她來自威斯康辛，馬上就想到那兒牛奶餵養出來的健康和天眞。她像皇家御用的牛奶女工。」她輕輕笑起來，「這是我的想像力在講話，其實我不算認識她。」

「你見過她男朋友嗎？」

「我不知道她有男友。」

她也不知道琴打算離開錢斯，這消息她聽了不很訝異。「我在想，」她說：「她是移入還是移出。」

「你什麼意思？」

「她主要是想搬出錢斯的公寓，還是搬入另一個地方？看你強調『出』還是『入』。我第一次到紐約時，重點在入。我那時才剛逃出我的家和我從小長大的小鎭，不過那是次要的。後來我和丈夫分手時，重點是在逃出。我想的是她離開的主要動機。」

「你結過婚？」

「三年。呃，在一起三年。同居一年，結婚兩年。」

「多久以前結的婚？」

「四年吧？」她算一算，「來春就滿五年。雖然我還是已婚身分，一直懶得去辦離婚。你看該辦嗎？」

「不知道。」

「也許該辦，免得懸在那裡。」

「你跟錢斯一起多久？」

「快三年了。幹嘛問？」

「你不像這一型的。」

「有個型嗎？我知道我跟琴不太一樣，既沒皇家味道，也不是牛奶女工。」她笑起來，「我倆就像上校夫人和茱蒂．歐葛蘭蒂，雖然我不知道哪個是哪個。」

「反正骨子裡是姊妹？」（譯註：英國作家吉卜齡有一首詩，其中有兩句：「上校夫人和茱蒂．歐葛蘭蒂骨子裡是姊妹。」）

她看我聽出她的意思，一臉驚訝。她說：「離開我丈夫以後，我住在下東城。你知道諾福克街吧？在史坦頓街和里文頓街之間？」

「不太清楚。」

「我可清楚得很。我以前住那裡，在那附近打過很多零工。我在洗衣店做過，也當過服務生和店員。每次不是辭掉就是給人解雇，錢永遠不夠。我開始恨起我住的地方，還有我的生活。本想打電話給我丈夫，要他接我回去讓他繼續養算了。有回我撥了他的號碼，可是線路在忙。」

她可以說是無意間開始賣起身體。她那條街有個店老闆一直對她虎視眈眈。有一天她很意外的發現自己脫口而出：「聽著，如果你眞想上我的話，給我二十塊行嗎？」他一臉通紅，急呼他不知道她是妓女。「我不是，」她告訴他，「不過我需要錢用。再說我的床上功夫不是蓋的。」

她開始一個禮拜賣幾次肉，從諾福克街搬到附近更高級的一條街，然後又搬到湯普金廣場東邊的第九街。她現在不用上班了，可是有別的麻煩得處理。她被狠狠打過一頓，也給搶過幾次。她再一次考慮要打電話給她前夫。

然後她碰到一個鄰居女孩，說她在城中心一家按摩院工作。唐娜到那兒試做，覺得非常安全。店門口有個男的專門對付想找麻煩的人，而工作本身又很機械化，幾乎像醫生動手術一樣不帶感情。她的嫖客要求的差不多都是指交或者口交。她的肉體不會遭到侵犯，除了單純的身體接觸以外，完全沒有進一步親密的幻象。

起先她喜歡這樣。她把自己看成是「性的技術員」，類似身體治療師。然後事情都翻轉過來。

「那地方有黑手黨的味道，」她說：「在窗簾和地毯裡，你都可以嗅到死亡。而且越做越像工作，我定時上下班，搭地鐵來回。這工作吭——我喜歡這個字——吭出我體內的詩句。」

於是她辭職，恢復以前的自由業。就這樣有一天錢斯發現到她，然後一切就緒。他把她安置在這棟公寓——她在紐約住的第一個像樣的地方，他把她的電話號碼廣爲傳播，也解決了她所有的麻煩。她的帳單有人付，公寓有人打掃，所有的事都有人打點。她只需要寫詩，把作品寄到雜誌社，還有在電話鈴響的時候展現女人魅力。

「錢斯把你賺的錢全部拿走，」我說：「你不會起反感嗎？」

「有這必要嗎？」

「不知道。」

「那反正不是眞的錢，」她說：「好賺的錢沒法持久。如果能持久的話，所有的毒販都可以開證券交易所了。那種錢來得快去得快。」她兩腿一旋，面向前方坐在教堂椅上。「反正啊，」她說：「我要的東西全有了。我想要的就是一個人清靜下來。我希望有個像樣的地方住，有時間做我的事。我是說寫詩。」

「這我了解。」

「你知道大部分的詩人得捱過什麼？他們得教書，或者找個正當工作做，要不就得玩詩人遊戲——四處朗誦演講，爲申請基金會獎金寫計劃報告，忙著拉人脈拍馬屁。我從來不想幹那些狗屁混賬事，我只想寫詩。」

「琴想要幹嘛？」

「天曉得。」

「我想她是跟某人有了關係，也才因此被殺。」

「那我很安全，」她說：「我跟誰都沒關係。當然你也可以辯說，我跟全人類息息相關。你看這是不是表示我處境非常危險？」

我不懂她的意思。她閉上眼睛說：「『任何人的死亡都損及於我，因我與全人類息息相關。』英國詩人約翰·但恩的詩句。你知道她是怎麼和人扯上關係的？跟誰？」

「不知道。」

「你看她的死是不是也損及於我？我在想我跟她算不算也有關係。我不認識她，不算，不過我寫了首關於她的詩。」

「我能看嗎？」

「可以啊，只是對你恐怕沒什麼幫助。我寫了首關於北斗七星的詩，可是如果眞想了解那七顆星的話，你找的得是天文學家，不是我。詩講的從來不是它講的東西。你知道，詩講的其實都是詩人自己。」

「我還是想看一看。」

她聽了似乎挺高興的。她走向書桌——古式掀頂書桌的現代版，馬上就找到她要的東西。這首詩是以花體字手抄在一張上好的硬面白紙上。

「投稿我都用打字的，」她說：「不過我喜歡看我的詩手抄在紙上的樣態。這種書寫體是我看書自己學的，其實不難。」

我念道：

以牛乳爲她沐浴，讓這道純一
的白河爲她洗禮，
癒合第一道曙光下出現的
裂口。拿起她的
手，告訴她不必耿耿於懷，
覆水畢竟難收。以銀色的槍管
射撒種子。打斷她的骨
置於鉢中，擊碎酒瓶
置於她腳旁，讓綠色的玻璃
在她手中閃舞。成全這一切。
讓白河前行。
讓白河流下，流向那遠古的青草。

我問她是不是可以讓我把詩抄到記事本。她銀鈴般輕笑道：「爲什麼？詩告訴了你誰是凶手嗎？」

「我不知道詩告訴了我什麼。也許抄下來慢慢想，我會悟出答案。」

「如果悟出來了，」她說：「希望你能告訴我。開玩笑的啦，我大概知道我想寫的是什麼。不過你不必費心抄詩，這你拿去就好。」

「別傻了，這是你的。」

她搖搖頭，「詩還沒寫完，得再加工。我想寫進她的眼睛。如果你見過琴，一定注意過她的眼睛。」

「對。」

「我本想把綠玻璃和她的藍眼睛做個對比，綠色會入詩原因也在此，可是等我寫的時候，眼睛不見了。我想可能早先的草稿裡有，可是寫著寫著給刪掉了。」她微笑起來，「它們一眨眼就跑了。詩裡有銀色、綠色和白色，可是卻漏掉眼睛。」她一手搭在我肩上，低頭看詩。「總共幾行？十二是吧？應該有十四行，莎士比亞情詩的長度，雖然這些詩行長短不一。『純一』是不是該改我也不確定，也許不一定非用『一』來跟『禮』押韻。純淨、純亮什麼的都可以考慮。」

她滔滔不絕說下去——跟她自己而不是跟我說，討論詩中可以修改的地方。「請你拿去吧，」她下結語道：「這詩離完工還有一大段距離。想想也好笑，她遇害以後我從沒想過要再看看這首詩。」

「你是在她遇害前寫好的？」

「對啊。雖然我費心用花體字謄過一遍，不過我從沒把它當作是完工成品。其實我打草稿都用這種方式，這樣我才比較能看出來哪裡該改。如果她沒死的話，我還會潤飾下去的。」

「爲什麼停了呢？打擊太大？」

「我有受到打擊嗎？大概吧。『這也可能發生在我頭上，』只是我不信這套。就像肺癌，只有別人會得。『任何人的死亡都損及於我。』琴的死有沒有損及於我？我不這麼認爲。我想我不像約翰·但恩那樣，自認爲和全人類息息相關。」

「那你爲什麼把詩擱在一旁？」

「我沒有把它擱在一旁，只是忘在一邊。哈，這是雞蛋裡挑骨頭。」她想一想以後說：「她的死改變了我對她的看法。我想修改這首詩，可是不想把她的死扯進去。詩裡顏色已經夠多了，不需要再加上血的顏色。」

17

之前我是從摩頓街搭計程車到東十七街唐娜的住處，現在我又搭一輛到三十七街琴的大樓。付錢給司機時，我才想起忘了上銀行。次日是禮拜六，所以我整個週末都得捧著錢斯的錢——除非哪個搶匪財星高照。

我減輕重量塞了五塊給門房，跟他要了琴公寓的鑰匙，信口瞎編我是房客代理人。手中多了五塊，我說什麼他都願意相信。我走上電梯，踏入公寓。

警方早就搜過此地。我不知道他們當初想找什麼，又找著什麼。德肯給我看的檔案提及床單，但只是一筆帶過。沒有人會把他留意到的所有細節一一入檔。

我無從得知當時警察在犯罪現場發現什麼，也不確定他們有否順手牽羊。某些條子會順理成章的搶劫死者，不過這些人在其他事上並不見得道德比較低下。

警察看過太多死亡的齷齪，爲了能繼續面對未來，他們往往需要把死者非人性化。我還記得我頭一回從旅館房間抬屍出門的經驗。那人死時吐血，死後多日才有人發現，由我和一名資深的巡邏警察合力把屍體塞入屍袋。一路下樓時，我的搭檔每下一級樓梯，一定要撞那袋子一下。他抬一袋馬鈴薯都不會那麼大意。

我還記得旅館其他房客圍觀我們的神情，也記得我那搭檔搜遍死者遺物，抽出那人僅有的些微現金，刻意細數，然後和我平分。

我不想拿。「擺到口袋裡，」他告訴我，「你以爲這錢以後有什麼好的用途啊？總有別人拿走，要不就由州政府接收。紐約州拿這四十四塊有啥屁用？擺進口袋裡，然後買塊香皀，洗掉你手上沾到的屍臭。」

我把錢擺進口袋。到後來，抬屍體下樓撞樓梯的是我，數錢分錢的也是我。風水輪流轉。我在想，有一天我會是裹進屍袋裡的那一個。

□

我在那裡待了一個鐘頭。我查過抽屜和衣櫥，也不清楚自己想找什麼。我沒找到什麼。如果她有本塡滿電話號碼的黑色小簿子——傳說中應召女郎的生財工具，早有人在我之前已經拿走。倒也不是我有理由假設她眞留了那麼一本。伊蓮是有一本，不過法蘭和唐娜都搖頭否認。

我沒找到毒品，或者毒品附帶工具，不過這並不證明什麼。警察既然會搶死人的錢，自然也有可能把毒品據爲己有。要不也許是錢斯拿走屋裡所有的違禁品。他說她死以後，他來過公寓一次。不過我倒是注意到，非洲面具他都留著。它們一個個從掛著的牆上對我怒目而視，不管錢斯找上哪個幹勁十足的年輕妓女來取代琴的位置，它們都要善盡保衛公寓之責。

霍普的海報還掛在音響上頭的老位置，想來那也是要留給下位房客的吧。

她的痕跡遍布各處。我翻查她梳妝台抽屜和衣櫥裡衣服的時候，聞到她的味道。她的床鋪沒有整理。我掀起床墊，查看底下。不用說，早有人在我之前如此做過。我什麼也沒找到，啪一聲放下床墊，她刺鼻的香味登時從揉縐的床單升起，漫入我的鼻孔。

在客廳裡，我打開一面壁櫥，發現她的毛皮外套，其他大衣以及夾克，還有一整個架子的葡萄酒和烈酒瓶子。一瓶兩百毫升瓶裝的「野火雞」波本威士忌馬上攫住我的視線，我敢發誓我可以嘗到那超過百分之五十酒精含量的濃烈波本酒味，可以感覺到它刺過我的喉嚨，一股熱潮流向我的胃，暖意四散到我趾尖和指尖。我關上櫥門，穿過房間，坐上沙發。原本我完全沒有欲望喝酒，連想也沒想過，冷不防瞥見一瓶烈酒還真叫我站不穩腳。

我回到臥室。她的梳妝台上擺了個珠寶盒，我打開來看。有很多耳環，兩條項鍊，一串假味十足的珍珠，好幾圈脚環──有個象牙做的非常迷人，鑲上類似金子的花飾。另有一只俗氣的班級紀念戒指，學校是威斯康辛州清水鎮的拉法雷高中。戒指是金的，內側刻有十四K的字樣，掂掂重量想必值不少錢。

誰會接收這一切？星河旅館裡她的皮包內有些現金，根據她檔案裡的記載，約莫是四百多塊，這錢可能會轉交給她威斯康辛的父母。但他們願意大老遠飛來取走她的大衣和毛衣嗎？他們會想要她的毛皮外套、高中戒指，以及象牙脚環嗎？

我只多待一陣子，匆匆記上幾筆，然後便離開那裡，沒再打開客廳櫥門。我搭電梯到樓下大廳，對門房揮揮手，對迎面而來的房客點點頭。那是個老婦人，嵌有萊茵石的狗鏈尾端拖了隻迷你的短毛狗。狗狠狠的對著我吠，我這才突然想到琴養的小黑貓下落不明。我沒看到牠，浴室裡也沒有牠的穢物盤。一定已經有人把牠帶走。

我在轉角處攔部計程車，到了我旅館門前付錢時，我才發現琴的鑰匙和零錢混在一塊。我沒把鑰匙還給門房，而他也忘得一乾二淨。

□

我有個口信。喬·德肯打過電話，留下他在警局的號碼。我打過去，對方說他已經出勤，但會回去。我留下我的姓名和電話。

我上樓回房，氣喘吁吁、筋疲力盡。我躺下來，但無法休息，關不住腦中播放的錄音帶。我只得出門叫份起司三明治、咖啡和炸薯條，喝到第二杯時，我從口袋掏出唐娜·康萍的詩。詩中有個什麼在向我呼喚，可是我想不出來。我再念一次。我不懂這詩——假設它眞有什麼字面上的意義，我也不懂。但我總覺得詩裡有個東西在對我擠眉弄眼，意圖引我注意，但我腦傷過重，無法會意。

我走到聖保羅教堂。演講人用一種家常聊天的語氣在講一則恐怖故事。他的父母都死於酗酒，父親得了急性胰臟炎，母親醉酒時自殺。兩個哥哥和一個姊姊也相繼死於酗酒。另一個哥哥因爲腦出血還在州立醫院治療。

「我戒酒幾個月以後，」他說：「開始聽說酒精是腦細胞的死敵。我很擔心自己腦傷嚴重，所以就向我的輔導員請教。『呃，』他說：『也許你有腦傷，很可能。不過我先問你：你記不記得哪天在哪裡開會？你能不能自己找到會場？』『可以啊，』我告訴他，『這我沒問題。』『那就沒事，』他說：『你目前所需要的腦細胞都有了。』」

我中場休息時離開。

□

旅館櫃台又有一個德肯留下的口信。我馬上打過去，可是他又不在。我留下姓名、電話，然後上樓。電話鈴響時，我在看唐娜的詩。

是德肯。他說：「嗨，馬修。我只是想說，希望昨晚沒給你留下惡劣印象。」

「你指什麼？」

「呃，整體來說啦，」他說：「偶爾我會受不了壓力，你懂我意思吧？我需要發洩，發發酒瘋，說說胡話。這我並沒有養成習慣，只是偶爾需要來這麼一下。」

「完全了解。」

「大部分時間我熱愛工作，只是有些事情我無法忍受，我設法不去理睬。所以隔一陣子我就得把體內的毒素統統清掉。希望昨晚分手前我沒失了分寸。」

我向他保證他沒怎麼樣。我在想，昨晚的事他到底記得多少。他喝的酒量足夠叫他失去知覺，不過這種事也很難講。也許他當時只是有點昏頭昏腦，不確定是否冒犯到我。

我想起比利的女房東都是怎麼安慰他的。「不必在意，」我說：「這種事主教也可能會犯。」

「嗯，我得記下這個。主教也可能會犯。搞不好眞就犯了呢。」

「搞不好。」

「你調查得怎麼樣？有眉目了嗎？」

「難說。」

「我懂你意思。如果有什麼我能幫忙的話──」

「還眞有。」

「哦？」

「我去星河旅館，」我說：「和一名副理談過，他拿了瓊斯先生的登記卡給我看。」

「大名鼎鼎的瓊斯先生。」

「上面沒有簽名。名字是印刷體寫的。」

「想來也是。」

「我問他能不能給我過去幾個月來的卡片，查查有沒有同樣印刷體寫的簽名。他說他無法授權。」

「塞些鈔票不就結了。」

「我試過。他連我用意何在都摸不著頭腦。不過你應該請得動他。他不幫我是因爲我不代表官方，但如果警方出面的話，他一定滿口答應。」

他好一會兒都沒接腔，然後問我這線索是否眞的管用。

「很可能。」我說。

「你認爲凶手以前在那旅館住過？用別的名字登記？」

「或許。」

「不過不是用他本名，要不他大可簽名，不必耍這花招。所以就算我們走運，眞有那麼張卡，又讓我們找到，結果還不是白費工夫，弄到同一條狗雜種的另一個假名。這又算是哪門子的進展。」

「眞要幫的話，還有件事你可以做。」

「啥事？」

「要那一帶旅館一家一家清查，呃，他們過去六個月或者一年以來的住宿登記卡。」

「查什麼？印刷體字嗎？省省吧，馬修。你知道這要耗掉多少人力？」

「不是印刷體字。要他們查出叫做瓊斯的房客。我講的是像星河旅館一樣的地方，摩登高級旅館。它們大部分應該跟星河一樣，住宿資料都存入電腦，十分鐘不到就可以叫出所有登記瓊斯的資料，不過得有個戴警徽的人去說才行。」

「然後呢？」

「找到名字起首字母是C或者C.O.的瓊斯先生，再翻出卡片看看是不是印刷體字，和咱們這張像不像。眞查到的話就是線索。我不用告訴你拿了線索該怎麼做吧？」

他再度陷入沉默。「不知道，」他終於開口說：「這線索聽來很沒份量。」

「也許。」

「坦白說好了，我覺得這是浪費時間。」

「不會浪費太多時間。而且也不是那麼沒有份量。喬，如果你不是先在心裡把案子結了的話，你會動手去做的。」

「那可難說。」

「當然你會。你認爲那人不是殺手就是精神病患。如果是雇來的殺手，你就不想處理。如果是精神病患，你就想等他下次出擊再說。」

「我不會那麼過分。」

「昨晚你就是那麼過分。」

「老天爺，昨晚是昨晚。我已經解釋過昨晚。」

「那人不是殺手，」我說：「也不是精神病患隨便抓了她下手。」

「你說得好像非常肯定。」

「滿肯定的。」

「爲什麼？」

「雇來的殺手不會發那種癲。他怎麼殺的？開山刀砍六十下？」

「六十六下，我想。」

「那就是六十六下了。」

「不過不一定是開山刀。開山刀之類的東西。」

「他要她脫光，砍得她血肉模糊。滿牆的血非得重新上漆不可。你什麼時候聽過這種職業殺手？」

「天曉得皮條客會雇哪種野獸？搞不好他要那傢伙耍狠，手段越毒越好，這叫殺雞儆猴。天曉得他腦裡打的什麼主意？」

「然後他又雇我調查。」

「我承認這聽來有點荒謬，馬修。不過——」

「也不像瘋子行徑。是正常人發了狂幹的，絕不是精神病患病情發作。」

「你怎麼知道？」

「他太過小心了。登記住宿時用印刷體簽名，還把髒毛巾帶走。那傢伙刻意不留下半點證據。」

「我還以爲他是拿那毛巾包走開山刀。」

「何必那麼麻煩？他只消把刀洗洗，然後擺進原先裝的盒子就行了。再說，如果他眞要拿毛巾包，大可以拿乾淨的。他把清洗用的毛巾帶走，唯一原因就是隱藏證據。毛巾能藏的東西多著了——頭髮、血漬——而且他擔心他很可能被列爲嫌犯，因爲他知道是有什麼事情可以把他連到琴·達科能的身上。」

「我們可不確定毛巾眞是髒的，馬修。他有沒有洗澡我們也不知道。」

「他把她剁成一片片的噴得滿牆是血，你眞以爲他連個澡都不洗就走出那裡？」

「說得也對。」

「你會拿濕毛巾回家當紀念品嗎？他是有原因的。」

「好吧。」一段沉默，「精神病患也可能不想留下痕跡。你的意思是：他認識她，而且有殺她的理由。這你哪能肯定？」

「他爲什麼要她到旅館去？」

「因爲他在那兒等著啊。他和他的開山刀。」

「他爲什麼不帶著他的開山刀到她三十七街的住處去？」

「省得她跑路？」

「對啊。我今天跟好幾個妓女談過。跑外頭要花時間，她們都不喜歡。不得已的話還是會跑，不過她們通常會要對方到她們的住處，告訴他那裡有多舒服。琴八成提出來過，只是他不依。」

「我看他是已經付了房錢，不用白不用。」

「到她那裡也不用他多花錢啊。」

他沉吟片刻。「她有個門房，」他說：「也許他不想經過那個門房。」

「他倒寧可穿過旅館大廳，簽張登記卡，和櫃台人員講話？他不想經過那個門房，可能是因爲門房以前見過他。要不門房可比整個旅館好應付多了。」

「這話有問題，馬修。」

「沒法子，我就是這麼想。某人幹了那票事情，一點道理也沒有——除非他認識琴，而且有個私人的理由要她歸西。他有可能情緒不穩，頭腦完全冷靜的人不會拿把開山刀大開殺戒。不過他可不是隨便挑個女人痛宰的精神變態。」

「那你看呢？是男朋友幹的？」

「八九不離十。」

「她和拉皮條的斷了，跟男朋友說她沒有牽掛，然後他就抓狂？」

「我是朝這個方向想沒錯。」

「然後拿把開山刀發飆？你才說那人決定還是乖乖待在家裡陪太太，這樣說得通嗎？」

「不知道。」

「你眞確定她有男朋友？」

「不確定。」我承認道。

「那些登記卡。C·O·瓊斯，以及他所有的化名——假定他有的話。你眞認爲它們會是線索？」

「查了總沒壞處。」

「你沒回答我的問題。」

「那我只有說不。我不認爲它們會是線索。」

「不過你認爲還是值得一試？」

「我在星河旅館本來是想親自查對卡片的，」我提醒他，「用我自己的時間——如果那副理肯的話。」

「這我想我們可以代勞。」

「謝了，喬。」

「要幫索性就幫到底。那一帶所有的高級商業旅館，查它們過去六個月來的瓊斯登記卡。你是這麼說的吧？」

「對。」

「驗屍報告說她喉嚨和食道裡都有精液。你注意到沒？」

「昨晚在檔案裡看到。」

「他先要她口交，然後揮刀剁她。你還認爲會是男友幹的？」

「精液可能是早先別人留下的。她是妓女，客人多得很。」

「大概吧，」他說：「你知道，他們現在能把精液分類了。跟指印不同，類似血型的分法。常常可以拿來當定罪證據。不過你說的沒錯；以她的生活方式來看，就算精液和某個傢伙不符，也不能證明無罪。」

「而且就算精液相符，也不能證明有罪。」

「沒錯，不過可能讓他媽的那傢伙頭痛好一陣子。眞希望她搔過他，指縫留下他一點皮。那鐵定可以派上用場。」

「不可能事事順心啊。」

「當然。如果有過口交，照理說她牙縫裡會夾一兩根毛髮。問題是她太淑女了。」

「問題就在這裡沒錯。」

「而我的問題是，我還眞開始相信這兒有個案子能辦，凶手就在彩虹的另一端。我有一桌子沒時間處理的混賬案子，現在你又要我爲這個費神。」

「想想這案子如果破了的話，你有多神氣。」

「榮耀全歸我，是吧？」

「總要歸給某個人吧。」

□

我還有三個應召女郎得聯絡：桑妮、露比和瑪莉露。她們的電話都在我記事本裡。不過我這一天和妓女談的話已經到了飽和點。我打到錢斯的聯絡處，留話要他回電。當時是禮拜五晚上，也許他在麥迪遜廣場看兩個孩子對打。但或許他只有在巴斯孔上陣時才去？

我拿出唐娜·康萍的詩。在我腦裡，詩中所有的顏色都沾上血，動脈汩汩流出鮮亮的血，從艷紅褪成鐵褐。我提醒自己：唐娜寫詩時，琴還活著。那爲什麼我在詩行間隱隱讀出一絲不祥？難道她潛意識裡抓到什麼？或者是我太過敏感？

她漏寫了琴的金髮——除非太陽是個隱喻。我看到她亮金的辮子盤在頭上，突然想起珍·肯恩的梅杜莎。也沒多想，我便抓起話筒打過去。這號碼我很久沒撥，但記憶如同魔術師變出紙牌般變出她的號碼。

鈴響四下。我正要掛斷時，聽到她低沉的聲音，有點喘。

我說：「珍，我是馬修·史卡德。」

「馬修！不到一個鐘頭前，我還想到你呢。等等，我才進門，得先脫下外套……好了。你怎麼樣？眞高興你打過來。」

「我還好。你呢？」

「噢，很不錯啊。一天戒一次就好。」

這是我們戒酒人的口頭禪。「還去參加聚會？」

「嗯。事實上，我才剛參加一個。你好嗎？」

「馬馬虎虎。」

「那好啊。」

這天是禮拜幾，五嗎？禮拜三、四、五。「我三天沒喝。」

「馬修，好棒唷！」

棒在哪裡？「大概吧。」我說。

「你都有沒有去參加聚會？」

「有是有，不過不太習慣。」

我們聊了會兒。她說搞不好哪天我們會在會場上碰頭。我承認是有可能。她已經將近六個月滴酒不沾，早就達到戒酒標準。我說以後想聽聽她的故事。她說：「聽？你人就在我故事裡哪。」

她才要重拾雕塑。打從戒酒開始，她一切暫停，因爲很難叫黏土聽話。不過現在她又恢復信心，心裡明白不可操之過急。總是要以保持清醒爲先，生命中其他的部分自然會慢慢各歸其位。

那我呢？呃，我說，我有個案子，我在幫個熟人調查。我沒講細節，她也沒有追問。談話慢了下來，偶爾出現停頓，於是我說：「呃，只是想到該打個電話問好。」

「很高興你打來，馬修。」

「也許什麼時候咱們會不期而遇。」

「希望。」

我掛上電話，想起在她位於利斯本納德街的統樓把酒談心，酒精在血管裡行使奇蹟，全身感到舒暖通暢。難忘的一晚。

聚會時總有人說：「我清醒時最糟的一天，也比我酒醉時最棒的一天要好。」然後大家就會像吊在汽車儀器板上方的玩具娃娃一樣猛點頭。我想到和珍共度的那晚，環顧我密閉的房間，搞不懂這個晚上有哪點勝過那個晚上。

我看看錶。酒鋪已經打烊，不過酒吧還會營業好幾個鐘頭。

我待在原地。外頭，一輛巡邏車鳴放警鈴駛過。聲音漸行漸遠，時間一分一秒過去，然後電話鈴響起。

是錢斯。「你一直在工作，」他讚許的說：「我接到報告。女孩都還合作吧？」

「她們很不錯。」

「有眉目了嗎？」

「難說。這裡發現一點，那裡發現一點，也不知道能不能拼湊出什麼具體結果。你從琴的公寓拿走什麼？」

「只是一些錢。幹嘛問？」

「多少？」

「兩百塊。她現金都擺在梳妝台頂層抽屜，不是什麼秘密。我另外還四處翻翻，看看她有沒有偷藏私房錢，可是啥也沒找著。你沒搜出存摺、保險箱鑰匙吧？」

「沒有。」

「錢呢？當然，見者有份。我只是好奇才問。」

「沒錢。你只拿了錢？」

「還有一張夜總會攝影師替她和我拍的合照。把那留給警察好像不太明智。幹嘛問？」

「只是納悶。你在警方拘提你問話之前去她那兒的？」

「不是拘提，我自願過去的。沒錯，我是先去那裡，而且比他們早了一步。要不那兩百塊才沒我的份。」

或許吧，不過也難講。我說：「貓是你帶走的？」

「貓？」

「她養了隻小黑貓。」

「對啊。我根本沒想到那隻貓。沒有，我沒帶走貓。如果想到的話，我會餵牠的。怎麼，貓不見了？」

我點頭說對，還有穢物盤也是。我問他小貓在他去公寓時有沒有出現，但他不知道。他沒注意，因爲他要找的不是牠。

「我動作很快，你知道，進去五分鐘就出來了。小貓就算擦過我的腳，我也沒感覺。這有什麼大不了的？殺她的又不是小貓。」

「嗯。」

「你該不會認爲她把貓帶去旅館吧？」

「她幹嘛那麼做？」

「老天，我不知道。我不知道我們講那小貓幹嘛。」

「總有人把牠帶走。她死後，除了你以外一定還有人去過公寓把貓帶走。」

「你確定小貓今天不在那兒？陌生人靠近的時候，動物都會怕得躲起來。」

「小貓真的不在。」

「可能是警察去的時候逃掉的。門開著，貓咪跑出去，再見了小貓。」

「從沒聽過貓會把自己的盤子一塊帶走。」

「也許是哪個鄰居拿的。聽到牠喵喵叫，不想讓牠挨餓。」

「有鑰匙的鄰居？」

「有些人習慣跟鄰居交換鑰匙——以防萬一，怕被鎖在門外。要不那鄰居有可能是跟門房拿的鑰匙。」

「可能就是這樣。」

「應該就是。」

「明天我去找她鄰居查證。」

他輕輕吹起口哨，「你什麼都要問個水落石出對不？像貓咪這樣的小事，你也跟狗咬骨頭一樣死不放口。」

「辦案本來就是這樣。Goyakod。」

「你說什麼？」

「Goyakod，」我說，然後跟他解釋，「意思是：抬起屁股敲門去（Get Off Your Ass and Knock On Doors）。」

「噢，這我喜歡。再說一遍。」

我再說一遍。

「『抬起屁股敲門去。』這我喜歡。」

18

禮拜六是敲門的好日子，因爲這天待在家裡的人通常要比其他日子多。這個禮拜六的天氣引不出人：綿密的細雨由陰黑的天空降下，外加刺骨寒風抽打著雨絲團團亂轉。

紐約的風有時候舉止怪異。高聳的建築彷彿割開風來，叫它亂竄，就像球桿擊到撞球邊緣引起一陣旋轉。於是只見風蹦蹦跳跳，在不同的街上往不同的方向颳去。那天早上和下午，風似乎老是迎著我的面掃來。我繞過轉角，它也跟著我繞，總是撲面而來，總是挾著雨噴灑過來。有幾次我因此精神大振；有幾次我弓著背低著頭，詛咒這風這雨，還有我自己——幹嘛要冒這風雨辦事。

我的第一站是琴的大樓。到達後，我朝門房點頭然後走過，鑰匙握在手中。我以前沒見過他，我懷疑他不認識我就像我不認識他，但他沒有質疑我進門的權利。我搭電梯上樓，進入琴的公寓。

也許我是想確定小貓仍舊不在。我沒有其他進去的理由。就我所見，公寓和我上次離開時一樣。此外，也還是不見小貓和牠的盤子。想想我覺得應該看看廚房：櫥子裡沒有任何罐裝或盒裝的貓食，沒有裝袋的小貓穢物，沒有餵貓用、不易潑灑的小碗。我在公寓裡聞不出半點貓味，我開始懷疑我對貓的記憶是否真確。然後，就在冰箱裡，我找到一罐半滿的貓食，上覆一層塑膠膜。

了不起吧，我暗想。大偵探找到一條線索。

那之後不久，大偵探找到了貓。我在走廊來來回回，一間間敲門。不是人人都在家（就算是個下雨的禮拜六），而頭三個應門的人根本不知道琴曾養過貓，更別說貓的下落了。

第四扇我敲之後應聲而開的門，屋主是艾莉絲·西姆金。她個子矮小，五十來歲，講話頗有戒心──直到我提起琴的小貓。

「噢，你是說阿豹，」她笑道：「你要找阿豹啊。你知道，我就擔心這個。進來好嗎？」她引我坐上一張套墊椅子，捧來一杯咖啡，還迭聲道歉：房裡傢俱氾濫。她說她是寡婦，從郊區一所房子搬進這間小公寓；雖然她已經清掉很多東西，但不幸還是留下太多傢俱。

「我這兒就像是障礙賽跑道，」她說：「倒也不是因爲我昨天才搬過來。我在這兒住了快要兩年，不過因爲不是非趕著辦的事，我就這麼拖著。」

琴的死她是從鄰居口中得到消息。第二天早上她坐在辦公室的桌前時，想起琴的小貓。誰會餵牠？誰會照顧牠？

「我忍著一直等到午餐時間，」她說：「因爲我可不想跟瘋子一樣，連一小時也捱不過，就衝出辦公室找牠。我餵好貓，把穢物盤淸乾淨，爲牠換水，然後當晚下班回家時又過去看牠。顯然一直沒有別人照顧牠。入睡前我又開始想起那隻可憐的小東西，第二天早上去餵牠時，我決定乾脆暫時把牠接來同住。」她微笑道：「牠好像已經適應了。你說牠還想不想她？」

「不知道。」

「我看牠也不會想我，但我會想牠。我以前從沒養過貓。多年前我們有條狗，不過我對狗沒興趣了，至少在城裡不行，可是養貓應該沒什麼麻煩。阿豹已經去爪，所以不用擔心傢俱給抓壞——雖然我還眞希望牠破壞一些傢俱，搞不好我會給逼得丟掉一些。」她輕笑起來，「我好像把她公寓裡所有的貓食全搬過來了。這些我可以統統轉交給你。阿豹不知躲到哪去了，不過我一定可以幫你找到。」

我趕緊聲明：我不是爲貓而來，她要的話大可留下阿豹。她頗驚訝，也很明顯的鬆了口氣。但如果我並非爲貓而來，那來意是……？我簡短的向她解釋我的角色。她還在消化答案時，我又接著問她，怎麼能夠自由進出琴的公寓。

「噢，我有鑰匙。幾個月前我給了她我公寓的鑰匙。當時我要出城，請她幫我給植物澆水。我回來後不久，她就給了我她的鑰匙。我想不起是爲什麼。要我代餵阿豹嗎？眞的想不起來。你看我能不能幫牠改個名字？」

「嗄？」

「我就是不喜歡牠的名字，改了又不知道好不好，我敢說牠根本認不出那名字，牠能認的只有電動開罐器的嗡嗡聲，宣布要開飯了。」她笑笑，「詩人艾略特寫過：『每隻貓都有個秘密名字，只有貓自己知道。』所以我看不管我叫牠什麼，其實都一樣。」

我把話題轉到琴身上，問她和琴是多熟的朋友。

「我不知道我們算不算朋友，」她說：「我們是鄰居，好鄰居。我留了把她公寓的鑰匙，但好像還談不上是朋友。」

「你知道她是應召的？」

「大概吧。我本來以爲她是模特兒，她有那個本錢。」

「嗯。」

「不過後來慢慢的，我開始猜到她眞正的職業。她從來沒提過，我想可能就因爲她一直不願意多談，我才想到的。而且又有個黑人常來找她。不知怎麼的，我很自然的就假設他是她的皮條客。」

「她有男友嗎，西姆金太太？」

「除了那黑人嗎？」她沉吟道，此時一道黑影突然竄過地毯，躍上沙發，然後再一躍又不見了。「看到了吧？」女人說：「牠一點也不像豹。我不知道牠像什麼，不過總不像豹。你剛問她有沒有男友是吧？」

「對。」

「我看沒有。她應該是有過什麼秘密計劃，因爲上回我們聊天時，她暗示過——說她要搬走，還說她的生活就要大大改善。我聽了只當她是癡人說夢。」

「爲什麼？」

「因爲我假定她的意思是：她跟她的皮條客打算抛下一切，永遠快樂的生活在一起。只不過她不肯明說，不敢向我透露她是妓女，有個皮條客。我知道拉皮條的通常都跟手下的女孩說，其他女孩全不重要，只等存夠錢他倆就可以遠走高飛，到澳洲買個牧場之類一塊兒好好過日子。」

我想到住摩頓街的法蘭・謝克特，她深信錢斯跟她有過無盡的前世之緣。

「她是打算離開她的皮條客。」

「投進別的男人懷抱？」

「我要查的正是這個。」

她從沒見過琴特別跟哪個人相好，從沒注意去琴公寓的男人。這類訪客原本就很少晚上過去，她解釋道，再加上她自己白天又在上班。

「我還以爲那件毛皮外套是她自己買的，」她說：「她很得意，好像那是多珍貴的禮物似的。但我以爲她是因爲不好意思說是自己掏的腰包，只好裝模作樣一番。我敢說她眞有個男友。她穿上外套搔首弄姿那股勁兒，擺明就是炫耀男友送的，不過她沒明說。」

「因爲他們的關係不能公開。」

「對。她很自豪她有那件毛皮外套，還有那些珠寶。你說她想離開她的皮條客。她是爲這個被殺的嗎？」

「我不知道。」

「我盡量不去想她已經被殺，或者事情是怎麼發生的。你念過一本叫做《水船下沉》的書嗎？」我沒有。「書裡有這麼個養兔場，養了半馴服狀態的兔子。那裡食物供應充足，因爲人類定期留下兔食。那兒可以算是兔子天堂，只是養兔人目的是要設下陷阱，偶爾享用兔子大餐。生還的兔子從來不提這個陷阱，也不願談到牠們犧牲的同伴。牠們有條不成文規定是要假裝那個陷阱並不存在，而牠們死去的同類也沒活過。」她講話時一直都別過臉，現在她的眼神才又迎向我。「知道嗎？我覺得紐約人就像那些兔子。我們住在這兒，爲的是這城提供的任何東西——文化，工作機會，不管是什麼。每回這城殺掉我們的朋友和鄰居時，我們都背過臉不看。當然，我們是會花個一、兩天看報，討論這些消息，可是馬上又全都拋到腦後。因爲不這樣的話，我們就得採取行動，但我們不行。要不我們就得搬家，但我們不想。我們就像那些兔子，對不？」

□

我留下我的號碼，請她一想到什麼事就打電話給我。她說她會。我坐電梯到大廳，可是到了那裡腳沒跨出去又坐回十二樓。就因爲我找到黑貓，並不表示再多敲幾扇門就是浪費時間。

結果還眞浪費了。我又跟六個人談過，一點收獲也沒有——只知道他們和琴井水不犯河水的功夫都很到家。有個男的功夫高超到連他一個鄰居遭人謀殺都還蒙在鼓裡。這消息其他人倒是知道，但此外也問不出什麼名堂。

門全敲光以後，我發現自己又回到琴的門口，手裡握著鑰匙。爲什麼？因爲前廳櫥子裡那瓶兩百毫升瓶裝的「野火雞」？

我把鑰匙放回口袋，走出大樓。

□

我照著會議通訊錄到離琴住處幾條街外的午間聚會。我進去時，演講人正在爲她的見證收尾。猛然看去，我以爲是珍。仔細再一瞧，才發現兩人毫無相似之處。我拿杯咖啡，坐到後頭一張椅子。

房間擁擠，煙霧瀰漫。討論焦點好像集中在戒酒計劃的精神層面。我不淸楚那指的是什麼，聽了半天也沒搞懂。

不過有個傢伙說了句挺精采的話，他個子高大，聲音像碎石滾動。「我來這兒本來是要預防以後火燒屁股，後悔莫及，」他說：「然後才發現原來屁股跟靈魂是連在一塊兒的。」

□

如果禮拜六是敲門的好日子，不妨也敲敲妓女的門。雖然禮拜六下午去嫖的人不是沒有，不過這到底還是少數裡的少數。

我吃了點午餐，然後搭往萊辛頓大道的ＩＲＴ地鐵線到上城。車廂不擠，我正對面坐了個黑人小孩，身穿豆綠色夾克，脚踩厚底靴子。他在抽煙。我想起和德肯那番談話，很想要那孩子把煙熄掉。

老天，我暗想，少管閒事。麻煩還不夠嗎？

我在六十八街下車，往北過一個街口，再往東過兩個。露比・李和瑪莉露・巴可住的公寓大樓斜線相望。露比住在西南角那棟，我先走到那兒，所以就先去那兒。門房由對講機通過後，我走向電梯。同乘的是花店的送貨男孩。他捧著一大束玫瑰，香氣四溢。

露比應聲開門，淡淡一笑，引我入內。公寓陳設簡單高雅。傢俱現代、中性，但某些擺設爲房裡添了東方色彩——一條中國毯子、一組黑漆框架裱製的日本畫，一扇竹屏風。這些組合還搭配不出所謂的異國風味——這風味全靠露比一人。

她很高，只是沒有琴高。身子輕靈如柳，罩在一條黑色緊身袍裡頭，下襬開衩，走路時隱隱露出一截大腿。她引我就座，問我想喝什麼。我聽到自己開口要茶。她微微一笑，捧了兩杯茶過來。我注意到，是立頓紅茶。天曉得我還希望是什麼好茶。

她父親是半法國半塞內加爾人，母親是中國人。她生在香港，在澳門住過一段時間，然後經由法國和倫敦來到美國。她沒告訴我年齡，而我也沒問。我不可能猜得出：她或許二十，或許四十五，或許是二十和四十五之間的任何數字。

她和琴見過一次，兩人實在不熟，事實上她和其他女孩全都不熟。她和錢斯合作了一段時間，對這種安排頗爲滿意。

她不知道琴有沒有男友。她問，爲什麼會有女人想要兩個男人？那她不是得拿錢給他們兩個？

我提醒她，琴或許跟她男友有種不同的關係，或許他常買禮物送她。露比似乎覺得這說法非常無稽。我是指嫖客嗎？我說有可能。但嫖客不是男友，她說。嫖客只是一條排長龍男人裡的另一個男人而已。誰會對嫖客產生感情？

□

在街對面，瑪莉露·巴可爲我倒杯可樂，另外端出一碟起司和餅乾。「那你見過龍女囉，」她說：「很特別，是吧？」

「特別不足以形容她。」

「三個種族融爲一個驚世美女。可是驚嚇還在後頭。你打開門，發現裡頭沒人。過來這兒一下。」

我和她一起站在窗邊，看著她手指的地方。

「那扇窗戶是她的，」她說：「從我這兒可以看到她的公寓。看來我們好像可以成爲好朋友的，對吧？出其不意跑來借點佐料，或者抱怨經痛。聽來滿有可能的，是不？」

「結果沒有？」

「她永遠是彬彬有禮，可是人卻不在那裡。那女人沒法和人溝通。我認識很多嫖客都去過那裡，我也幫她介紹過一些。譬如某個傢伙會說他對東方女人有極大幻想；要不也許我會對某個人說，我認識一個女人他很可能中意。知道嗎？這麼做保證萬無一失。他們全都心存感激，因爲她漂亮，她有異國風味，而且我猜她本行技巧也不差，可是他們幾乎沒有一個再去。他們去一次，很高興自己去過，可是卻不再光顧。他們全把她的號碼轉告朋友，但也僅此而已。我敢說她生意興旺，但我打賭她不曉得什麼叫固定的嫖客，我打賭她沒有半個。」

她身材纖瘦，暗色頭髮，比一般身高略高，五官細緻，小小的牙齒排列整齊。她頭髮往後綰個髻，另外戴了副飛行員眼鏡，鏡片是淡琥珀色。頭髮和眼鏡加起來讓她看來頗爲嚴肅，而這種效果她也絕對清楚。「我摘下眼鏡，放下頭髮以後，」她一度提起：「看來溫柔多了，威脅性也大大減少。當然，有些嫖客喜歡帶點威脅性的女人。」

關於琴她說：「我跟她不熟。我跟她們沒有一個熟的。她們可都各有特色！桑妮喜歡尋歡作樂，她認爲幹上妓女這一行大大提高了她的身價。露比像是有自閉症的成年人，跟誰都沒連線。我敢說她正在秘密存錢，打算哪天回澳門或到塞得港去開鴉片館。錢斯或許知道她打的主意，也很明智的決定裝聾作啞。」

她在餅乾上擺片起司遞給我，自己也拿了一些，然後啜啜手中的紅酒。「法蘭是個迷人的怪胎，我稱她做格林威治村的白癡。她已經把『自我欺騙』提升成一種藝術形式。我看她還眞得吸掉一噸大麻，才能繼續相信她編出來的那套胡話。再來些可樂？」

「不，謝了。」

「確定不想來杯葡萄酒？或者什麼刺激點的東西？」

我搖搖頭。收音機傳來不突兀的背景音樂，頻道調的是某個古典音樂台。瑪莉露摘下眼鏡，吹口氣，然後拿塊紙巾擦拭。

「還有唐娜，」她說：「是妓女國的知識分子。我在想，詩詞對她的功效就像大麻對法蘭一樣。她詩寫得滿好，你知道。」

我隨身帶了唐娜的詩，便拿出來給瑪莉露看。她看著看著，前額現出一條條直紋。

「還沒完工，」我說：「她還得修飾。」

「不知道詩人怎麼知道自己完工沒有。或者畫家。他們怎麼知道什麼時候停工，我百思不解。這詩照她說寫的是琴？」

「沒錯。」

「我看不懂意思，不過是有個什麼東西，她是想講個什麼。」她沉吟片刻，偏向一邊的頭像鳥一樣。她說：「我想我是一直把琴當成最具『原型』的妓女。從中西部北邊來的白種金髮美女，艷光四射，是那種擺明了生來就注定要掛在黑人皮條客手上的女人。跟你說唷，她被謀殺我一點也不驚訝。」

「為什麼？」

「也說不太上來。我嚇住了，可是並不驚訝。我想我是看出她不會有好下場。刮一聲琴絃突然斷掉。倒也不一定是謀殺案的受害者，而是幹這行的受害者。自殺，舉例來說。或者是吸毒喝酒合併帶來的悲劇收場。其實就我所知她並沒有酗酒，也不吸毒。我猜我本以爲會是自殺，但謀殺也不是沒有可能，對不？可以讓她從這行解脫。因爲我無法想像她一輩子這樣幹下去。一旦中西部的純樸從她身上消失，她絕對無法忍受。而我也看不出她能找到什麼出路。」

「她是要退出。她告訴錢斯她想退出。」

「你確定那是事實？」

「嗯。」

「那他反應呢？」

「他說全由她自己決定。」

「就那麼簡單？」

「顯然。」

「然後她被謀殺。有關聯嗎？」

「我想一定有。我想她有個男友，而這男友就是關鍵。我猜他是她想離開錢斯的原因，也是她受害的原因。」

「但你不知道他是誰。」

「對。」

「誰有線索嗎？」

「目前爲止都沒有。」

「唔，我也愛莫能助。我不記得最後一次是什麼時候見到她，也不記得她眼裡閃過愛的光芒。不過這樣講倒是說得通。是男人把她扯進這行，她大概也需要另一個男人把她帶出去。」

緊接著她就跟我講起她如何捲進這行。我本來沒想到要問，結果還是聽到全部經過。

有回在蘇荷區一家西百老匯的畫廊開幕儀式上，有人把錢斯指給她看。當時他帶著唐娜，指出他的那人告訴瑪莉露說，他是皮條客。因爲多喝了幾杯會場供應的廉價葡萄酒，她便壯起膽子向他自我介紹，表示她想寫篇關於他的故事。

她其實還算不上作家。那時她和一名在華爾街從事曖昧交易的男人同居在西九十幾街上。男人已經離婚，但和前妻仍然藕斷絲連；他頑劣的小孩每個週末都過來吵得天翻地覆；而兩人關係發展也一直不順。瑪莉露是自由編輯，有份兼差的校對工作，另外還在一家女性主義月刊登過兩篇文章。

錢斯和她碰面，帶她共進晚餐，然後把他們的面談目的完全扭轉過來。她喝雞尾酒時意識到自己想要和他上床。晚餐還沒吃完，他就提議要她別寫什麼表面文章，乾脆動手寫點眞的，由妓女的角度來看她們的實際生活。她顯然大感好奇，他告訴她何不順著她的好奇心善加應用？何不試兩個月的全套妓女生涯，看看結果如何。

她把這提議當成玩笑。飯後他送她回家，沒有任何挑逗，而且對她的種種性暗示裝聾作啞。其後一個禮拜，她無法把他的建議排出腦外。她自己的生活沒一件事讓她滿意。她的男女關係已經油盡燈枯；她有時候想想，覺得自己還跟情人同居只是因爲不想花錢另租公寓。她的事業停滯不前，毫無起色，而且入不敷出。

「還有書，」她說：「書突然變成很重要的原因。莫泊桑從一所停屍間取得人肉試吃，目的是要能正確描述它的味道。難道我不能花一個月時間嘗嘗神女生涯，好寫一本有關這主題的精采好書？」

她一接受錢斯的提議後，事事全都給料理妥當。錢斯幫她搬出西九十四街的公寓，把她安置在目前的住處，他帶她出遊，展示她，和她上床。在床上，他鉅細靡遺的告訴她該做什麼，而她也興致勃勃的全數照做。她經驗過的男人在這方面都悶不吭聲，只等著她猜中心事。甚至嫖客，她說，也不會直言他們的要求。

前幾個禮拜她還想著她只是爲寫書搜集資料。每回嫖客走後她都勤做筆記，寫下自己的印象，另外也寫日記。她把自己和她所做的事區隔開來；她運用她報導性的客觀身分，就跟唐娜寫詩和法蘭吸毒具有同樣功效。

等她突然意識到賣肉本身就是目的而非手段以後，她幾近精神崩潰。以往她從沒想過自殺，但當時她整整一個禮拜就在那邊緣徘徊。然後她終於理出頭緒。她討的是皮肉生活，但這並不表示她就得給自己貼上妓女的標籤。這不過是她生命中一個短暫的階段。書雖然只是她當初下海的藉口，但也許有一天她眞的會想寫書。她目前日子過得挺好，唯一的缺憾是她擔心自己永遠要過這種生活。但那不會發生。等時機到了，她會輕輕鬆鬆的脫身，正如她當初輕輕鬆鬆的捲入一樣。

「這就是我能保持特別冷靜的原因，馬修。我不是妓女，我只是暫時扮演妓女的角色。而且你知道，兩年的日子這樣過其實不算太糟。」

「這我可不敢說。」

「空閒很多，動物性滿足也不少。我讀滿多書，又可以去看電影，逛博物館，而且錢斯喜歡帶我聽音樂會。你知道瞎子摸象的故事？有個抓到尾巴的以爲大象像蛇，另一個摸到象身的以爲牠和牆一樣。」

「然後呢？」

「我覺得錢斯就是大象，而跟著他的女孩全是瞎子。我們每個看到的都只是他的一面。」

「而你們的公寓也全都擺有非洲雕刻。」

她的是座三十吋左右的雕像——一個小男人，一手握了綑細桿子。他的臉和手是用紅藍兩色珠子串成，而他身體其他部位則覆滿貝殼。

「我的守房神，」她說：「這是喀麥隆巴圖族的一座祖先雕像。這些全是子安貝的貝殼。世界各地的原始社會全都把子安貝殼當貨幣使用，它可以說是部落世界的瑞士法郎。你看出它是什麼形狀吧？」

我靠近去瞧一眼。

「像女性性器官，」她說：「所以男人才會自然而然的把它當作交易媒介。你還要些起司嗎？」

「不，謝了。」

「再一杯可樂？」

「不用。」

「好吧，」她說：「如果想要點別的什麼，說一聲就好，別客氣。」

19

我才踏出她那棟建築，一輛計程車剛好停在前頭放人下車。我便坐上去，告訴司機我旅館的地址。

司機前方的雨刷壞了。他是白人，車窗上貼的駕照照片卻是黑人。有個牌子寫著：請勿吸煙，司機敏感。車內瀰漫著大麻的味道。

「他媽的啥都看不到。」司機說。

我靠回椅背，享受這趟車程。

□

我在旅館大廳打電話給錢斯，然後上樓回房。大約十五分鐘以後，他回話給我。「Goya-kod（抬起屁股敲門去），」他說：「這字我可真喜歡，今天敲了很多門嗎？」

「幾個啦。」

「然後呢？」

「她有男朋友。他送她禮物，她四處炫耀。」

「跟誰炫耀？我那群女孩嗎？」

「不是，所以我才會想到這是她的秘密。是她一個鄰居跟我提到禮物的。」

「搞半天小貓在鄰居那裡？」

「沒錯。」

「抬起屁股敲門去，這招還真管用。先是要找一隻失蹤的小貓，結果真叫你撈到一條線索。什麼禮物？」

「一件毛皮外套，還有些珠寶。」

「毛皮，」他說：「你是說那件兔皮外套？」

「她說是貂皮。」

「染過色的兔皮，」他說：「我買給她的。我帶她逛街，付的是現金。去年冬天，我想。那鄰居說是貂皮，我操，我倒想賣她兩件那樣的貂皮，狠狠敲她一筆。」

「琴說過那是貂皮。」

「跟她鄰居講的？」

「跟我講的。」我閉上眼睛，想到她和我同坐在阿姆斯壯酒吧的影像。「說她穿了件牛仔外套來紐約，現在換成貂皮大衣，還說她真希望能拿貂皮大衣贖回這些年，一切從頭再來。」

他的笑聲在電話線上迴響。「染過色的兔皮，」他很肯定的說：「比她當初走下巴士穿的破爛值錢，不過可不能媲美國王的贖金。而且買給她的也不是什麼男朋友，是我。」

「呃——」

「除非我就是她所謂的男朋友。」

「有可能。」

「你提到珠寶。她的根本全是假貨。你看過她珠寶盒裡的東西吧？沒一個值錢。」

「我知道。」

「假珍珠，一只班級紀念戒指。她比較值錢的玩意是我送她的另一個禮物，一個手鐲，也許你看過？」

「象牙做的？」

「對，而且釦鉤是金子，雖然很小，不過金子總歸是金子，對吧？」

「你為她買的？」

「花了一張百元大鈔。如果在店裡也能找到那種好貨色的話，起碼也得花三百塊。」

「是贓物？」

「這樣說好了：我沒拿收據。賣給我的那人可沒說手鐲來歷不明，他只說打算賣一百塊。我去找照片時，眞該一塊兒拿走的。你知道，我買那手鐲是因為我喜歡，送她是因為我不打算戴。再說，我想戴在她手腕上一定出色。果眞沒錯。你還是認為她有男友？」

「嗯。」

「你口氣聽來沒那麼肯定了。或者你只是聽來很累。累了嗎？」

「對。」

「敲太多門的結果。她這個所謂的男友，除了買實際上他沒買的禮物以外，還爲她做了些什麼？」

「他打算照顧她。」

「呸，我操，」他說：「那是我做的事，老兄。我就是專門照顧她的。」

□

我躺在床上伸展四肢，結果沒脫衣服就睡著了。我敲了太多門，和太多人談過話。本來應該去找桑妮・韓德瑞的。我已經打電話給她說要過去，結果卻進入睡鄉。我夢到血，還有一個女人尖叫。醒來時滿身大汗，口腔深處有股金屬味道。

我沖個澡，換上衣服。找出記事本裡桑妮的電話，到大廳撥號。沒有人接。

我鬆了口氣。我看看腕錶，往聖保羅教堂走去。

□

演講人語音柔和，淡棕的頭髮，前額略禿，長了張稚氣的臉。起先我以爲他或許是牧師。結果發現他是殺人凶手。他是同性戀，有個晚上突然失去意識，拿了把菜刀在他愛人身上連刺三、四十下。他靜靜說道，他模模糊糊記得事情經過，因為他的意識忽現忽隱。意識清醒時，他看著手中的刀，被當時可怕的景象嚇住，然後又滑入黑暗。他在艾提加監獄坐過七年牢，出獄三年一直沒再沾酒。

聽他講話眞叫人惶惶難安。我無法決定自己對他到底有何感覺。他還活著出獄，我不知道是該額手稱慶還是仰天長歎。

中場休息時，我和吉姆聊起來。也許我是對剛才的見證有反感，也許我是念念不忘琴的死，總之我開始講到所有的暴力，所有的犯罪，所有的凶殺案。「我受不了，」我說：「每次拿起報紙就看到一些狗屁倒灶的事，快把我逼瘋了。」

「你知道那個老掉牙的笑話吧？『醫生，我每次做這動作都會痛。』『那就不要做這動作！』」

「講這幹嘛？」

「也許你應該拒絕看報。」我瞪他一眼。「我是說眞的，」他說：「那些報導也叫我心煩，還有關於國際局勢的報導也是。他們都是報憂不報喜。不過有一天我突然靈光一閃，也許是別人提起的也不一定，總之我開始想到：根本沒有法律規定我非讀那些垃圾不可。」

「當作什麼也沒發生。」

「有何不可？」

「那是鴕鳥心態，對不？眼不見為淨。」

「也許，不過我是從另一個角度想：何苦爲自己無能爲力的事傷腦筋。」

「我沒辦法對那些事情睜隻眼閉隻眼。」

「爲什麼？」

我想起唐娜，「因爲我和全人類息息相關。」

「我也是啊，」他說：「我來這兒，我聽，我講。我保持清醒。這是我和全人類息息相關的方式。」

我再倒些咖啡，拿了兩片餅乾。討論時間大家紛紛告訴演講者，他們感謝他的誠實。天老爺，我永遠說不出這種話。然後我的視線移向牆壁。他們把標語貼在牆上，所謂的字珠璣，像「戒酒不難，不喝就好」，「常來開會，永保清醒」，然後有個標示像磁鐵一樣吸引我的注意：「神恩赦我」。

我心想：不，這話鬼才接受。我不會在失去意識時動刀殺人。不要跟我說什麼神恩。

輪到我發言時，我說沒話講。

20

丹尼男孩把他那杯俄國伏特加高高擎起，好觀察光線如何穿映過酒。「純度。亮度。精準度。」他說，每個字都小心翼翼的從嘴裡滾送出來，「馬修，最好的伏特加就像刀刃一樣，是技術精湛的外科醫生手裡那把銳利的手術刀，保證切得乾淨俐落。」

他把杯子一傾，吞下一盎司左右的純度和亮度。我們坐在普根酒吧，他穿了套海軍制服，上頭一條紅槓在酒吧昏暗的燈光下幾乎無法辨識。我喝的是蘇打水加萊姆，一路過來在另一家店鋪有個滿臉雀斑的女侍告訴我，這種飲料叫做「萊姆搖」。我印象裡好像從來沒用那個名字點過這種飲料。

丹尼男孩說：「再說一次大概吧。她名叫琴·達科能，是個高大的金髮女郎，二十出頭，住在莫瑞希爾區，兩個禮拜以前在星河旅館被殺。」

「還不到兩個禮拜。」

「噢。她是錢斯手下的女孩，有個男友，這就是你要問的對吧，她的男友。」

「沒錯。」

「而且你打算付錢買這方面的消息。多少？」

我聳聳肩，「幾塊錢。」

「給大鈔吧？譬如五百塊？到底多少錢？」

我再度聳聳肩，「不知道，丹尼。要看是什麼樣的消息，還有消息來源，消息去處。我可不是什麼百萬富翁，不過幾個錢倒也還是拿得出來。」

「你說她是錢斯的女孩？」

「對。」

「兩個多禮拜以前你還在找錢斯呢，馬修。然後你把我帶到拳擊場，要我指出他來。」

「對啊。」

「那之後幾天，你那個金髮女郎就上了報。你本來在找她的皮條客，現在她死了，你又要找她的男朋友。」

「有意思嗎？」

他喝完剩下的伏特加，「錢斯知道你在幹嘛嗎？」

「知道。」

「你跟他談過？」

「談過。」

「有趣。」他把空杯子迎向光線，透過玻璃瞇上眼睛。無疑是在檢驗玻璃的純度、亮度，和精確度。他說：「你的客戶是誰？」

「不能透露。」

「好玩了，想挖消息的人好像都不肯提供消息。沒問題。我可以四處打聽，到某些場所放話。你要的是這個吧？」

「我要的是這個。」

「你知道這男友的什麼事嗎。」

「什麼事？」

「譬如他年紀大不大？精幹型還是一板一眼型的？已婚還是未婚？他是走路上學，自己帶午餐嗎？」

「他可能給過她禮物。」

「這樣範圍的確縮小不少。」

「我知道。」

「呃，」他說：「我們能做的也就只是試試看了。」

□

我能做的也的確僅此而已。和丹尼碰面之前，我參加完戒酒聚會回到旅館，發現有人留話給我，「電桑妮」，紙條上說，還附上我早先打的號碼。我從大廳的電話亭打過去，還是沒有人接。難道她沒有答錄機嗎？幹她們這行的現在不都裝有答錄機嗎？

我回到房間，但待不住。我不累，小睡已經驅走我的倦意，而我在會場喝的一杯杯咖啡則開始叫我蠢蠢欲動，坐立難安。我翻翻我的記事本，重讀唐娜的詩，一個念頭突然閃過：我在找的或許是個某人早已知道的答案。

警察辦案過程中，這情形司空見慣。獲得答案最簡單的辦法是找出知情那人。難就難在要曉得那人是誰。

琴會對誰吐露心事？不會是我到目前訪談過的女孩。也不是她三十七街的鄰居。那又會是誰呢？

桑妮？或許。但桑妮一直沒接電話。

我又試打了一次，透過旅館總機接過去。

沒人接聽。這樣也好。我不是很想馬上再跟另一個應召女郎喝一個鐘頭的薑汁汽水。

他們到底做了什麼——琴和她那神秘的朋友？如果他們所有的時間都關在房裡，躺在床上宣誓彼此海枯石爛的愛，那我很可能沒有希望。不過也許他們出過門，也許他帶她去過某些圈子炫耀。也許他和某人談過，而那人又和別人談過，也許——

待在旅館房間是絕對不會找到答案的。去他的，今晚天氣其實沒那麼壞。開會時雨就停了，風勢也已減弱。該抬起屁股叫輛計程車，花它一點錢了。我的錢好像沒存進銀行，沒塞進救濟箱，也沒寄到西歐榭的家。是該散點財出去了。

□

說到做到。普根酒吧大概是我造訪的第九個地方，而丹尼男孩大概是我第十五個談話對象。我去的某些地方，當初我查訪錢斯時曾經來過。我試了格林威治村的酒店，莫瑞希爾區和海龜灣的小酒館，第一大道上的單身酒吧。離開普根酒吧後，我還是馬不停蹄的奔波，把一筆筆小錢花在計程車和飲料費上，同樣的對話一再重複。

沒有人眞能提供消息。你像無頭蒼蠅一樣瞎撞時，心裡總是抱著希望。總有可能在你訪談時，你的談話對象會扭個頭指著說：「哪，他就是她的男朋友，那頭角落坐的大個子就是。」

這其實不太可能發生。如果你走運的話，會發生的是：話給宣揚開去。這天殺的城裡大概有八百萬人，不過怪的是大家都很多嘴。如果搞得好，大概不消多久這八百萬裡會有不少人聽說有個慘死的妓女交過男友，而現在有個叫史卡德的人正在找他。

連著兩輛計程車都不肯載我到哈林區。法律明文規定他們不得拒絕。任何服裝整齊、言行正常的乘客如果要求前往紐約市所屬五區的任何一個定點，司機都必須接受。我懶得跟司機引述相關法律條文，想想還是再走一條街去搭地鐵比較省事。

這個車站沒有通往外地的地鐵線，月台空無一人。售票員坐在上鎖的防彈票亭內。我懷疑她坐在裡頭是否眞覺得安全。紐約市的計程車都裝有厚實的隔間樹脂玻璃保護司機，但我剛才攔下的計程車就算有保護玻璃也不願開往城北。

前不久，一名售票員在票亭內心臟病發作，心肺復甦人員無法進入上鎖的亭內爲他急救，所以那可憐的傢伙只有坐以待斃。但話說回來，我想票亭保護的人應該還是比它們害死的人要多。

當然，它們並沒有保護到百老匯地鐵站那兩名女人。幾個小孩因爲不滿一名售票員報警說他們在十字旋轉門上跳來跳去，便拿了個救火器灌滿汽油，把汽油噴進售票亭裡，然後點上火柴。整個亭子立刻爆炸，活活燒死裡頭兩名女人。又多了一種死亡方法。

這條新聞是一年前上報的。當然，沒有法律規定我非看不可。

□

我買了地鐵票，搭車前往城北，在里諾大道上的克爾文・史莫酒吧和其他幾個地方找人問話。我在一家上空酒吧碰到羅伊・華登，和他談的話已經不知重複了多少遍。我在一百二十五街喝了杯咖啡，一路走到聖尼古拉大道，然後在喀麥隆俱樂部的吧台喝了杯薑汁汽水。

瑪莉露公寓的雕像就是喀麥隆出品的。是他們先人的雕像，身上覆滿子安貝。

吧台那兒我找不著熟到可以交談的人。我看看腕錶，時間不早了。禮拜六晚上紐約市的酒吧都提早一個鐘頭打烊，不是四點而是三點。我一直不懂爲什麼。也許是要讓酒鬼早點清醒過來好上教堂。

我對酒保點點頭，問他有沒有過時營業的酒吧。他只是冷冷看著我，面無表情。我發現自己已把錢塞到他手上，告訴他我在打聽有關琴男友的消息。我知道他不會給我答案，也知道他沒打算讓我眉開眼笑，但至少我的口信傳出去了。他聽到我的話，而我兩旁坐的人也是。他們都會把這話告訴大家，而這也正是我的目的。

「恐怕幫不上忙，」他說：「不管你找的是誰，你來得可眞是夠『北邊』的。」

□

我猜那男孩是跟著我走出酒吧的。我沒注意到，這實在是犯了大忌。幹我這行的對這種事應該隨時保持警覺。

我沿著街走，思路跳來跳去——從琴的男友一直想到戒酒聚會上自稱刺死他性伴侶的演講人。等我察覺到不對時已經來不及了。我才要轉身看個究竟，他的手已經扣住我肩膀，把我推進巷子口。

他立刻展開攻擊。他比我矮差不多一吋，但蓬鬆的非洲爆炸頭起碼補了他兩吋。此人年約十八或二十或二十二，留兩撇八字鬍，臉頰上有個灼傷的疤。他身穿飛行外套，拉鏈式口袋，下身則是條黑色繃緊的牛仔褲，而且他手裡還握了把槍，槍口正對著我。

他說：「幹他媽的，你他媽的幹他媽的。把錢拿來，你幹他媽的。拿出來，全拿出來，不拿你就死定了，操你媽的。」

我在想，爲什麼我沒上銀行去？爲什麼我不留些錢在旅館裡？我在想，天老爺，我兒子米奇矯正牙齒的錢泡湯了，要捐給聖保羅教堂那十分之一的薪水再見了。

明天的生活費沒著落了。

「幹他媽的鳥雜種，幹他媽的大爛貨——」

因爲他打算要殺我。我把手伸進口袋要掏皮夾，看著他的雙眼，還有他按在扳機上的手指——於是我知道。他正在暖身，他體內已經上了火藥，所以不管給多少都無濟於事。他這回眞是中了大獎，足足兩千多塊，可是不管有多少我都死定了。

我們位在一條約莫五呎寬的小巷子，只是兩棟磚房中間的一道空隙。一盞街燈的光漫入巷內，照亮我們站處之前十到十五碼的距離。地上有雨淋過的垃圾、紙片、啤酒罐以及碎瓶子。歸西的好地方。歸西的好「方法」——甚至連創新都談不上。遭搶匪槍殺，街頭犯罪，社會版一則不起眼的小新聞。

我從口袋掏出皮夾。我說：「給你，我的東西全給你，歡迎取用。」可是我知道多少錢都不夠。不管我有五塊錢還是五千塊，他已經打定主意要斃了我。我抖著手捧出皮夾，讓它掉在地上。

「對不起，」我說：「實在對不起，我來撿。」然後彎下腰要拿，希望他也跟著往前彎身，算計著他會依樣畫葫蘆。我雙膝前弓，兩脚在臀下使力，一邊想著：「就是現在！」然後猛地直起身，使出全力一頭撞向他的下巴，同時往他的槍一掌劈去。

槍走火，在那密閉的空間發出震耳欲聾的巨響。我以爲我一定會被擊中，但身上並無任何感覺。我再度抓住他一頭撞去，然後狠命推開。他踉蹌靠在他身後的牆上，眼如死魚，手中的槍搖搖欲墜。我一脚踢向他手腕，手槍倏的飛起。

他離牆而立，殺氣騰騰。我聲東擊西，假意伸出左手，冷不防右拳擊向他的胃窩。他發出欲嘔之聲，抱著肚子弓下身來。我便揪住那婊子養的，一手攫住他的尼龍夾克，一手扯緊他那頭亂髮，抱著他往前三步衝向牆壁，叫他的臉狠狠撞上磚牆。我扯住他頭髮不放，一連三、四次拉著他退後，再叫他臉撞牆壁。等我鬆手時，他就像斷了線的木偶似的啪一聲倒下，直直躺在地上。

我的心噗通亂撞，彷彿才卯足全力衝上十段樓梯。我喘不過氣，只好背靠磚牆調整呼吸，一邊等著警察前來。

沒有人來。剛剛才發生過一場噪音十足的混戰，老天，而且還傳出槍響，但沒有人來，也不會有人要來。我俯視那個差點置我於死地的年輕人。他張大嘴巴躺著，幾顆牙齒由牙齦處斷裂。他的鼻子給撞扁在臉上，鼻血汩汩流下。

我檢查一下，確定自己並未中槍。有時候，我知道，你很可能中了彈卻毫無所覺。驚嚇以及腎上腺素的分泌會麻痺痛苦。不過他沒打中。我查看身後那堵牆，找到磚上子彈擊中後反彈留下的凹洞。我算出我當時所站的位置，知道他的誤差極小。

下一步呢？

我找到我的皮夾，把它擺回口袋。我四處搜索，直到發現手槍。那是點三二口徑的左輪，其中一個槍膛已發出一顆子彈，另外五膛則上滿子彈。他拿這槍殺過別人嗎？他剛才似乎頗爲緊張，所以我或許是他計劃裡的第一個犧牲者。不過這也難說，有些人在扣扳機之前總會緊張，就像有些演員上台之前總會忐忑不安。

我跪下來搜他的身。他有個口袋藏了把彈簧刀，另一把刀則揷在襪子裡。沒有皮夾，沒有身分證，但他臀上卻鼓出厚厚一綑鈔票。我拉下橡皮筋，迅速一數。他有三百多塊錢，這狗雜種。他並不是付不出房租或是沒錢吸毒才來搶我。

他媽的我該拿他怎麼辦？

報警？能交給他們什麼？沒有證據，沒有目擊者，而且現在眞正受傷的是地上那個傢伙。要上法庭根本拿不出憑據，連要扣押他都成問題。他們會把他緊急送醫，治好他，甚至把他的錢還給他。沒法證明那錢是偷來的，沒法證明那錢法律上不屬於他。

他們不會把槍還給他。但他們也不能以非法擁有槍枝的罪名逮捕他，因爲我無法證明是他攜的械。

我把他那綑鈔票擺進口袋，拿出早先我放進裡頭的手槍。我拿槍在手中反覆把玩，試著想回憶最後一次使槍的滋味。那已經是好一陣子以前的事了。

他躺在那兒，氣息在他鼻中流出的血吹出氣泡，我蹲坐在他身邊。沒一會兒，我已經把槍揷入他斷齒冒血的口中，手指彎扣在扳機上頭。

有何不可？

有個什麼阻止了我，但並不是因爲恐懼懲罰——不管在陽間還是陰間。我不確定原因，只是感覺上等了好長一段時間後，我歎口氣，把槍由他口中抽出。槍管上沾了血漬，在小巷微弱的燈光下發出銅色的亮光。我用他的上衣擦淨手槍，然後把槍放回口袋。

我在想：去你的，去你媽的，我該拿你怎麼辦？

我不能殺他，也不能把他交給警方。我能怎麼辦？把他丟在那裡？還能怎麼辦？

我站起來。一波暈眩朝我襲來，我一個踉蹌，趕緊伸手扶住牆壁支撐。沒多久，暈眩過了，我又恢復正常。

我深深吸進一口氣，吐出來。我再次彎腰，抓住他兩隻脚往巷內拖了幾碼遠，到個約莫一呎高的窗台——是地下室鐵窗頂上的條板。我把他背貼地上橫過巷子——兩脚擱在窗台，頭部頂住對面的牆。

我使足力氣重重踩上他的一隻膝蓋，但沒有達到目的。我得整個人跳起來，然後兩脚一起下去。他的左腿在我試第一次的時候，像火柴棒一樣劈響而斷，但右腿我總共試了四次才能踩斷。整個過程裡他一直沒有意識，只是稍稍呻吟，然後在右腿斷時慘叫數聲。

我一個不穩，一膝著地跌倒。起身後又一波暈眩捲來，這回還連帶欲吐的感覺。我緊貼著牆，無法控制的開始大口乾喘。暈眩過去，噁心感也已消失，但我還是無法正常呼吸，全身抖得像片樹葉。我把手伸向前方，看著自己的指頭打顫。我從來沒有見過這幅景象。不久前拿出皮夾弄掉在地時，我佯裝發抖，但這回抖得如假包換，而且無法以意志控制。我的雙手有了它們自己的意志，它們想抖。

我體內甚至抖得更加厲害。

我轉過身，看他最後一眼。我再轉過身，跨越垃圾四散的巷道走上大街。我仍然抖個不停，沒有好轉跡象。

無妨，有個辦法可以止住這抖，不管是裡頭的還是外頭的。這種特殊病況有種特殊療藥。紅色的霓虹燈從對街向我眨眼。酒吧，那上頭閃著。

21

我沒有過街。臉給撞爛、腿給打斷的小伙子不是這一帶唯一的搶匪。我突然警覺到：我不能在喝了酒後碰上另一個。

不行，我得回到我所屬的地盤。我本來只打算喝個一杯，或許兩杯，但我不敢保證我眞能適可而止，而且我也不能斷言一、兩杯酒下肚以後我會做出什麼。

爲了安全起見，我應該先回到我的地盤，在酒吧喝它一杯，絕不超過兩杯，然後帶幾罐啤酒回房。

問題是：無論怎麼喝酒都不安全，至少對我而言。這我不是已經證明過了？我到底還打算再證明幾次？

那我該如何是好？抖到我肉散骨裂，精神崩潰？我不喝酒絕不可能入睡，我不喝酒也無法坐定，看在老天的份上饒了我吧。

呸，管他媽的。我非來一杯不可，當藥一樣。任何醫生看了我，都會開這處方。

任何醫生？羅斯福醫院那個實習醫生呢？我可以感覺到他擱在我肩上的手——正是那搶匪

抓著我的部位，然後把我推入巷內。「看著我，仔細聽。你是酒鬼。再不戒酒你就只有死路一條。」

我遲早總要死的，是那八百萬種死法之一。不過如果我有選擇的話，至少我可以死得離家近一點。

我走向路沿。一輛吉普賽計程車——唯一會在哈林區攬客的那種——緩緩駛向我。司機是個中年的西班牙裔婦女，詭異的紅髮上壓了頂帽子，她認爲我還算安全。我踏進後座，關上門，要她載我到五十八街和第九大道的交口。

一路上我千頭萬緒。我的手還在發抖，只是沒有先前厲害，但體內的發顫仍然沒有好轉跡象。這趟車程好像永遠開不完，然後我突然聽到那女人問我要停在哪個街角。我要她靠在阿姆斯壯酒吧門前，綠燈亮時，她筆直穿過十字路口，照我說的地方停下。我沒動靜，她扭頭看我到底怎麼回事。

我是剛剛才想起阿姆斯壯酒吧不會供酒給我。當然，他們現在很可能已經忘記比利把我三振出局，但也有可能記得。只要一想到踏入店內遭到拒絕，我就已經火得渾身發熱。算了，不必自討沒趣，我才不要踏進他們天殺的大門。

該上哪兒呢？寶莉酒吧應該打烊了，他們一向提前打烊。法瑞小店呢？

琴死後我喝的第一杯酒就在那裡。拿起那只杯子之前，我已經整整八天滴酒不沾。我還記得那酒。叫做「早年時光」。

奇怪我總記得喝的是哪種牌子的酒。其實全是垃圾，不過你就是會牢牢記得這類細節。沒多久前聚會時，我也聽到某人說過類似的話。

我已經幾天沒碰黃湯了？四天嗎？我大可上樓回房，穩住不動，然後一覺醒來就是第五天的開始。

只不過我不可能睡著。我連房間都待不住。我會試，可是我到哪兒都待不住，因爲我現在心情惡劣，唯一陪我作伴的只有我自己一個亂糟糟的腦袋瓜。如果現在不喝，一個鐘頭以後我還是會喝。

「先生？你還好吧？」

我對那女人眨眨眼，然後從口袋裡摸出皮夾，抽出一張二十元鈔票。「我要打個電話，」我說：「就在街角那個電話亭。這錢妳拿著，在這等我，好嗎？」

也許她會拿著那鈔票揚長而去。我其實也不在乎。我走向電話亭，丟個銅板，開始撥號。現在打實在太晚。幾點了？過兩點，不是熟人打這電話實在嫌晚。

幹，我大可以回房。只要穩住一個鐘頭不動，我便可以平安無事。酒吧通常三點打烊。那又怎樣？附近有家熟食店會賣啤酒給我，不管合不合法。五十一街上有家酒吧通宵營業，位在西十一街和十二大道之間。不過他們有可能已經關門；我實在太久沒去那裡。

琴·達科能前廳的櫃子有瓶「野火雞」，而她的鑰匙就在我的口袋。

這可嚇住我了。那酒隨時都在等我。要是人到了那裡，我不可能喝一、兩杯就算完事。我會幹光整瓶，然後一瓶接一瓶喝個沒完。

我決定打這電話。

□

她在睡覺。聽她接電話的聲音我就知道。

我說：「我是馬修。抱歉這麼晚打來。」

「沒關係。現在幾點？老天，已經過了兩點。」

「抱歉。」

「沒關係。你還好嗎，馬修？」

「不好。」

「喝了酒？」

「沒有。」

「那就沒事。」

「我快崩潰了，」我說：「打電話給你是因爲這是我能想到唯一可以不喝酒的辦法。」

「做得好。」

「我可以過去嗎？」

一陣死寂。算了，我在想。在法瑞小店打烊前趕緊喝上一杯，然後打道回府。早知道就不打這通電話。

「馬修，這主意恐怕不好。記住只要一個鐘頭一個鐘頭熬就好，實在沒辦法就一分鐘一分鐘來也可以，而且隨時歡迎你打電話過來。吵醒我沒關係，可是——」

我說：「半小時前我差點丟掉小命。我狠狠揍了個傢伙，又把他的腿打斷。這輩子我從沒抖得這麼厲害。我看只有喝酒才能止住，可是我不敢喝，又怕我忍不住還是喝了。本想只有找個人陪著聊天才能熬過，不過這也難說。抱歉，不該吵你的。我又不是你的責任，抱歉。」

「等等！」

「我還在。」

「聖馬克廣場那兒有個地方，週末晚上都通宵聚會。地址就在通訊錄裡，我幫你查。」

「好啊。」

「不過你不會去，對吧？」

「每次聚會我都說不出話。算了，珍。我不會有事。」

「你人在哪裡？」

「五十八街和第九大道交口。」

「你多久可以到這兒？」

我瞄瞄阿姆斯壯酒吧。我的吉普賽計程車還停在那裡。「我有輛計程車等著。」我說。

「還記得怎麼過來？」

「記得。」

□

計程車把我載到珍那棟位在利斯本納德街的六層統樓前頭。計費表已經快吃光原本的二十塊錢。我又掏出一張二十奉送給她。給得太多，但我心存感激，而且口袋又麥克麥克。

我按珍的鈴，兩聲長三聲短，然後踏出門外，等她丟下鑰匙給我。我搭電梯到五樓，然後爬上她的閣樓小屋。

「好快，」她說：「你還眞有輛計程車等著。」

不過這段時間夠她更衣。當時她已換上舊牛仔褲，和一件紅黑相間的花格子法蘭絨襯衫。她是個頗有魅力的女人，中等身高，肉感豐滿。心型臉，頭髮暗棕帶灰，垂到肩膀。間隔適中的灰色大眼睛。沒有化妝。

她說：「我燒了咖啡。你裡頭不愛加東西，對吧？」

「只加波本。」

「開玩笑。你坐，我去拿咖啡。」

她捧著咖啡過來時，我正站在她的梅杜莎旁邊，指尖沿著她的一辮蛇形髮滑下。「她的頭髮讓我想起一個女孩，」我說：「她金黃色的頭髮綁成辮子盤在頭上，像透了你的梅杜莎。」

「誰？」

「她被人刺死。我不知道從哪說起。」

「隨便哪裡。」

□

我講了很久，語無倫次，從事情的起頭說到當晚被搶的經過，然後倒回前面，再講後面。她偶爾起身去拿咖啡，等她回來時，我會接著切斷的話頭說下去。或許我是另外又起個頭。已經搞不清也無所謂了。

我說：「我不知道該拿那混賬怎麼辦。打昏他以後，我搜他的身。我不能把他送警察局，又不甘心放他一馬。本想斃了他，卻又下不了手。我不知道為什麼。如果我抓他的頭再多撞幾次牆的話，很可能叫他一命歸西；而且老實跟你說，我會很樂。可是看他人事不知躺在那裡，我實在沒法扣上扳機。」

「當然。」

「可我也不能一走了之，我不能讓他走回街上。他會再找一把槍，再找人下手。所以我就打斷他的腿。以後他的骨頭癒合，他還會為非作歹，不過至少目前街上少了一個歹徒。」我聳聳肩，「好像沒啥道理，不過我實在想不出別的方法。」

「重要的是你沒喝酒。」

「重要的是那個嗎？」

「對啊。」

「我差點喝了。如果我回到我住處附近，或者沒有聯絡到你——天知道我有多想喝。我還是想喝。」

「不過你不會。」

「嗯，不會。」

「你有沒有輔導員，馬修？」

「沒有。」

「該找一個，幫助很大。」

「怎麼說？」

「呃，你可以隨時打電話給你的輔導員，什麼話都可以告訴他。」

「你有一個？」

她點點頭，「剛才和你通完話後，我就打給她。」

「爲什麼？」

「因爲我很緊張。因爲每次和她講話我都能恢復平靜。因爲我想知道她會怎麼說。」

「她怎麼說？」

「她說我不該叫你過來。」她笑起來，「還好你那時已經上了路。」

「她還說些什麼？」

灰色的大眼睛迴避我的視線。「說我不能和你上床。」

「她說這幹嘛？」

「因爲戒酒第一年和人發生性關係不好，因爲跟剛剛開始戒酒的人牽扯不清會惹出很大麻煩。」

「老天，」我說：「我來這兒是因爲酒蟲作祟，不是因爲慾火焚身。」

「我曉得。」

「你的輔導員說什麼你都照做嗎？」

「儘可能。」

「這個自命爲上帝代言人的女人到底是何方神聖？」

「只是個女人。她年紀和我差不多大……事實上，她比我小一歲半。不過她已經戒了將近六年。」

「眞久。」

「好久。」她拿起杯子，看到裡頭是空的，又放下去。「你能找到人當輔導員嗎？」

「得自己去找？」

「對啊。」

「如果我找你呢？」

她搖搖頭，「首先，你必須找男性。其次，我戒的時間還不夠長。第三，我們是朋友。」

「輔導員不能是朋友？」

「不能是我們這種朋友，只能是戒酒協會的同志。第四，應該要找自家附近的人，這樣才有機會常常接觸。」

我很不情願的想到吉姆。「是有個人我偶爾會跟他聊天。」

「找個能聊的人非常重要。」

「我不知道我們算不算真的能聊，也許吧。」

「你很尊敬他滴酒不沾嗎？」

「我不太懂你的意思。」

「呃，你對他——」

「昨天晚上我告訴他我看了報上新聞好煩。所有的街頭犯罪，大家不斷彼此傷害。我受不了，珍。」

「我了解。」

「他要我別再看報。你笑什麼？」

「這種話像是洗過腦的人說的。」

「他們說的全是一文不值的垃圾。『我丟了工作，母親得癌症死掉，鼻子要動切除手術，可是我今天沒有喝酒，所以我算是打了勝仗。』」

「他們講的眞是全都一個調，對不？」

「有時候。什麼那麼好笑？」

「『鼻子要動切除手術』，確定是鼻子？」

「別笑，」我說：「這種事很嚴重的，開不得玩笑。」

一會兒之後，她講起她家附近一個會員：兒子給人家撞死，司機一跑了之。那人跑去參加戒酒協會，談到這事，從衆人的支持中汲取力量；顯然，他帶給大家不少啓示。他一直滴酒不沾，也因此有能力應付這事故，安慰、鼓舞家人共度難關；同時卻也盡情經歷心中的悲痛，不去壓抑。

我在想：經歷自己的悲痛到底有什麼了不起。然後念頭便閃到多年前的意外：我的流彈反彈，害死一個叫做艾提塔·里維拉的六歲女孩，如果事後我不碰酒的話，情況會有什麼不同？我當時應付自己感覺的辦法是猛灌波本，痲痺自己。那時看來似乎是個好主意。

也許不是。也許沒有捷徑，沒有方便之門。也許你必須勉強自己經歷痛苦。

我說：「紐約人一般都不擔心被車撞到。但車禍在這兒也會發生，跟別的地方一樣。他們結果有沒有抓到肇事司機？」

「沒有。」

「他也許喝了酒。通常都是這個原因。」

「也許他失去意識。也許他第二天恢復知覺後，根本不記得自己做了什麼。」

「天老爺，」我說，想起那個晚上的演講人——刺死自己愛人的男子。「翡翠城裡八百萬個故事，八百萬種死法。」

「叢林城市。」

「我剛剛就是這麼說？」

「你剛說的是翡翠城。」

「哦？我這是哪來的典故？」

「《綠野仙蹤》。記得嗎？堪薩斯的桃樂西和她的小狗托托。改編成電影由裘蒂‧嘉倫主演，小女孩奔向彩虹。」

「我當然記得。」

「跟著黃磚路往前走，你會走入翡翠城，遇見偉大的魔法師。」

「我記得。稻草人、錫人，還有怯懦的獅子，我記得這整個故事。但紐約跟翡翠城有什麼關係？」

「你是酒鬼，」她提議道：「你少了幾個腦細胞，如此而已。」

我點點頭，「說得對。」我回道。

□

我們就寢時，天光已亮。我睡在沙發上，裹在她多出的兩條毯子裡。起先我以爲自己一定睡不著，但倦意像高漲的潮水般覆下，我完全屈服，隨它擺佈。

我說不出它把我帶向何方，因爲我睡得和死人一樣。如果做了夢，我也毫無記憶。我醒時聞到咖啡豆燒煮，以及油炸培根的香味。我沖個澡，拿她給我的立可丟刮鬍刀刮了鬍子，然後換上衣服，和她同坐在廚房的松木桌旁。我喝柳橙汁及咖啡，吃培根炒蛋和上頭加蜜桃乾的全麥烤鬆餅。記憶裡，我的胃口從未如此大開。

禮拜天下午有群人在她家東邊幾條街外聚會，她告訴我。這是她固定參加的聚會。我想不想加入？

「我有些事情得做。」

「禮拜天做？」

「禮拜天又怎麼樣？」

「禮拜天下午你眞能辦好什麼事情？」

打開頭起，我就沒眞辦好什麼事。今天我能做什麼呢？

我打開記事本，撥了桑妮的號碼。沒人接聽。我打到我的旅館，桑妮沒留話，丹尼男孩以及我昨晚談過的人也沒有。唔，丹尼男孩這時候八成還在睡鄉，其他大部份人應該也是。

有個口信要我聯絡錢斯。我開始撥他的號碼，然後又停住手。如果珍打算參加聚會，我可不想獨自待在她這統樓等他回話。她的輔導員可能反對。

會場是在佛西斯街一家猶太教堂的二樓。在那兒不能抽煙。參加戒酒聚會卻沒有聞到瀰漫一整屋子的煙味，這還是我頭一遭碰到。

那兒約有五十個人，而她似乎認識絕大多數。她把我引見給某些人，他們的名字我隨聽隨忘。我自覺心強烈，衆目睽睽下渾身難過。我的外表也沒多大幫助：雖然沒有和衣睡覺，但一身衣服卻邋里邋遢，是昨晚巷鬥留下的結果。

巷鬥的另一個後遺症也開始浮現。我一直要到離開她那統樓時，才發現自己疼得有多厲害。頭部因爲撞他多次痠痛異常，一隻上臂和肩膀淤血青紫，其他肌肉我一動就開始抗議。打鬥完畢我毫無感覺，但所有該有的痛苦全在第二天向我討債。

我拿了些咖啡和餅乾，坐到聚會結束。其實也還好。演講人見證詞很短，剩下很多時間供大家討論。得舉手才能發表意見。

結束前十五分鐘，珍舉手說，她很幸運能一直滴酒不沾，而這大半要歸功於她的輔導員，能在她煩心或者迷茫的時候，給她安慰和鼓勵。她並沒有舉證細節。我覺得她這話是要說給我聽的，但我可不怎麼領情。

我沒有舉手。

會後她打算偕人同飲咖啡，問我要不要加入。我不想再喝咖啡，也不想要人陪。我編了個理由回絕。

走到外頭分手以前，她問我感覺如何。我說還好。

「還想喝酒嗎？」

「不。」我說。

「很高興你昨晚打了電話。」

「我也很高興。」

「歡迎隨時打來，馬修。必要的話，就算半夜也無所謂。」

「希望不會有這必要。」

「不過如果需要，記得打來。好嗎？」

「當然。」

「馬修，答應我一件事好嗎？」

「什麼事？」

「想喝酒時，要先打個電話給我。」

「我今天不會喝的。」

「我知道。不過如果你決定要，如果你想要的話，得先打個電話給我。能答應嗎？」

「好。」

搭地鐵往上城去時，我想到這段談話，覺得自己輕易許諾，實在愚蠢。但——她聽了很高興。如果她高興的話，撒謊又有何妨？

□

錢斯又留了口信。我從大廳打到他的服務處說，我已經回到旅館。我買份報紙上樓，好消磨等他回話的時間。

頭條新聞非常引人。皇后區一家人——父親、母親、兩個不到五歲的小孩——坐著他們新買的閃亮賓士出遊。有人開車駛向他們，拿散彈槍往車裡掃射整整兩管子彈。四人統統死掉。警方在他們的公寓搜查，發現一大筆現金以及尚未分裝的古柯鹼。警方推論，此次大屠殺與毒品有關。

不是開玩笑的。

報紙沒提到我留在巷內的那傢伙。嗯，不出我所料。他和我對上時，週日報紙已經發行出去。倒也不是說他有可能會上明天、或是後天的報。如果我宰了他，他還有可能在報屁股賺到一小段，但一名給人打斷雙腿的黑小子有何新聞價值可言？

我正想到這點時，聽到有人敲門。

奇怪，女僕在禮拜天一律休假，而我僅有的幾名訪客通常會從樓下先打電話上來。我拿起椅上的外套，從口袋掏出點三二手槍。我還沒把它扔掉，從斷腿朋友身上摸走的兩把刀子也都還在。我攜槍走向門邊，問來人是誰。

「錢斯。」

我把槍丟回口袋，打開門。「一般人會先打個電話。」我說。

「櫃台那人在看書，我不想打擾他。」

「挺體貼的。」

「這是我的註冊商標。」他深深看我一眼，似乎在掂我斤兩。然後眼睛一轉，開始瀏覽我的房間。「好地方。」他說。

這話很諷刺，但他語氣不會。我關上門，指張椅子。他仍然站著。「似乎蠻適合我的。」我說。

「看得出來。斯巴達式，沒有多餘的東西。」

他穿了件海軍藍夾克和灰色法蘭絨長褲。沒穿大衣。嗯，今天是暖一點，而且他又都坐在車裡。

他走到窗旁，望出去。「昨晚找過你。」他說。

「我知道。」

「你沒回電。」

「我沒多久前才知道你留了口信，再說我又正要出門。」

「昨晚沒睡這裡？」

「沒有。」

他點點頭。他轉身面對著我，表情難以捉摸。我以前沒見過他這副神情。

他說：「你跟我所有的女孩談過？」

「欸，除了桑妮。」

「嗯。你還沒見過她，是吧？」

「對。我昨晚試了幾回，今天中午又打了一次。一直沒人接聽。」

「她昨晚找過你。」

「沒錯。」

「什麼時候？」

我試著回想，「我大約八點離開旅館，十點過後不久回來。那時口信已經在等著我，但我不曉得她是什麼時候留的。照說櫃台該把時間寫上，但他們常常敷衍了事。總之，留言條我八成已經丟了。」

「沒有保留的必要。」

「是啊。知道她打來就好，留著幹嘛？」

他盯了我好久。我看到他深棕眼裡的金點。他說：「幹，我不知道怎麼辦。這不像我。大部分時候我至少以爲我知道該怎麼辦。」

我什麼也沒說。

「你是我的人，因爲你幫我做事。但我看只有天曉得。」

「你到底想說什麼，錢斯？」

「媽的，」他說：「問題是，我能信任你多少？我老在想，我到底能還是不能。我是信任你。畢竟，我把你帶到我家，老兄。我可從沒帶別人去過我家。我他媽的幹嘛那麼做？」

「不知道。」

「我是說，我想炫耀嗎？我是想跟你說，瞧這黑鬼的格調夠高吧？或者我邀你進去，是要你看看我的靈魂？媽的，不管怎麼說，我開始以爲眞的可以相信你。但這樣對嗎？」

「我沒法幫你做決定。」

「嗯，」他說：「是不能。」他的拇指和食指嵌住下巴，「我昨晚打電話給她。桑妮。打幾次，跟你一樣，也沒人接聽。呃，好吧，那無所謂。沒開答錄機，那也沒什麼，因爲有時候她會忘了接插頭。然後我又打過去，一點半，或許兩點，還是沒有回答，所以我就開車過去瞧瞧。當然我有鑰匙。是我的公寓啊。誰說我不能有鑰匙？」

我開始知道他的意思，但我讓他自己講。

「呃，她是在那兒，」他說：「她還在那兒。你知道，她人已經死了。」

22

她死了，好吧。她裸身躺著，一隻手臂橫過頭部，臉朝著手臂方向。一隻手肘彎曲，手擱在乳房正下方的肋骨上。她躺的地板，離她未鋪的床只有幾呎。她赤褐的髮攤在她的臉上和頭下，而沿著她塗上口紅的嘴則是一團浮在象牙色地毯的嘔吐物，如同水池上的浮渣。在她結實的白色大腿間，沾尿的地毯已經轉黑。

她的臉上和額頭都有淤血，肩膀也是。我機械化的碰她手肘，試試有無脈搏，但她的肉體已經冰冷，沒有絲毫生機。

她雙眼圓睜上翻。我想以指尖為她闔上眼瞼，但隨即作罷。

我說：「你動過她？」

「才沒。我啥也沒碰。」

「眞人面前不說假話。琴死後，你差點沒把她公寓的地板掀開。我說你一定搜過。」

「我打開幾個抽屜，但啥也沒拿。」

「你想找什麼？」

「不曉得，老兄。只是想看看有什麼我該知道的。我找到一些錢，幾百塊。我沒動。還發現一本存摺，也沒動。」

「她銀行有多少錢？」

「不到一千。小數目。我倒是還找到一堆藥片，她就是這麼死的。」

他指著屍身對面的連鏡梳妝台。那上頭，在無數裝著香水和化妝品的瓶瓶罐罐當中，有兩瓶醫生開的處方藥。上頭病人的名字寫的都是韓德瑞，雖然處方是由不同醫生開的，而且在附近不同的藥局買的。一份開的是凡立恩，另一份是斯康那。

「我習慣檢查她的藥櫃子，」他說：「只是反射動作，你知道？一向也只有找到治她花粉熱的。可我昨晚打開這個抽屜，裡頭竟然擺得像個藥鋪子。全是處方藥。」

「什麼樣的玩意？」

「我也沒每個標籤都看，不想在敏感的地方留下指印。照我看，大部分是鎮靜劑。凡立恩、力比安、伊拉維，還有像斯康那這類的安眠藥。外加兩瓶興奮劑，叫什麼力塔林。但大多是鎮靜劑。」他搖搖頭，「有些東西我從沒聽過。得問醫生才知道。」

「你以前不曉得她吃藥？」

「從沒想到。來，瞧瞧這個。」他小心翼翼的打開一只梳妝台抽屜，以免留下指印。「瞧。」他指著說。抽屜的一邊，在一疊摺好的毛衣旁，豎著約莫兩打藥罐子。

「只有藥癮很重的人才會這樣子，」他說：「怕得不敢出門的人。可我全被蒙在鼓裡。想到這個我就火大，馬修。你看過那紙條？」

紙條擱在梳妝台，壓在一瓶古龍水下。我用手背輕輕推開瓶子，拿著紙條走向窗口。她是用棕色墨水寫在灰色紙上，我想在恰當的光線下讀它。

我讀道：

琴，妳很幸運。妳找到某人代勞，而我得自行解決。若我膽大我會使用窗户。我大可墜到一半改變主意然後一路笑到最底。但我膽子不夠而刮鬍刀片又出了差錯。

希望這回我服得夠多。

一切都是徒然。美好時光已經用罄。錢斯，抱歉。你帶我見識美好時光，但一切皆成過去。棒球打至八局人群都已散盡。所有歡呼已成幻影。比數多少又有誰在意？

瘋狂世界無路可逃。她攫住銅環，結果手指變綠。

無人願意爲我一擲千金。無人願意與我共結連理。無人願意救我一命。

我已倦於微笑。我已疲於奔命。美好時光已成過去。

我站在窗旁，瞭望對面隔著哈德遜河的澤西市天際線。桑妮生在也死在一棟叫做林肯景觀公園的摩天公寓大樓，三十二樓；雖然除了大廳的棕櫚盆景以外，我看不到任何公園跡象。

「那下頭就是林肯中心。」錢斯說。

我點點頭。

「應該讓瑪莉露住在這兒的。她喜歡音樂會，只要走過去就好了。問題是，她以前住在西區，所以我想把她移到東區。這是我這行該做的事，你知道。可以扭轉她們的生活型態，立即見效。」

我對拉皮條的哲學沒有多大興趣。我說：「她以前幹過？」

「自殺嗎？」

「試圖自殺。她寫了：『希望這回我服得夠多。』有哪次她服得不夠多？」

「我認識她以後都沒有啊。算來已經兩年了。」

「她說刮鬍刀出了差錯是什麼意思？」

「不知道。」

我走向她，檢查橫過她臉上的那隻手臂，果然腕部有道明顯的疤痕。另隻手腕也是一樣。

我站起來，再看一次紙條。

「下一步是什麼，老兄？」

我掏出記事本，把她寫的逐字抄下。我拿一張面紙擦掉我留在紙條上的指印，然後把它擺回原位，再用古龍水壓住。

我說：「再說一次你昨晚做了什麼。」

「就是我已經跟你說過的啊。我打電話給她，感覺怪怪的，也不知道爲什麼，然後我就跑來了。」

「幾點？」

「兩點過後。我沒注意到底幾分。」

「你是直接上樓？」

「對。」

「門房看到你？」

「我們算是點過頭。他認識我，以爲我住這兒。」

「他會記得你嗎？」

「老兄，我不知道他會記得什麼，忘記什麼。」

「他只做週末，還是也上禮拜五的班？」

「不知道。需要搞清楚嗎？」

「如果他每晚都來，他也許記得看過你，但不記得時間。如果他只上禮拜六的班——」

「我懂了。」

小廚房裡，一瓶喬治伏特加立在水槽台上，還剩一吋深的酒。旁邊是盒一夸脫裝的柳橙汁，但已空空如也。水槽裡一只杯子裝著看來像是這兩種液體的混合物，但所剩不多，而她的嘔吐物聞來是有那麼一絲柳橙味。要拼湊這些線索其實不需要什麼偵探頭腦。藥片配上強勁的螺絲起子雞尾酒灌下去，藥性的確會因爲酒精而大大增強。

希望這回我服得夠多。

我得勉強壓抑想把剩下的伏特加統統倒掉的衝動。

「你在這兒待了多久，錢斯？」

「不知道。沒注意時間。」

「出門時和門房講過話？」

他搖搖頭，「我走地下室，由車庫出去。」

「所以他應該沒看到你。」

「沒人看到我。」

「那你在這兒的時候——」

「我說過了。我查過抽屜和櫃子。我沒碰多少東西，而且什麼也沒移動。」

「你看了紙條？」

「嗯。不過只是順手拿來看看而已。」

「打過任何電話？」

「打到我的服務處說一聲，也打給你。可是你不在。」

對，我不在。我當時正忙著在大樓北邊的一條小巷子打斷某某人的狗腿。

我說：「沒打長途電話？」

「就那兩通，老兄。可都不是長途電話。從這兒到你旅館丟塊石頭就到了。」

昨晚電話找她不著，我其實可以開完會後馬上過來，當時她也許還有口氣。我想像她躺在床上，等著藥片和伏特加發生作用，讓電話鈴不斷響著。門鈴她會不會也同樣不管？也許。或者她當時可能已經人事不知。但我怎沒想到出了差錯？實在應該鼓起勇氣，破門而入，或許可以及時挽回一命——

呸，當然。如果我不是生得太晚，也許還可以從該死的毒蛇口裡搶回埃及艷后一命。

我說：「你有這地方的鑰匙？」

「我有她們每個人的鑰匙。」

「這麼說你可以自由進出。」

他搖搖頭，「她裡頭有鏈子拴上，所以我才知道不妙。我開了鎖，門打開兩、三吋後被鏈子卡住，我馬上知道出了問題。我撞斷鏈子闖進來，心裡明白事態嚴重。」

「你大可以走掉就好。放下鏈子，打道回府。」

「是那麼想過。」他直直看我，表情不像先前冷硬。「知道嗎？看那鎖鏈拴上，我第一個念頭就是：她自殺了。那是我的直覺反應。撞斷鎖鏈是因爲我想到或許還來得及救她。可是太遲了。」

我走向門口，檢查鏈扣。鏈子本身沒斷，只是鏈扣已給整個扯下。剛才進門時，我完全沒有注意。

「這是你前次進來時撞開的？」

「我不是才告訴過你？」

「你進來時，鏈子有可能沒拴，也就是說，你可能是進來後才把它上緊，然後打斷的。」

「我幹嘛那麼做？」

「製造假象：讓人以為你來的時候公寓是反鎖的。」

「本來就是，我不用作假。搞不懂你老兄到底想說什麼。」

「我只不過想確定你到的時候，她的確是反鎖在裡面。」

「我不才說過？」

「而且你搜過公寓？確定這兒沒有別人？」

「除非有人躲在烤麵包機裡頭。」

很明顯的是自殺。唯一的問題是他知情不報。他明知她已死亡，卻等了十二個鐘頭才向人透露。

我想了一下。我們位在六十街以北，歸二十分局所管，不在德肯的轄區範圍之內。他們會把這案子當作自殺處理——除非醫學證據不符；而若真不符，他早先來訪的事則勢必曝光。

我說：「我們有幾條路可走。我們可以說你整晚無法聯絡到她，非常擔心。你今天下午和我談了之後我們一起過來。你有鑰匙。你打開門，我們發現她後一起報警。」

「就這麼辦。」

「不過得解決鎖鏈的問題。如果你沒來過，它怎麼會斷？如果是別人幹的，那又是誰，在這兒幹嘛？」

「要不就說是我們來時，合力打斷的。」

我搖搖頭，「行不通。萬一他們證據確鑿，說你昨晚來過，那我就會給逮到撒了重謊。我頂多只能爲你保密，有些事情隱而不說，但絕不能給人逮到我歪曲事實。不成，我非得說鎖鏈是我們到這兒時就已經斷了。」

「乾脆說已經壞了好幾個禮拜。」

「只是斷痕還很新鮮，螺絲扯出木頭的地方顯而易見。拜託，就是這種小辮子千萬別給人抓到；你的說詞絕不能跟證據矛盾。告訴你我覺得你該怎麼辦吧。」

「請說。」

「講實話。你來過這兒，把門撞開。她已經斷氣，你立刻走掉。你開車亂逛，不知如何是好。你想在採取任何行動之前，先聯絡到我，但一直找我不到。最後你終於聯絡上我，我們一起過來，然後報警。」

「這是最好的辦法？」

「照我看。」

「全因爲那鎖鏈的關係？」

「那是最明顯的漏洞。但就算沒那問題，到頭來還是講實話最上算。聽著，錢斯，你沒殺她。她是自殺的。」

「然後呢？」

「如果你沒殺她，最好的辦法就是實話實說。如果你有罪，最好的辦法就是知情不報：找個律師，保持沉默。只要你是無辜的，講實話就好。這樣最簡單，最乾脆，而且以後也不用爲以前說過什麼傷透腦筋。因爲我得跟你講明一件事：惡棍無時無刻不撒謊，警察再明白不過，也再討厭不過。所以只要他們抓到一個謊，他們會緊追不捨，直到揪出漏洞。你原本扯謊是爲了省事，也許還眞行得通：這案子擺明了是自殺，你結果也許沒事。但如果西洋鏡給拆穿了，你惹的麻煩恐怕要比你省的多十倍。」

他想了一下，然後歎口氣。「他們會問我，爲什麼沒有立刻報警。」

「爲什麼？」

「因爲我不知如何是好，老弟。我不知道該發瘋，還是該上吊。」

「就這麼說。」

「好啊。」

「你離開以後，幹嘛去了？」

「昨晚嗎？跟你講的一樣，我開車亂逛一陣。繞了公園好幾圈，開過喬治·華盛頓大橋，上了帕勒沙德林蔭大道。和人家週日兜風的路線差不多，只是早了一點。」他邊回憶邊搖頭，「開回來後，又轉到瑪莉露的公寓去。我自個兒開鎖進去，不用掙斷什麼鎖鏈。她在睡覺，我上了她床把她吵醒，和她躺了一會兒，然後就打道回府。」

「回你那房子？」

「回我那房子。我可不打算跟她們講我房子的事。」

「沒必要講。你在瑪莉露那兒睡了一下。」

「有人在旁邊的時候，我從來不睡。睡不著。不過不用跟他們提這個。」

「嗯。」

「你在你家做了些什麼？」

「睡了一下，兩、三小時。我不需要很多睡眠，一點就夠了。」

「噢。」

「你知道，我才剛從那裡過來。」他走到牆邊，拿下一只掛在釘子上的睜眼面具。他開始跟我講起它的出產部落，那兒的地理位置，還有面具的用途。我沒怎麼留心聽。「現在這上頭有了我的指紋，」他說：「呃，也無所謂。你可以告訴他們：等他們的時候，我從牆上拿下面具，跟你說起它的歷史。還是講實話的好。可不想給人逮到我撒了個其實無傷大雅的小謊話，」他笑笑說：「電話你來打吧？」

23

惹來的麻煩還不到我預估的一半。二十分局派來的兩名警察我都不認識，但無妨；就算認得，事情也不會進行得更加順利。我們在現場回答問題，然後跟他們回到位在西八十二街的分局去錄口供。現場的醫學證據似乎全和我們的說法沒有牴觸。警察很快指出，錢斯應該一發現屍體就去報案，不過他們倒也沒因爲他拖延時間跟他沒完沒了。不小心撞見屍體誰都會怕——就算你是皮條客，而她是神女；更何況這是紐約，一個各人自掃門前雪的大都會。怪的不是報案太晚，而是他願意報案。

我們抵達分局時，我已經非常從容。早先我有點擔心，因爲我想到他們可能會要搜身。我的外套是個小規模的軍火庫，還藏有我從小巷那傢伙身上摸來的手槍和兩把刀子。攜刀於法不容，而攜槍罪名更重：天知道它的來處。但我們做的還搆不上搜身，我算是白擔心一場。

□

「妓女自殺，我是見怪不怪，」喬・德肯說：「她們有這習慣；再說，這位已經有過紀錄。你看到手腕上的疤了吧？報告上說有幾年了。倒是你可能不曉得：服毒這方法，她不到一年前才試過。她一個女友把她送到聖克萊爾醫院洗胃。」

「紙條提到，她希望這回她服得夠多。類似這樣的話。」

我們當時坐在石瓦餐廳——一家位在第十大道的牛排館，吸引不少約翰傑學院和中城北區分局的警察光顧。在這之前，我回過旅館，換了衣服，找到地方藏妥武器以及身上一些錢；然後就接到他的電話，要我請他一頓。「我才想起，應該趁早敲你一筆，」他說：「總不能等到你客戶所有的女人死光，而你的辦案基金又給削掉大半。」

他點了盤什錦烤肉，喝掉了兩瓶嘉士伯啤酒。我要了份沙朗牛排，佐以咖啡。我們談了會兒桑妮的死，但沒談出什麼名堂。他說：「要不是另外那個金頭髮凶死，這案子根本就不值一提。所有的醫學證據都指向自殺。淤血青紫，很容易解釋。她神志不清，不知道自己在幹什麼，才會跌倒，又撞倒東西。她倒在地板而不是床上，道理完全一樣。淤血當然在所難免。她的指紋全在它們該在的地方——酒瓶、玻璃杯、藥罐子。紙條的筆跡也查出是非她莫屬。如果你客戶的話可以採信，他發現她時，她根本就反鎖在裡頭。由房裡鎖住，鏈條帶上。你確定他沒撒謊？」

「他的話我聽來不假。」

「那她就是自殺的，這甚至跟兩個禮拜前達科能的死都連得上。她們是朋友，她因爲朋友發生不幸，非常沮喪。你看有不是自殺的可能嗎？」

我搖搖頭，「這種自殺最難假造。你能怎麼辦？拿漏斗把藥片強塞進她喉嚨？拿槍逼她吞服？」

「你可以把藥溶掉，偷偷讓她服下。不過他們在她胃裡找到殘餘的安眠藥囊。所以算了吧，是自殺沒錯。」

我試著回想紐約的自殺率，但連個合理的推測都猜不出來，而德肯也幫不上忙。眞不曉得比率到底多高。是不是和其他所有現象一樣，只有上升趨勢？

他捧著咖啡說：「我找了兩個星河旅館的職員，淸查今年年初以來他們所有的登記卡，挑出所有以印刷體簽寫的。沒一張可以連上瓊斯的登記。」

「其他旅館呢？」

「找不到相合的。是有一批叫做瓊斯的人，這名字本來就很普通，但全是簽名，用信用卡付帳，看來全都如假包換。白耗不少時間。」

「抱歉。」

「何必。我做的事百分之九十是在浪費時間。你講的沒錯，是値得查查。如果這是個大案子，登上頭條新聞，有上頭的人施加壓力，不用你講我自己也會想到，而且我們會查遍紐約五個區所有的旅館。你怎麼樣？」

「我什麼怎麼樣？」

「達科能的案子你有進展了嗎？」

我得想想。「沒有。」我回答。

「實在有夠氣人。我再看一次檔案，知道碰上什麼鬼了嗎？那個櫃台職員。」

「我談過的那個？」

「那個是經理、副理之類的吧。我找的是讓凶手登記住宿的那個。好，現在有這麼個傢伙進來，名字用印刷體寫而不簽名，付的又是現金。這兩種作法都不尋常，對不？我是說，這年頭有誰會在旅館付現鈔？我不是說隨便哪家下三濫旅館，我說的是家你得花七、八十塊住一晚上的旅館。這年頭什麼都用塑膠貨幣啊，信用卡這些的，流行嘛。這傢伙付的是現金，櫃台竟然還有臉跟我說啥都不記得。」

「你查過他底細？」

他點點頭，「我昨晚跑去找他談。呃，是南美哪個國家來的小夥子。我跟他談的時候，他一頭霧水。凶手登記住宿時，他八成也是一頭霧水。我看他一輩子都矇在霧裡。不知道他的霧水是哪裡來的，是用鼻孔吸的還是嘴巴抽的還是怎麼的，不過我想應該是老老實實賺到的。你知道咱們這城裡有多少人整天都在雲裡霧裡？」

「我懂你意思。」

「你可以在午餐時間看到他們，上班族。市中心、華爾街，不管哪個區啦。他們全擠上街買毒品，午餐時間就坐在公園大吸特吸。這樣做事能有什麼效率？」

「不知道。」

「然後又有一大票有藥癮的，像這個自殺的女人。沒事猛吞藥，而且還不能說她犯法。毒品。」他歎口氣，搖搖頭，撫平他暗色的頭髮。「咳，我需要的是白蘭地，」他說：「如果你認為你的客戶可以負擔得起。」

□

我到聖保羅教堂，剛好趕上聚會的最後十分鐘。我喝杯咖啡，吃塊餅乾，根本沒聽別人在講什麼。我連名字都沒報，趁禱告時間偷偷溜掉。

我回到我的旅館，沒有留言。櫃台告訴我，我有過兩通電話，但對方都不願留名。我上樓回房，想理清我對桑妮自殺的感覺。但到目前為止，我能感覺到的好像就只有麻痺。我有股自虐式的欲望不斷去想：如果我沒把和她的談話排到最後，或許可以及早發現，搞不好還可能說了或做了什麼叫她回心轉意。這麼想也沒法想多遠。我在答錄機上跟她談過，她是可以說些什麼，可是沒有。畢竟，自殺，她已經試過至少兩次，而且很可能有過幾次沒有留下紀錄。

□

什麼事情只要試得夠久，遲早都可以弄對。

早上我吃了些早點後，便去銀行存些錢，買張匯票。我到郵局把錢匯給安妮塔。我很少想到我兒子牙齒矯正的事，現在終於可以忘得一乾二淨。

我繼續走到聖保羅教堂，爲桑妮點上一根蠟燭。我坐在教堂長椅上，給自己幾分鐘時間回憶桑妮。沒有多少可供回憶的材料。我們勉強算是有一面之緣。我連她的長相都記不清楚，因爲她死的模樣把我對活的桑妮的微弱記憶推到一旁。

我突然想到我欠教堂一筆錢。錢斯給的費用除以十是兩百五；而我從想搶我錢那孩子身上拿的三百多塊，他們也該分到十分之一（我不記得確實數字，所以三百五應該算是公平的估算）。那麼加起來我給他們兩百八十五，應該就可以有個交代了。

但我已經把大部分的錢存進銀行。我皮夾還有幾百塊錢，如果捐給教堂兩百八十五的話，我可就要捉襟見肘了。我仔細估量不辭勞苦再跑一趟銀行的可行性；突然，我這小把戲的瘋狂可笑像一記重拳一樣擊到我腎臟。

我到底是在幹嘛？爲什麼會自以爲欠了誰錢？而我又是欠了誰？不是教堂，我不屬於任何教堂。我把我所得的十分之一捐給在恰當時機碰上的禮拜堂。

那麼，我到底是欠了誰的債？上帝嗎？

這樣講算是哪門子歪理？而這又是哪種債務？我怎麼欠的？我是在還借款嗎？或者說，這是我爲了求得保佑偷塞給老天的小紅包？

以前我一向有辦法給自己一個合理的解釋：這只是我的習慣，一個小小的怪癖。我不用繳稅，所以就改向上帝繳錢。

我從沒眞正向自己提出這個問題。

我不確定我會喜歡我的答案。我還記得在聖尼古拉大道旁邊那條小巷子裡，有個念頭忽然閃過我的腦際：我沒奉獻所得的十分之一，所以今天得死在這孩子手裡。其實我並不眞信那套，也不認爲世界眞是循著那個邏輯運轉。只是奇怪自己竟然起過那種念頭。

我掏出皮夾，數了兩百八十五出來。我手裡緊揑那錢坐著，然後又統統擺回皮夾——只留了一塊錢。我至少可以買根蠟燭祝禱。

□

那天下午，我一路走到琴的大樓。當時天氣不壞，而我閒著也是閒著。我走過門房，逕自踏入她的公寓。

我進門第一件事便是把那瓶「野火雞」倒入水槽。

我不知道這樣做有多少道理。她那兒還有其他多種酒類，我並沒有一一清掉。但「野火雞」已經帶有象徵意味。每回一想到那公寓，腦裡就會浮現酒瓶的模樣，而伴隨這圖像的則是對那酒色香味的生動記憶。等酒完全流出水槽後，我才鬆了一口氣。

然後我又回到前廳，檢查掛在櫥裡的毛皮外套，襯裡縫上的標籤，說明這是染色的lapin皮。我查分類電話簿，隨便找了個毛皮業者打電話去問，才知道lapin是法文。「字典裡頭可以找到，」對方說：「一般美語字典都有。這字現在已是英文，由毛皮業引進來的。就是兔子的意思。」

正如錢斯所說。

□

回家路上，有個什麼引發了我喝酒的欲望。我甚至不記得刺激物來自何方，只記得我的反應：想像自己一肩抵著吧台，一腳踩在銅欄杆上，鐘型杯握在手裡，鋸木屑在地板上，我的鼻孔滿是霉舊的老酒鋪的味道。

飲酒欲其實不強，而我也沒眞打算付諸行動，但倒因此想起我對珍的許諾。因爲不是覺得非喝不可，所以實在沒有必要找她，但我還是決定找她。我花了一毛錢，在市立總圖書館附近轉角的電話亭撥了她的號碼。

我們的談話一直有車聲干擾，所以只能輕鬆簡短的聊聊。我沒機會提到桑妮自殺，也沒講起那瓶「野火雞」。

□

我邊吃晚飯邊看《郵報》。桑妮的自殺在那天社會版占了幾段，這是理所當然的事。但《郵報》往往爲了促銷報紙製造假象。這回他們引讀者上鉤的賣點是：強調桑妮和兩個禮拜前在旅館被剁成碎片的琴·達科能，有同一個皮條客。因爲找不到桑妮的照片，所以他們又登一次琴的照片。

不過報導的內容可就沒辦法像頭條標題那麼聳動。他們只能說她是自殺，外加一些不著邊際的猜測說，桑妮自殺是因爲她知道有關琴被謀殺的內幕。

兩腿被我打斷的男孩仍然沒有上報。但不用說，報紙從頭到尾還是少不了謀殺和犯罪等等陳年調味料。我想到吉姆・法柏說過要放棄報紙，不過我知道自己目前無法做到。

晚餐過後，我到櫃台拿信。還是平常收到的垃圾傳單，外加錢斯要我和他聯絡的口信。我打到他的服務處，他立刻回電問我案子進展如何。我說毫無進展，老實說。他問我是否打算堅持下去。

「再撐一陣子，」我說：「只是想看看前頭有路沒路。」

他說警察一直沒有騷擾他。他整天都在忙著桑妮的喪葬事宜。琴的遺體被運回威斯康辛州的老家，但桑妮沒有親人認領。目前他已安排好要把桑妮的遺體運出太平間，紀念儀式決定在西七十二街的庫克殯儀館舉行，時間是禮拜四下午兩點，他告訴我。

「早先實在也該爲琴辦的，」他說：「只是一直沒有想到。其實主要是爲了女孩們的士氣。她們都快抓狂了，你知道。」

「可以想像。」

「她們全在想同一件事，所謂無三不成理。她們全在擔心誰會是下一個。」

□

我當晚跑去參加聚會。台上人作見證時，我突然想到：一個禮拜前我失去意識四處遊蕩，做了什麼只有天知道。

「我叫馬修，」輪到我時我說：「今晚我只聽就好，謝謝。」

□

散會後，有個傢伙跟著我爬上樓走到街上，然後和我並肩而行。他年約三十，穿件粗呢格子夾克，戴頂鴨舌帽。我不記得見過這人。

他說：「你叫馬修，對吧？」我點頭算是承認。「你喜歡今晚那個見證？」

「還算有趣。」

「想聽一聽更有趣的故事嗎？聽說城北有個人給破了相，還斷了兩條腿。挺精采的呢，老兄。」

我打個寒噤。手槍擺在我五斗櫃的抽屜，捲在一雙襪子裡。兩把刀也在同個抽屜裡。

他說：「你夠有種，老兄。那玩意兒夠大，懂我意思吧？」他一手罩住鼠蹊，就像棒球選手調整命根子的模樣。「不過話說回來，」他說：「你總不想惹禍上身吧？」

「你說什麼？」

他攤攤手，「我又知道什麼？我只是工會的人，老兄。我幫人捎個口信，就這麼回事。有個小妞給人在旅館裡剁了，那是一回事，但她朋友是誰可又是另一碼子事。不重要，懂嗎？」

「誰要你傳這口信的？」

他只是盯著我看。

「你怎麼知道可以在會場找到我？」

「跟你進去，跟你出來。」他咯咯笑道：「打斷那個maricón（譯註：西班牙文，男同性戀者）的兩腿，做得也未免太過火了，老兄。太過火了。」

24

禮拜二大部分都貢獻給一個叫做「追著毛皮跑」的遊戲。

事情是打從我處於做夢與清醒之際開始的。我才剛從一個夢裡醒來，馬上又盹著了，發現自己腦裡開始放起當初和琴在阿姆斯壯酒吧會面的帶子。開頭放的是一段借來的記憶：看著她搭巴士由芝加哥初抵紐約，一手拎著個廉價的手提箱，牛仔外套緊緊夾住肩膀。然後她就坐到我桌旁，手摸脖子，不經意的玩著她毛皮外套頸部的釦子，手上戴的鑽戒閃閃發光。她正在告訴我那是貂皮做的，但她寧可換回原先的牛仔夾克。

整個過程搬演完畢以後，我的腦子又轉向別的地方。我回到哈林區那條巷子，只是這回我的敵人有了幫手。羅伊・華登和前一天晚上那個信差，護在他的左右。我腦子裡清醒的那一部分死命想把他們趕走，甚至有意打個平手，然後突然有個念頭對我尖聲大叫，我登時翻身坐起，夢中影像又匆匆退回我腦裡它們原本的位置。

那是一件不同的夾克。

我沖個澡，刮了鬍子，然後出門。我先搭計程車到琴的公寓，再查一次她的衣櫃。裡頭的兔皮外套——錢斯爲她買的染色兔皮——並不是我在阿姆斯壯酒吧看到的那件。這件較長，毛較飽滿，而且喉部沒有釦鉤。這絕不是她當初穿的那件，不是她形容爲貂皮而且想用來換回她舊牛仔外套的那件。

我印象中的那件，在她公寓的其他地方也遍尋不著。

我又搭計程車趕到中城北區分局，德肯沒在值班。我找來一個警察打電話到他家裡，終於藉由非官方管道拿到檔案。嗯，的確，星河旅館那房間所查獲的物品列過清單，裡頭還眞有一件毛皮外套。我查對檔案裡的照片，可是找不到外套。

地鐵把我載到位處鬧區的警局聯絡中心。我在那裡又和幾個人談過，然後等在一旁——我的要求得通過某些、而又避過另些管道。我輾轉抵達某間辦公室時，發現我得見的那人才剛外出午餐。我身上帶有會議通訊錄，得知不到一條街以外的聖安德魯教堂中午開會，所以我就到那裡消磨了一個鐘頭。之後我到一家客滿的熟食店買個三明治，站著解決午餐。

我回到警局聯絡中心，好不容易終於拿到琴死時穿的那件毛皮外套。我沒法發誓這一定是我在阿姆斯壯酒吧看到的那件，但似乎是和我的記憶相符。我輕撫那華美的毛皮，試著重放當天早上在我腦裡播過的帶子。看來似乎沒錯。這件的長度、顏色都符合，而且也有她那圓潤指頭撥弄過的頸部釦鉤。

襯裡縫上的標籤指出，這是如假包換的貂皮，出品的毛皮商名叫亞文·唐能堡。

唐能堡公司位在西二十九街一棟大樓的三樓，就在毛皮業集中區的正中心。如果我能拿琴的外套過去，事情會好辦許多；但紐約警察企業，不管是官方或非官方的，都只肯到此爲止。我描述外套模樣，但幫助不大，於是我便描述琴的外表。查了銷售紀錄後發現，六個禮拜前琴・達科能買過一件貂皮外套，售貨單上簽有經手店員的名字。他還記得那筆交易。

這名店員圓臉微禿，厚重的鏡片下是雙水濁的藍眼。他說：「高高的女孩，非常漂亮。你知道，我在報上看到這個名字，覺得似曾相識，可是想不起原因。可怕，那麼漂亮的女孩。」

她和一位紳士同去，他回憶道，外套是紳士付的錢。付現，他記得。喔，不，這並不奇怪，至少在皮貨業裡不會。他們零售做的不多，而零買的顧客大部分都是成衣業的人，或是和他們這行相熟的人；不過當然，任何人都可以隨時走進店裡買貨。但大多是現金交易，因爲顧客通常不希望等支票兌現才領到貨；再說，皮大衣往往是買給奢華朋友的奢侈品，顧客當然不希望交易留下任何紀錄。這就說明了爲什麼他們會以現金付款，而且售貨單登記的不是買主的名字，而是琴・達科能小姐。

那次交易連稅總共將近兩千五百元。出外隨身帶著未免嫌多，但也不算新聞。沒多久前，我自己不也幹過？

他能否描述一下那位紳士？店員歎口氣。要描述那女人，他解釋道，可容易多了。他對她印象深刻：她金黃的髮辮盤在頭上，藍色的雙眼清澈發亮。她試穿幾件外套，罩上皮衣顯得雍容華貴，但那男人——

三十八，四十左右，他猜想。還算高，他記得，但感覺沒女的高。

「抱歉，」他說：「我對他印象模糊。如果當時他穿的是皮大衣的話，也許我就能把你想知道的統統告訴你還不止，但——」

「他什麼打扮？」

「西裝，我想，不過我記不清楚了。他是那種會穿西裝的人。只是我想不起他當時的穿著了。」

「再看到他的話，你會認得嗎？」

「在路上碰到，我一定認不出來。」

「要是把他指給你看呢？」

「那我也許認得出，嗯。你是說到警局指認？嗯，我想可以。」

我告訴他，他記得的可能比他想的要多。我問他那人的職業。

「我連他名字都不知道，又怎麼知道他吃的是哪行飯？」

「你的感覺，」我說：「他是修車工人？股票經紀商？還是賣藝的？」

「哦，」他說，然後想想。「也許是會計師。」他說。

「會計師？」

「那類的工作。稅務律師，會計師。我只是在玩猜謎遊戲，你知道——」

「我了解。什麼國籍？」

「美國啊。你什麼意思？」

「英裔，還是愛爾蘭，義大利——」

「喔，」他說：「我懂了，遊戲玩下去。我想是猶太人，義大利人，來自地中海一帶，膚色黝黑。因爲她是那麼北歐型，那麼白，你知道？鮮明的對比。我其實不記得他膚色，但有對比絕對錯不了。也許是希臘，或者西班牙人。」

「上過大學嗎？」

「他沒拿文憑給我看。」

「當然，不過他也許和你或者她講過話。他聽來像上過大學嗎？還是像街頭混混？」

「不像街頭混混。他是個紳士，受過教育的人。」

「結婚了嗎？」

「太太不是她。」

「有太太嗎？」

「他們不全都有嗎？沒結婚的話，用得著買貂皮大衣給女友嗎？他搞不好另外也買了件給太太，討她歡喜。」

「他有沒有戴結婚戒指？」

「不記得有。」他摸摸自己的金指環，「也許有，也許沒有。記不清了。」

他記得的不多，而且我從他口中探知的印象也很有問題。它們有可能與事實相符，但也同樣有可能只是他下意識提供我他認爲我需要的答案而已。我本可一路問下去——「好，你不記得他的鞋子，但你說他那種人會穿哪類鞋子？高級馬靴？一般休閒鞋？科多瓦皮鞋？愛迪達？哪一種？」但我這種問法已經彈性疲乏，得不到多少反應了。我向他道謝後離開。

□

這棟大樓的一樓有家咖啡店，只擺了條長吧台和一排高腳凳，外加個外帶窗口。我捧著咖啡，想過濾一下我得到的資訊。

她交過男友，毫無疑問。有人爲她買了那件外套，數出幾十張百元大鈔，但這筆交易不能記在他的名下。

這名男友有開山刀嗎？是有個問題我漏問了。「來，用用你的想像力。假想這人和那金髮女郎到旅館開房間。假設他想剁她好了。他會用什麼？斧頭？刺刀？開山刀？給我你的感覺就好。」

沒問題。他是會計師，對不？他用的可能是筆，筆尖鋒利如刃，和日本武士手中的劍一樣，可以致人於死命。戳，戳，戳你個夠，婊子。

咖啡不很好喝，但我還是再點一杯。我俯視自己交叉的十指。問題就在這裡：我的手指契合完美，但手中的線索卻不。哪種類型的會計師會掄把開山刀大開殺戒？沒錯，任何人都有可能情緒失控，但怪的是那回失控有過事前準備：旅館房間以假名登記住宿，謀殺案沒有留下半點足以查證凶手身分的痕跡。

這聽來跟買皮衣的像不像同一個人？

我啜飲咖啡，答案是否定的，我想。店員口中的這名男友，跟前一天晚上收到的口信也有差距。穿粗呢格子夾克那人頭腦簡單，四肢發達——雖然他那身肌肉很可能只有展示作用。一個溫文儒雅的會計師會動用到那種肌肉嗎？

不太可能。

那男友和查爾士・歐文・瓊斯會是同一個人嗎？而又爲什麼要用這麼繁複的假名，夾個歐文在中間？會拿史密斯或瓊斯做假姓的人，通常會用喬或約翰之類的常見名字來搭配。查爾士・歐文・瓊斯？

也許他的名字是查爾士・歐文思。也許他本來打算那樣寫，但臨時改變主意，把「思」省掉，再加上個假姓。這樣說得通嗎？

我看說不通。

那混賬旅館櫃台。我突然想到德肯盤問他的方式不對。德肯說過他好像在雲裡霧裡，而且很明顯的是南美人，英文似乎不太靈光。但要在一家高級旅館做接洽客人的工作，他的英文非得流利到某種程度才行。不，問題是沒人給他壓力。如果有人像我對付那皮貨店員一樣對付他的話，他一定會透露點什麼。目擊證人記得的通常都比他們自以爲記得的要多。

□

爲查爾士·歐文·瓊斯辦住宿登記的櫃台人員名叫奧大維·卡得龍。禮拜六他輪晚班，從四點做到半夜。禮拜天下午他請病假。昨天又來一通電話，而在我抵達旅館騷擾副理前一個鐘頭，則打來第三通。卡得龍還在生病。他得再請假一天，也許更久。

我問，他到底是怎麼回事。副理歎口氣，搖搖頭。「不知道，」他說：「他們那種人難得正面回答你的問題。如果想逃避的話，他們的英文會突然變得很差。他們索性就英文、西班牙文夾雜著胡說一通，你也無可奈何。」

「你是說你們雇用英文不通的人來坐櫃台？」

「不，不。卡得龍英文流利。是別人幫他請的假。」他又搖搖頭，「他很膽小，卡得龍。我猜他是想：如果他找個朋友代打的話，我就沒辦法在電話上叫他難堪。當然，他另外也在暗示，他身體差得沒辦法從床上爬起來打電話。打來的那個人，西班牙口音比卡得龍重很多。」

「他昨天打來過嗎？」

「是別人代他打的。」

「跟今天打的是同一個人嗎？」

「我哪知道？電話上聽來，所有的南美人好像都差不多。兩回都是男的。我想是同個聲音，不過我可不敢保證。重要嗎？」

我可不知道。禮拜天呢？那天是卡得龍自己打的電話嗎？

「禮拜天我不在這兒。」

「你有他的電話號碼嗎？」

「那電話在大廳裡，我看響了他也不會去接。」

「我還是要那號碼。」

他把號碼給了我，外加皇后區巴內特大道一個地址。我從沒聽過巴內特大道，只得問副理他知不知道卡得龍住的是皇后區哪個地帶。

「皇后區我什麼都不知道，」他說：「你該不會眞要上那兒吧？」他說得好像我得申請一張護照，而且帶足食物跟水。「因爲我很肯定卡得龍一、兩天以後就會回來上班。」

「你憑什麼那麼肯定？」

「這是個肥缺，」他說：「如果他不馬上回來的話，工作就丟了。這點他很淸楚。」

「他的出勤紀錄怎麼樣？」

「非常好。而且我敢說他生這病絕對合法。可能是那種要發三天才會好的病毒，最近很多人都傳染到。」

□

我直接從星河旅館的大廳打公共電話到卡得龍住的地方。鈴響了很久，九或十下，才有個講西班牙文的女人來接。我請她找奧大維·卡得龍。

「No está aquí。」她告訴我。他不在這裡。

我試著用西班牙文造問句。Es enfermo?他生病了嗎?我不知道這樣講她懂不懂。她回答時用的西班牙文和我在紐約聽到的波多黎各口音大相逕庭，而當她想配合我講英文時，她不只口音過重，字彙也嚴重缺乏。No está aquí，她不斷的說，而這是她說的話裡我唯一聽得懂的一句。No está aquí。他不在這裡。

我回到我的旅館。我房裡有本紐約五區的袖珍地圖，我在皇后區的目錄查到巴內特大道，翻到正確那頁仔細搜尋。找到了，是在伍賽德一帶。我詳細研究地圖，搞不懂爲什麼一個拉丁美洲人集居的出租公寓會設在愛爾蘭人集中的地帶。

巴內特大道只延伸了十到十二條街，由東從四十三街，往西到伍賽德大道。搭地鐵的話不只一個選擇。我可以搭獨立路線的E或F線，或者是IRT法拉盛線。

要是我眞想去那兒的話。

我從我房間再打一通過去。電話又一次響了很久，這回是個男的來接。我說：「請找奧大維・卡得龍。」

「Momento——」他說等一下。然後就傳來啪一聲重擊，好像是話筒給他拋下後撞到牆上的聲音。之後除了隱約聽到收音機播放的拉丁美洲新聞廣播以外，什麼聲音也沒有。他回到線上時，我正想著要掛上話筒。

「No está aquí。」他說。在我還沒來得及用任何語言接腔前，他已經掛斷。

我再看一次那本袖珍地圖，心想伍賽德這趟眞是非跑不可嗎?當時已是交通巔峰時間，如果執意要去的話，就得一路站到那裡。而這樣做，就眞能完成什麼大事嗎？我可以想像自己跟沙丁魚擠罐頭一樣，給硬塞在地鐵車廂裡頭，爲的就是要讓人家當面跟我說No está aquí。何苦來哉？他不是在吸迷幻藥度假，就是眞的病倒了。不管何者爲眞，我都沒機會從他口中探出什麼。而就算我眞的把他找到，頂多也只是招來一句No está aquí的代替品：No lo se。我不知道，他不在這裡，我不知道，他不在這裡——

搞屁。

喬・德肯禮拜六晚上盤問過卡得龍，當時我正到處跟一堆寄生蟲和無賴漢放話找人。也就是那天晚上，我從搶匪身上攫走一把槍；而桑妮・韓德瑞則混著伏特加和柳橙汁，吞下大量安眠藥。

就在那第二天，卡得龍打電話請病假。再過一天，一個穿粗呢格子夾克的男子跟蹤我進出戒酒聚會，而且警告我不許再查琴・達科能的案子。

電話鈴響了，是錢斯。他留過口信。顯然他沒耐性等我回電。

「只是好奇，」他說：「有眉目了嗎？」

「應該有。昨晚收到警告。」

「什麼樣的警告？」

「有個傢伙要我別惹麻煩。」

「確定他是指琴？」

「確定。」

「你認識那人？」

「不認識。」

「你打算怎麼辦？」

「伍賽德？」

我笑起來，「我打算自找麻煩，」我說：「在伍賽德一帶。」

「在皇后區。」

「我知道伍賽德在哪裡，老兄。伍賽德發生了什麼事？」

我決定不深談此事，「也許沒事，」我說：「我希望能夠省了這趟，可是不行。琴有個男友。」

「在伍賽德？」

「錯，伍賽德是另一碼子事。不過她有男友絕對錯不了。他爲她買了件貂皮外套。」

他歎口氣，「我跟你提過，那只是染色的兔皮。」

「染色的兔皮我曉得，還擺在她衣櫃裡。」

「那幹嘛又提貂皮？」

「她另外還有一件短外套，貂皮做的。我頭一次和她碰面時，她就穿著。後來她到星河旅館被殺時，身上也是那件。衣服目前擺在警察聯絡中心一個寄物櫃裡頭。」

「擺那兒幹嘛？」

「那是證物。」

「證明什麼？」

「沒人知道。我找到外套，追查來源，跟當初賣給她的人談過。紀錄上她是買主，她的名字寫在售貨單上，但當時有個男的跟她一道，是他付錢買的。」

「多少錢？」

「兩千五。」

他沉吟一下，「也許她藏私房錢，」他說：「要做不難，一個禮拜兩百塊，你知道她們偶爾藏私。我很難發現。」

「是那男的付錢，錢斯。」

「也許是她給錢讓他付的。就像到餐廳吃飯，有些女的會偷塞些錢給男的去付帳，免得難看。」

「怎麼你就是不肯承認她有男友？」

「媽的，」他說：「我才不在乎這個，隨便怎樣都可以。我只是很難相信，如此而已。」

我沒再多說。

「也許是嫖客，不是男友。有時候客人想要假裝自己交情不同，可以不用付錢，買禮物就好。也許他就是這種客人，所以她才會纏著他買皮外套。」

「也許。」

「你認為他是男朋友？」

「我是這麼想，沒錯。」

「是他殺了她？」

「我不知道是誰殺了她。」

「殺她那個人要你放掉這個案子。」

「不知道，」我說：「也許這男友跟謀殺案一點關係也沒有。也許是個瘋子幹的，跟警察希望的一樣，而且也許這男友只是不想給扯進什麼撈什子的調查而已。」

「他沒幹，而且他也不想惹身腥，你是這意思？」

「差不多。」

「不知道，老兄。也許你該放手。」

「不再調查？」

「也許。一通警告，媽的，你可不想為這個送命吧。」

「不，」我說：「我不想。」

「那你打算怎麼辦？」

「目前我打算搭車去皇后區。」

「去伍賽德。」

「對。」

「我可以把車開來，載你過去。」

「搭地鐵我無所謂。」

「開車比較快。我可以戴我那頂司機帽，你就坐後頭好了。」

「改天吧。」

「隨你，」他說：「辦完以後來個電話，好吧？」

「當然。」

□

結果我是搭法拉盛線到羅斯福大道和五十二街交口的那站。火車離開曼哈頓以後，就開到地上。因爲搞不清自己人在哪裡，我差點錯過站牌。月台上寫的站名被人塗鴉塗得一塌糊塗，根本無法辨認。

一段鋼製階梯把我帶回地面。我查對那本袖珍地圖，弄清方向後，便往巴內特大道走去。我才沒走多久，就已經知道爲什麼一棟拉丁美洲人的出租公寓會跑到伍賽德來。這一帶不再是愛爾蘭人集中區了。雖然還有少數幾個地方取名叫翡翠酒鋪，或者酢漿草（譯註：愛爾蘭國花），但大部分招牌寫的都是西班牙文，而大部分商店也是傳統的西班牙式雜貨鋪。一家叫做泰拉的旅行社，櫥窗貼了好幾張海報：他們提供包機飛往波哥大和加拉卡斯。

奧大維·卡得龍住的地方是幢陰暗的兩層樓木造屋，有個前廊，上頭並排著五、六張塑膠靠背椅，另外倒放了一只木條箱，上頭擺了些雜誌和報紙。椅子全空著，這一點也不奇怪：現在坐前廊嫌太冷了點。

我按一聲門鈴。沒動靜。我聽到裡頭有人談話，還有幾台收音機在播節目。我又按一次門鈴，一名矮壯的中年女人出來應門。「什麼事？」她一臉狐疑的用西班牙文問道。

「請找奧大維·卡得龍，」我說。

「No está aquí。」

她有可能是我頭一回打來時接電話的女人。很難說，而且不重要。我站在那兒透過紗門講話，西班牙文和英文夾雜著想和她溝通。她聽一會兒就走開了，帶來一個兩頰深陷的高瘦男子，兩撇八字鬍修剪得一本正經。他說英文，我告訴他我想看看卡得龍的房間。

但卡得龍不在那兒，他告訴我。

「No me importa。」我說沒關係。我還是想看他房間。但那兒沒什麼好看的，他回答道，一臉疑惑。卡得龍不在那兒，去看他房間我能有什麼收獲？

他們並非拒絕合作，甚至也不是不情願。他們只不過覺得沒有必要。等搞清楚唯一能趕走我的辦法——也是最簡單的辦法——就是帶我到卡得龍的房間，他們立刻做了明智的決定。我跟著那女人穿過一條走廊，經過廚房，到了一個樓梯口。我們爬上樓，又穿過一條走廊。她沒敲就逕自打開一扇門，站在一邊，示意要我進去。

鋪上油布的地板，擺了個光禿禿床墊的舊鐵床，金黃楓木製的五斗櫃，搭配著摺疊椅的小寫字枱。房間另一頭靠窗的地方是張套上花布的安樂椅。五斗櫃上擺了個花色紙罩枱燈，天花板正中有個燈插懸下兩只光禿禿的燈泡。

房裡就這麼些東西。

「Entiende usted ahora? No está aquí。」（西文：你現在知道了吧？他不在這裡。）

我機械化的，反射動作似的展開搜查。房間眞是空得不能再空了。小衣櫥裡除了幾個鐵衣架以外，什麼也沒有。金黃色的五斗櫃和寫字枱裡唯一的抽屜也都空空如也。這些抽屜的角落全都給清得一乾二淨。

由兩頰深陷的男子充當翻譯，我開始盤問起那女人。不管用哪種語言，她都無法令人滿意。她不知道卡得龍什麼時候走的。禮拜天或者禮拜一，她想。她禮拜一進他房間打掃，才發現他已經把他所有的東西搬走，什麼也沒留。理所當然，她認爲他是已經退租。他跟她所有的房客一樣，按週預付房租。他其實還可以再住兩天，但顯然他已經有別的地方可去，哦不，他走前沒通知她一點也不奇怪。房客有時是會這樣，就算他們沒有拖欠房租。她跟她女兒已經把房間徹底打掃乾淨，現在隨時可以租給別人。房間不會空太久的，她的房間一向租得很快。

卡得龍是不是好房客？是，很好哇，不過她跟房客一向沒有問題。她只租給哥倫比亞、巴拿馬，和厄瓜多爾人，而且跟他們從來沒出過問題。有時候因爲移民局的關係，他們得立刻搬走。也許卡得龍就是爲了這個才不告而別。不過這不干她的事，她只負責淸好他的房間，然後把它租給別人。

卡得龍不會惹上移民局的痲煩，我知道。他不是非法居留，要不他也不會在星河旅館工作。大旅館不可能雇用沒有綠卡的外國人。

他是爲了別的原因才匆匆離開。

我花了大約一個小時詢問其他房客。綜合得來的資料一點幫助也沒有。他有事都藏在心裡，是個安靜的年輕人。他工作的時間不太正常，往往和其他房客錯開。就大家所知，他沒有女朋友。他住在巴內特大道的八個月期間，沒有過半名訪客，不管是男是女，此外找他的電話也很少。在搬到巴內特大道以前，他住過紐約別的地方，但沒有人知道他以前的地址，也不曉得是不是在皇后區。

他吸不吸毒？跟我談過的每個人都被這問題嚇到。我看這肥壯的女房東一定是管理嚴格。她的房客全有固定工作，而且生活嚴謹不苟。如果卡得龍吸食大麻，有個房客跟我保證說，他一定不是在他房裡吸的。要不房東早就聞到味道，勒令他搬家了。

「也許他想家，」有個暗色眼睛的年輕人提議道：「也許他飛回卡達黑納去了。」

「他是那裡人？」

「他是哥倫比亞人，記得他提過卡達黑納。」

搞半天我一個小時就得知這麼多：奧大維·卡得龍來自卡達黑納。而這點可也沒人敢畫押擔保。

25

我到伍賽德大道上的當肯甜甜圈店打電話給德肯。他們沒有電話亭，只在牆上裝了個公共電話。離我幾呎遠的地方有兩個小孩在打電動玩具，另外有個人則在聽一個書包大小的手提收音機上播放的迪斯可音樂。我用手把話筒拿起來，告訴德肯我的最新發現。

「我可以發張緝捕令。奧大維·卡得龍，男性，哥倫比亞人，二十出頭。他多高？大概五呎七吧？」

「我從沒見過他。」

「對，你是沒有。我可以要旅館的人描述一下。你確定他不見了，史卡德？我兩天前才找他談過。」

「禮拜六晚上。」

「我想沒錯。對，在韓德瑞自殺以前。對。」

「那案子還算是自殺？」

「有什麼理由不該是嗎？」

「還沒想到。你禮拜六晚上跟卡得龍談過，之後就沒有人看過他了。」

「我對很多人都有這種影響力。」

「他給什麼嚇著了。你看是你嗎？」

他說了什麼，但餐廳太吵我聽不清楚。我要他再說一次。

「我問他話時，他好像不很專心。我以為他吃了迷幻藥。」

「他鄰居都說他不會亂來。」

「是啊，是個安靜的好男孩。就是這種人才會突然發起癲來，把全家都殺掉。你在哪兒打的電話？吵翻天了。」

「伍賽德大道一家甜甜圈店。」

「你就不能找個安靜的保齡球館嗎？你看卡得龍怎麼樣？死了嗎？」

「他走前把所有的東西都打包好，而且還有人幫他打電話請病假。想殺他的話，需要這麼麻煩嗎？」

「代請病假聽來像是要讓他先起步：追殺他以前，先讓他跑個幾哩路。」

「有道理。」

「也許他回家去了，」德肯說：「他們老愛回家，你知道。現在時代不同了。我祖父母來這兒以後，除了酒鋪拿來的月曆上，就從來沒再看過愛爾蘭。這些混賬傢伙每個月都飛一趟家，回來時還帶兩隻雞，外加一個混賬親戚。當然，我的祖父母有工作，也許不同就在這裡。他們沒法領救濟金環遊世界。」

「卡得龍有工作。」

「哼，算他有吧，那個小混蛋。也許我該查查過去三天飛出甘迺迪機場的班機。他是哪裡人？」

「有人說是卡達黑納。」

「那是什麼，城市嗎？還是哪個島？」

「我想是個城市，應該在巴拿馬或者哥倫比亞或者厄瓜多爾，要不她不可能租房間給他。我想是在哥倫比亞。」

「太平洋上之寶。如果他眞回家去了，請病假的事也有了解釋。他要別人代打電話，免得回來時丟掉工作。他總不能每天下午從卡達黑納打來。」

「那他爲什麼要清出房間？」

「也許他不喜歡那裡。也許是害蟲驅除業者駕到，把他寵愛的蟑螂統統殺光。也許他欠繳房租，乾脆溜之大吉。」

「她說沒有。他已經預付了這個禮拜。」

他沉默一會兒，然後很不情願的說：「有人嚇到他，所以他跑了。」

「看來是這樣，對不？」

「恐怕沒錯。不過我想他八成還在紐約。我看他頂多就是搬到地鐵一站遠的地方，換個名字，租下另一個有傢俱的房間。紐約五個區裡有差不多五十萬個非法移民，他不需要土遁的本領也能藏得讓我們找不著。」

「搞不好會不小心撞上。」

「總有這個可能。我會先查太平間，然後看看航空公司。如果他死了，或者人在國外，咱們就穩操勝算。」他笑起來，我問他什麼那麼好笑。「如果他死了，或者人在國外，」他說：「他對咱們就沒多大用處了，對不？」

□

回曼哈頓的地鐵糟透了，內部給破壞得面目全非。我坐在一角，竭力想趕走一波波襲來的絕望。我的生命是塊浮冰，碎裂在海上，不同的碎片朝不同的方向漂去，永遠沒有復合的希望──不管我是否在辦這案子。一切都沒有意義，沒有目的，而且沒有希望。

無人願意爲我一擲千金。無人願意與我共結連理。無人願意救我一命。

……美好時光已成過去。

八百萬種死法，而這其中也提供了自助者衆多選擇。地鐵雖然有講不完的缺失，但只要你把自己丟上鐵軌，被壓死大致是不成問題。更何況這城裡還有數不盡的橋樑和高窗，販賣刮鬍刀片和曬衣繩和藥片的店鋪更是二十四小時全天營業。

我梳妝台的抽屜擺了把點三二手槍，而我旅館房間的窗戶離人行道也遠得絕對可以把人摔死。但我從沒試過那種事情，冥冥中也知道自己永遠不會。我不是過於害怕，就是太過頑固，又或許是我的絕望從沒像我想的那麼徹底。似乎總有個什麼讓我再走下去。

當然如果喝酒的話，一切都將失控。記得有次參加聚會，一個男的講到他在布魯克林大橋上恢復意識的經驗。腦子恢復清醒的那一刹那，他發現自己已翻過欄杆，一脚懸空。他把脚抽回，翻身爬下欄杆倉皇逃開。

假如他晚一秒鐘清醒，兩脚都已懸空——

□

如果喝酒的話，我會比較好過。

我無法趕開這個念頭。更糟的是我知道這是事實。我難過到極點，而如果我能喝上一杯，這種痛苦就會消失。以後我一定會後悔，以後我還是會覺得人生乏味。但那又怎麼樣？以後我們反正都會死掉。

我想起聚會時聽來的一件事，是聖保羅教堂一個常客瑪麗說的。她身輕如燕，講話細聲細氣，總是打扮得非常齊整。我聽她做過一次見證，顯然她曾經差點淪爲流落街頭的乞丐。

有個晚上，她站在台上說：「知道嗎？我有個很棒的發現：人活著，不是非得覺得好過不可。誰規定我有快樂的義務？以前我老以為：如果我覺得緊張或者焦慮或者不快樂，我就非得想個法子解決不可。但我學到這不是事實。負面的感覺害不死我。酒精可能害死我，但我的感覺不會。」

火車駛入隧道。在它墜到地平面以下時，所有的亮光都暫時熄滅，然後光又出現。我可以聽到瑪麗一個字一個字講得非常清楚。我可以看到她講話時，她骨骼優美的手交疊安放在她懷中。

奇怪腦裡會閃過這個畫面。踏出位在哥倫布圓環的地鐵車站時，我還是有喝酒的欲望。我經過兩家酒吧，走去參加聚會。

□

演講人是個高大結實的愛爾蘭人，住在灣脊區。他看來像警察，結果發現他還眞當過，幹了二十年後退休，除了領退休金以外，還做警衛貼補家用。喝酒從沒影響到他的工作或者婚姻，但多年以後，酒精開始戕害他的身體。他能力減退，宿醉日益嚴重，有個醫生告訴他，他得了肝腫大。

「他告訴我，酒精在威脅我的生命，」他說：「啐，我又不是什麼流浪漢，不是要死不活的醉鬼，也不是非得靠喝酒才能振作的可憐蟲。我不過是你們最常見的那種樂天派，下班後愛喝一杯，坐在電視前習慣來個半打啤酒。好，如果酒會害死我，那就去他的吧，對不？我當時走出那醫生的辦公室，決定戒酒。八年以後我終於做到。」

有個醉漢不停的打斷他的見證。這人穿著體面，不像想惹麻煩的樣子。他似乎只是沒法靜下來聽。等他發作五、六次以後，兩名會員把他護送出去，聚會繼續進行。

我想到我也曾在失去意識時跑來參加聚會。老天，我當時也是那副德行嗎？

我沒法專心聽講。我想到奧大維·卡得龍，我想到桑妮·韓德瑞，我想到我幾乎一無所成。我打從一開始就老慢了半拍。我本可以在桑妮自殺前見她一面。她或許還是會死，我大可不必為她的自毀傾向負責，但我至少能夠從她口中探知一些消息。

而我在卡得龍遁逃以前，也該找到他問話。我頭一回到旅館便找過他。他當時不在，我竟然就此忘得一乾二淨。也許我套不出他話，但至少我可能警覺到他有事隱瞞。我一直要等到他收拾行李，逃之夭夭以後，才想到此人值得一查。

我總是抓不準時機。我總是慢了一天，少了一塊。我突然悟到：不是只有辦這案子我才這樣子。這根本是我的生命寫照。

可憐的我，可憐的我，給可憐的我一杯好嗎？

討論時間，一個叫葛莉絲的女人說這天是她的戒酒兩週年紀念，贏來不少掌聲。我為她鼓掌，而掌聲稀落下來以後，我數一數才發現今天是我的第七天。如果我醒著腦上床，我就滿了七天。

我上回喝酒前到底戒了幾天？八天嗎？

也許我可以打破那個紀錄。但也許不行，也許我明天就會開戒。

至少今晚不會。我今晚沒有問題。我現在不比聚會之前好過，我對自己的評價當然也沒提高。計分板上所有的數字全部一樣，以前我會爲此慶功喝上一杯，但現在不會。

我不知道原因。但我知道目前自己還算安全。

26

櫃台有個口信要我打電話給丹尼男孩。我撥了留言條上的號碼，接聽的人說：「普根酒吧。」我說要找丹尼男孩，一直等到他來線上。

他說：「馬修，我看你該來這兒一趟，讓我請你喝杯薑汁汽水。我看你該這麼辦。」

「現在？」

「還有更好的時間嗎？」

我才踏出門，馬上轉身上樓回房裡，從我梳妝台的抽屜拿出點三二手槍。我倒也不是眞以爲丹尼男孩會設計害我，但我可不想把小命賭在上頭。無論如何，天曉得會有誰混在普根酒吧喝酒。

我昨晚就接到警告，卻一直置之不理。而給我丹尼男孩口信的職員主動表示，另外有幾個人打來，但拒絕留名。他們也許是穿粗呢格子夾克那人的朋友，好心想告訴我「識時務者爲俊傑」。

我把槍丟進口袋，揮手叫輛計程車。

□

丹尼男孩堅持由他請客，他自己點伏特加，爲我點了薑汁汽水。他看來跟往常一樣光鮮，而且上回碰頭以後，他又上過理髮廳。他服貼的鬈髮比上回更貼近頭皮，修剪過的指甲塗上一層透明的亮光指甲油。

他說：「我有兩樣東西給你。一個口信，外加一個意見。」

「哦？」

「先說口信。是個警告。」

「我已經猜到。」

「你最好把琴・達科能忘掉。」

「否則怎樣？」

「否則怎樣？否則要你好看，我想。否則你跟她下場一樣，類似這樣。怎麼？你非得講明是哪種警告，才能做最後決定？」

「是誰發的警告，丹尼？」

「不知道。」

「跟你講話的是啥？鬼魔附身不成？」

他喝掉一些伏特加，「某甲跟某乙講，某乙跟某丙講，某丙再跟我講。」

「挺迂迴曲折的。」

「可不是嗎?我可以告訴你跟我講話的是誰,可是我不幹,因爲我不來這套。而且就算我說了,對你也沒好處,因爲你可能找不到他,再說就算找到了,他也不會跟你講話,同時還可能有人要把你做掉。再來一杯薑汁汽水?」

「這杯還剩大半呢。」

「的確。我不知道警告打哪兒來的,馬修,不過看他們用的信差,我想應該是什麼重量級人物。而且有趣的是,達科能除了跟咱們的朋友錢斯以外,沒跟別人一塊兒出現在公共場合過——這可是我千辛萬苦幫你打聽來的。我說如果她男友眞有多大份量,他應該會帶著她四處招搖,對不?有何不可?」

我點點頭。同理可問:她爲什麼還需要靠我擺脫錢斯的控制?

「總之,」他又說:「口信就是這樣。要聽意見嗎?」

「當然。」

「意見是,我認爲你該聽從警告。不是我老得太快,就是這個城在過去幾年裡變得太壞。大家扣扳機的速度好像比以前要快。他們以前殺人總還需要找個理由。你懂我意思?」

「懂。」

「除非有理由不動手,要不他們會放手去幹。他們寧可濫殺,這已經是反射動作。老實跟你說,我很害怕。」

「誰都會怕。」

「前幾個晚上你在城北出了點事對吧？這該不是誰瞎編的吧？」

「你聽到什麼？」

「說是有個兄弟在暗巷偷襲你，結果自己被打得遍體鱗傷。」

「消息傳得挺快。」

「本來就是這樣。當然，小小的龐克族吸食迷人的海洛因，還不是這城裡最危險的事。」

「他攻擊我是因爲吸了毒？」

「那種人渣不全都這樣？不知道。我只管重要的事。」他啜口伏特加來強調這句話的重要性。

「關於達科能，」他說：「我可以幫你帶個口信回去。」

「什麼樣的口信？」

「說你願意放手。」

「這樣講可能有問題，丹尼男孩。」

「馬修——」

「你記得傑克·班尼嗎？」

「我記得傑克·班尼嗎？我當然記得傑克·班尼。」

「記得他表演那個搶匪的笑話吧？人家說：『要錢還是要命？』然後中間停了好久，眞是久，然後班尼說：『我得慢慢考慮。』」

「你就這個回答？你得慢慢考慮？」

「我就這個回答。」

□

外頭七十二街上，我站在一家文具店門口的陰影下，等著看有沒有人跟我走出普根酒吧。我在那兒站了整整有五分鐘，一邊想著丹尼男孩的話。我站那兒的時候，有幾個人離開普根酒吧，但他們看來不像我得擔心的人物。

我走到路沿要叫計程車，然後又決定乾脆走半條街到哥倫布大道，招輛順道的計程車。到了轉角，我想想夜色不錯，我又不趕，沿途慢慢穿過十五條街走下哥倫布大道對我也許會有好處，讓我比較容易入睡。我過街往城中方向走去。還沒到下一條街，我發現我的手已經伸進外套口袋，緊緊握著那把小槍。

好笑。又沒人跟蹤我，我他媽的怕個什麼？

只是空氣裡的某種什麼。

我繼續走下去，展示我禮拜六晚上從沒秀過的各種街頭求生技能。我走人行道靠路沿的那邊，和建築物跟門廊保持一定距離。我東張西望，偶爾轉頭瞧瞧是不是有人尾隨在後。我一直抓著手槍，手指輕輕擱在扳機旁邊。

我穿越百老匯大道，經過林肯中心和歐尼爾店，走到六十和六十一街之間的路上，對面是福德西服店。此刻我聽到後頭有車，馬上來個急轉身。那車斜橫過寬廣的大路朝我開來，差點撞上一輛計程車。也許我聽到的是他煞車的聲音，也許我是爲此轉身。

我把自己摔到人行道上，從街邊滾向建築，抽出那把點三二手槍。車子到現在還在跟著我，輪子已經打直。我本以爲那車有意躍上人行道，結果沒有。而車窗全是開的，有人從後車窗探身出來，看著我的方向，他手裡有個什麼東西——

我把槍指向他。我俯臥在地，手肘撐在前方，兩手握槍，手指已經碰上扳機。

從窗內探身出來的男子偷偷扔出個東西。我在想，老天，是炸彈，於是便瞄準他，感覺到指尖下的扳機，感覺到它像什麼活物一樣在抖顫，而我卻僵住了，僵住了，我沒辦法扣動他媽的扳機。

時間也僵住了，就像影片裡停格的一幕。離我八到十碼的地方，一只瓶子撞上一棟建築的磚牆，啪啪擊碎。除了玻璃的碎裂聲外，沒有聽到任何爆炸。只是一只空瓶子。

而那車也只是一輛普通車。我看著它繼續往南在第九大道上蛇行而去，裡頭坐著六個小鬼，六個醉醺醺的小鬼，他們很可能會害死某人，他們已經醉到那個程度，不過到時候殺了人也只是意外。他們不是職業殺手，不是給人雇來宰我的槍手。他們只是一夥喝過頭的孩子。也許他們會害某人終身殘廢，也許他們會毀了那輛車，也許他們會平安到家——連個擋泥板也沒折損。

我慢慢起身，看著手中的槍。感謝上帝我沒動槍。我差點開火，我差點奪了幾條人命。

老天作證，我眞有此打算。我努力試過——因爲推算他們想要殺我。但我做不出來。假如那夥人眞是殺手，假如我看到的那東西不是威士忌酒瓶，而眞是我當時以爲的手槍或者炸彈，我也還是不會扣動扳機。他們會殺了我，而我則會捧著把沒開火的左輪死在那裡。

耶穌基督。

我把那無用的槍扔回口袋。我攤開手，奇怪它竟然沒抖。我連體內也沒特別在抖，他媽的天知道爲什麼。

我走過去檢查破瓶，大概是想確定那眞的只是破瓶，而不是神明保佑下沒爆的汽油彈。我沒看到一灘液體，也沒聞到汽油味道。只有一絲絲威士忌味——不排除只是我的想像，另外有片玻璃上的標籤說明瓶裡裝的是J&B蘇格蘭威士忌。滿地的綠色玻璃碎片在街燈的照耀下，如寶石般閃閃發光。

我彎腰拾起一方玻璃，把它擺在掌心，像吉普賽人注視水晶球一樣瞪視著它。我想到唐娜的詩和桑妮的紙條和我不祥的預感。

我開始走路。這是我唯一能控制自己不跑的辦法。

27

「耶穌基督，我得刮個臉。」德肯說。他才剛把他抽剩的香煙丟進喝剩的咖啡，一手摩搓著他頰上的鬍樁。「我得刮個臉，我得沖個澡，我得喝一杯。不過不一定要照這個順序。我發了張全國通緝令追捕你的哥倫比亞小朋友。奧大維・伊那丘・卡得龍・拉巴拉。名字比人還長。我查過太平間，他們的屍庫裡沒有他——還沒有。」

他打開他書桌的頂層抽屜，拿出一面金屬刮鬍用鏡和一把電動刮鬍刀。他把鏡子架在他的空咖啡杯前，把臉對好位置，然後開始刮鬍子。在電動刮鬍刀的嗡嗡聲中他說：「她檔案裡沒看到有什麼戒指。」

「我看看行嗎？」

「請便。」

我查對遺物清單，知道戒指不會列在上頭。然後我又翻閱兇殺現場的照片，盡量只看她的雙手。我詳細看過每張照片，找不到她戴有戒指的任何跡象。

我把結論告訴德肯。他關掉電動刮鬍刀，伸手拿起照片，一張張愼重的看。「有些照片很難看到她的手，」他抱怨道：「好吧，那隻手上絕對沒有戒指。那是什麼，左手嗎？左手沒戴戒指。現在這張，嗯，這隻手上絕對沒有戒指，等等，我操，又是左手。這張不太清楚。好，瞧瞧這個，這絕對是她的右手，也沒戒指。」他把照片收攏起來，好像準備洗牌、發牌。「沒有戒指，」他說：「這又證明了什麼？」

「我跟她碰面時，她戴著戒指。兩回碰面都一樣。」

「然後呢？」

「然後戒指不見了——不在她的公寓。她的珠寶盒裡有枚班級紀念戒指，但那不是我印象裡在她手上看到的那枚。」

「也許是你記錯了。」

我搖搖頭，「紀念戒指連個寶石都沒鑲。我來這兒以前去過那兒，只是想確定我沒搞錯。那是枚典型的班級戒指，模樣很蠢，刻字太多，不是我看過的那枚。她穿著貂皮，塗著酒紅色的蔻丹，怎麼可能配上一枚土戒指。」

我不是唯一這麼說的人。我從碎玻璃得到啓示以後，就直接跑到琴的公寓，用她的電話打給唐娜・康萍。「我是馬修・史卡德，」我說：「我知道現在很晚，但我想問你有關你的幾行詩。」

她說：「哪幾行？什麼詩？」

「你那首關於琴的詩，你給了我一份。」

「喔，對。給我一分鐘就好，行嗎？我還昏昏沉沉的。」

「抱歉這麼晚打來，但——」

「沒關係。哪幾行？」

「擊碎酒瓶／置於她脚旁，讓青綠的玻璃／在她手中閃舞。」

「『閃舞』這個字眼不對。」

「我手上就有這首詩，上頭說——」

「噢，我知道我是那樣寫，」她說：「但寫得不對，我想得改才行。你有什麼問題？」

「你青綠的玻璃是哪來的靈感？」

「打碎的酒瓶啊。」

「爲什麼青綠的玻璃會在她手上？指的是什麼？」

「噢，」她說：「噢，我懂你意思了，她的戒指。」

「她有一枚綠寶石戒指，對不對？」

「沒錯。」

「戒指跟她有多久了？」

「不知道。」她想一想，「我頭一回看到是在寫詩前不久。」

「你確定？」

「至少那是我頭一回注意到。事實上，正是戒指給了我寫詩的靈感。她眼睛的藍和戒指的綠構成鮮明的對比，但我動手寫詩的時候卻忘了那藍。」

她第一次拿詩給我看的時候，就說過類似的話，只是當時我沒聽懂。

她不確定那大概是什麼時候。這詩她塗塗改改到底搞了多久？是琴被害前一個月開始的嗎？還是兩個月？

「不曉得，」她說：「什麼事情發生在什麼時候，我永遠兜不到一塊。我沒有記時間的習慣。」

「不過你記得那戒指鑲的是綠寶石。」

「嗯，對。我印象深刻。」

「你知道戒指怎麼來的？是誰送的？」

「戒指的事我什麼都不曉得，」她說：「也許——」

「請講。」

「也許她打破了個酒瓶。」

□

我對德肯說：「琴有個朋友寫首詩，提到那只戒指。另外還有桑妮·韓德瑞的自殺留言。」我取出筆記本，啪一下翻開。我讀道：「『瘋狂世界無路可逃。她攫住銅環，結果手指變綠。無人願意爲我一擲千金。』」

他拿走我手上的本子，「她指的是達科能，我猜，」他說：「下頭還有。『無人願意與我共結連理。無人願意救我一命。』達科能和桑妮都沒結婚，這是事實，而且兩人的命的確也都沒人救到。」他砰一聲闔上本子，越過桌子遞還給我。「可我搞不懂拿著這個你能查出什麼名堂，」他說：「我看是變不出什麼花樣。天曉得這是韓德瑞啥時寫的？搞不好是酒精和藥片開始起了作用以後，腦子根本就不是她的。」

我們身後，兩名便衣警察正把一個白人小孩關入禁閉室內。隔張桌子，一名臭著臉的黑人婦女則在回答問話。我拿起那疊照片最上頭的一張，看著琴·達科能慘遭屠害的身體。德肯打開電動刮鬍刀，刮完鬍子。

「我不懂的是，」他說：「你自以為握有重要線索：你認為她有男友，而他給了她那只戒指。這算什麼？你以前就推算過，她有男友，而他給了她那件貂皮外套；然後你就循線追查，好像還眞有什麼搞頭，但結果外套沒有引出男友，因為他沒留下姓名。如果拿著一件在我們手上的外套你都找不到他，那拿著一枚我們只知道不在我們手上的戒指，你又能玩出什麼花樣？你懂我意思？」

「我懂你意思。」

「福爾摩斯說，不吠的狗是線索。不過你手頭上有的只是一枚行蹤不明的戒指，這能有個屁用？」

「它不見了。」

「對。」

「它跑哪兒去了？」

「跟浴缸塞環跑同一個地方，沖進他媽的排水管去了。我怎麼知道它跑哪兒了？」

「它消失了。」

「那又怎麼樣？不是它自己跑掉，就是有人拿走。」

「誰？」

「我怎麼知道是誰？」

「假設說她把它戴到她被害的那家旅館。」

「你怎麼知道？」

「咱們先假設這樣，行嗎？」

「好吧，姑且說說看。」

「是誰拿的？哪個條子從她手上拔下來的不成？」

「不對，」他說：「沒有人會那麼做。散置的現金自然有人拿，這點我們都曉得，但謀殺案受害者手上的戒指？」他搖搖頭，「再說，沒人跟她單獨一起過。這種事沒有人會在有旁人看的時候做。」

「女僕呢？發現屍體的那個？」

「天老爺，不可能。我問過那個可憐的女人。她只看一眼屍體就呼爹喊娘的，如果她力氣夠的話，我看她到現在還會尖叫。要她拿支拖把柄去碰達科能，她都嫌太近了。」

「是誰拿走戒指的？」

「假設她戴去那兒的話——」

「對。」

「應該是凶手拿的。」

「爲什麼？」

「也許他酷愛珠寶，也許他偏愛綠色。」

「講下去。」

「也許戒指値錢。這傢伙殺人不眨眼，道德水準顯然不高。他可能覺得偷東西也沒什麼大不了的。」

「她錢包裡的幾百塊他都沒動，喬。」

「也許他沒時間翻她的包包。」

「他有時間沖澡欸，老弟。他當然有時間翻她錢包。事實上，我們不知道他有翻沒翻。我們只知道他沒拿錢。」

「那又怎麼樣？」

「但他拿了戒指。他有時間抓住她血淋淋的手，硬把戒指摳下來。」

「也許拔下來不難，也許戒指不合手。」

「他爲什麼要拿？」

「想送他妹妹。」

「有更好的理由嗎？」

「沒有，」他說：「沒有，去他爺爺的，我沒有更好的理由。你到底想講什麼？他擔心戒指洩漏他的身分？」

「說得通吧？」

「那他爲什麼不拿走貂皮？我們他媽的知道那貂皮是她男友買的。也許他沒用他名字，但他怎能確定他沒說溜嘴，而且天知道店員記得多少？拜託一下好不好，他連毛巾都拿走了，就怕留下半根陰毛給人逮到，他會故意留下貂皮做證據？現在你又說他拿走戒指。這戒指我看是左外野憑空飛來的吧？我過去兩個半禮拜裡一次也沒聽說過它，今晚憑什麼非聽不可？」

我啥也沒說。他拾掇起他的煙盒，看我一眼。我搖搖頭。他便逕自點上一根，猛抽了口，噴出一圈煙霧，然後伸手摸頭，撫平原已服貼在他頭皮上的暗色頭髮。

他說：「有可能上頭刻了字。戒指大家都有這個習慣，在反面刻字。給心愛的琴，佛來德贈。類似這樣的狗屁。你說呢？」

「我不知道。」

「有什麼理論嗎？」

我想起丹尼男孩講的話。如果那男友能動員蠻力，而且人脈廣布，他爲什麼沒帶她四處炫耀？而如果有蠻力，有人脈，有信差的是另有其人，那人和這男友該怎麼兜到一塊？幫她付錢買貂皮的會計師型人物到底是何方神聖？爲什麼所有其他地方我全探不到他半點蛛絲馬跡？

而凶手又爲什麼要取走戒指？

我手伸進口袋，指頭碰到手槍，感覺到它冰涼的金屬，滑到底下去找那方引發這一切的綠色玻璃片。我把它抽出口袋仔細瞧。德肯問我在看什麼。

「綠玻璃，」我說。

「跟戒指很像。」

我點點頭。他拿起玻璃片，湊向光線看，又丟回我的手掌心。「我們不知道她有沒有戴到旅館，」他提醒我，「我們只是爲了方便討論才這麼說的。」

「我知道。」

「也許她把它留在公寓。也許有人從那兒拿走。」

「誰？」

「她男友。假定他沒殺她，假定凶手是我早就說過的ＥＤＰ（情感受挫者）——」

「你們眞用那種字眼？」

「日子久了自然就會習慣，用來也溝通方便。咱們假定是瘋子殺了她，她男友擔心給牽扯進去，所以他才跑到公寓把戒指拿走，他有鑰匙。或許他送過她其他禮物，當時他都一併帶走。如果貂皮外套在那兒的話，他也一定會連帶搜走。你說是凶手硬把戒指從她手上拔下，爲什麼我這說法就比你的差？」

因爲不是瘋子幹的，我想。因爲瘋子殺手不會派個穿粗呢格子夾克的人警告我住手，不會透過丹尼男孩傳口信給我。因爲瘋子不會擔心筆跡或者指紋或者毛巾。

除非他是開膛手傑克那號人物，懂得事先周詳防範、策劃。但事實絕非如此，不可能，戒指一定有某種意義。我把玻璃丟回口袋。戒指代表了什麼，它非得代表什麼不可。

德肯的電話響起。他拿起話筒說「喬・德肯，」還有「嗯，對，對。」他閉嘴聽著，偶爾咕嚕著應一聲，刻意朝我的方向瞄瞄，在記事條上做個筆記。

我走到咖啡機旁，爲我倆各倒一杯咖啡。我不記得他咖啡加不加東西，然後才想起那機器的咖啡有多可怕，於是便在兩杯裡都加上奶精和糖。

我回到桌前時，他還在講電話。他拿了咖啡，點頭致謝，啜一口，另點一根香煙。我喝了些咖啡，一頭又栽進琴的檔案，希望能發現什麼塡補空白的線索。我想到我和唐娜的談話。「閃舞」這個字眼有什麼不對？難道戒指沒在琴的手上閃舞？我還記得光線打在那上頭的模樣。或者我只是在編造記憶，好支持我的理論？我那說法夠格稱得上理論嗎？我有的不過是只失蹤的戒指，而且沒有鐵證說它確實存在。一首詩，一份自殺留言，還有我自己關於翡翠城有八百萬個故事的說法。是戒指讓我下意識又想到《綠野仙蹤》裡的翡翠城嗎？或者我只不過是在認同黃磚路上那群祈願者，希望自己有個腦、有顆心、有勇氣？（譯註：《綠野仙蹤》的女主角踏著黃磚路到翡翠城求助於魔法師，沿途碰到沒腦的稻草人、缺心的錫人，以及怯懦的獅子）

德肯說：「唉，是煩死人沒錯。別走開，我馬上過去。」

他掛上電話看著我，表情怪異，自滿混合著或許可以說是憐憫的神色。他說：「保哈頓汽車旅館，你知道皇后大道叉過長島高速公路的地方？就在交口過去不遠。我不知道附近有什麼地標，安赫特還是里歌公園。反正是在那兩條路會合的地方。」

「怎麼樣？」

「就是那種成人汽車旅館，有些房裡擺了水床，電視播放X級電影。他們讓人做色情表演，從事色情交易，一次兩個鐘頭。如果生意好的話一個房間一晚就可以換租五、六次，而且大部分是付現，逃稅很容易。油水多得不得了，那種汽車旅館。」

「講這幹嘛？」

「幾個小時前，有人開車去租房間。呃，吃他們那行飯的，等客人一走，就得清好房間。經理注意到車子已經開走，就過去瞧瞧。『請勿打擾』的牌子掛在門上。他敲敲門，沒反應，他再敲一次，還是一樣。他打開門，你猜他發現什麼？」

我等著。

「電話是個叫做列尼·岡方的警察接的，他第一個念頭是：這案子跟星河旅館那回非常類似。剛才跟我講電話的就是他。還得先研判醫學證據，刀刺方向，傷口性質等等，才能下個結論，不過聽來眞他媽的像透了。凶手甚至沖了個澡，離開時毛巾也一塊兒拿走。」

「是不是——」

「是不是什麼？」

不會是唐娜。我才跟她談過話。法蘭、露比、瑪莉露——

「是不是錢斯的女人？」

「乖乖，」他說：「我怎麼知道錢斯的女人有哪些？你以爲我成天沒事幹，只顧盯著皮條客？」

「到底是誰？」

「不是誰的女人，」他說。他捻熄香煙，打算再點一根新的，但又改變主意，把煙推回盒裡。「不是女人。」他說。

「不是——」

「不是誰？」

「不是卡得龍吧？奧大維・卡得龍，旅館櫃台人員。」

他縱聲大笑。「耶穌基督，你腦筋轉哪兒去了，」他說：「你眞以爲凡事都有合理的答案。不，不是女人，也不是你的小卡得龍。這是長島市街來的人妖流鶯。手術才動了一半，據岡方說。意思是奶子都在，矽膠移植，不過她身上還是男性生殖器官。聽清楚了沒？她的男性生殖器官。老天，這是什麼世界。當然，說不定她今晚算是動了手術。也許是在那兒用開山刀動的。」

我無法回應。我全身麻痺，坐在那裡。德肯站起來，一手搭在我肩上。「樓下有車等我。

我要上那兒瞧瞧情況。一道過去吧？」

28

屍體還在那兒，平攤在特大號的床上，膚色因失血過多而泛白，透明一如老舊的瓷器。唯有那被砍得幾乎無法辨認的性器官，指出受害者是名男性。臉孔是女人的，還有那平滑無毛的皮膚，纖細但長著豐潤乳房的身體。

「她可還眞唬得了人，」岡方說：「瞧，她動過預備手術。乳房移植，喉結，顴骨。當然，還配合了荷爾蒙注射。那樣才能抑制鬍子和體毛生長，讓皮膚細緻、女性化。瞧這兒左乳上的傷口，可以看到矽膠袋。看到了吧？」

到處是血，空氣裡瀰漫著一股新死的味道。不是陳屍已久的霉爛，不是腐臭，而是屠宰場可怕的血腥味，是新血刺喉的味道。溫暖、濃腥的空氣壓逼得我無法呼吸，頭痛欲嘔。

「運氣不錯，我認出她來，」岡方說：「我馬上知道她是賣肉的，所以才會聯想到你的案子，喬。你那個是不是也一樣紅吱吱、爛糊糊的？」

「差不多。」德肯說。

我說：「你認出她來？」

「噢，一眼就認出來了。我沒多久前才在長島和掃黃大隊合作過。他們到現在還有條流鶯街，街上拉客在那兒已經有四、五十年的歷史，可是現在那兒搬進了很多中產階級人士，把貨倉整修為住家，買下老舊的棕石建築，把它們從出租公寓改裝成溫暖舒適的家。他們白天簽下租約，搬進去以後，看看周遭，覺得很不快樂，於是上頭就施壓要我們整頓那條街。」他指著床上的人形，「我起碼逮捕過她，呃，三次吧。」

「你知道她的名字？」

「你要哪個名字？她們全都不只一個而已。她的花名叫咪咪，我逮她時，她跟我說的是這名字。剛才我打電話到五十街和維農路的分局找人調出她的檔案，上頭登記的是莎拉，不過以前她在猶太教堂宣誓不上酒吧時，他們寫下的名字是馬克·布勞斯坦。」

「她宣誓過不上酒吧？」

「誰知道？又沒人請我去躬逢盛典。不過我的重點是：她是個潔身自重，來自芙羅拉公園區的猶太女孩。一個曾經是好猶太男孩的好猶太女孩。」

「莎拉·布勞斯坦？」

「又名莎拉·布魯斯東，又名莎拉·布魯，又名咪咪。注意到她的手腳嗎？對女孩來講嫌大了些，要辨認變性人這是一個辦法。當然，眼睛也得放亮一點，總是有大手大腳的女孩和小手小脚的男孩。她唬得了你，對不對？」

我點點頭。

「她本來就快把其餘的手術動完，搞不好日子都訂下了。法律規定，她們得以女人的身分生活一年以後，才能享有健保。當然她們全有健保，全有社會福利。她們一晚接個十到二十名客人，全在嫖客的車裡幹，動作迅速，射一次就是十或二十塊，她們一個禮拜七個晚上每晚進帳起碼幾百塊，統統免稅，然後她們還能領健保跟社會福利金，有小孩的外加撫育金，半數皮條客都有最低收入保證。」

他跟德肯順著這話題又扯了一會兒。同時技術人員則在我們周圍忙著量東量西，拍照片，採集指紋。我們怕礙著他們，便一起到旅館的停車場去。

德肯說：「你該知道咱們中了個大頭彩吧？咱們對上了操他的開膛手傑克。」

「我曉得，」岡方說：「其他房客問出什麼沒？她一定出過聲。」

「開什麼玩笑？全是買肉賣肉的人渣。『我啥也沒看到，啥也沒聽到，我得走了。』就算她眞尖叫過兩下，幹這行的誰都會以爲那是找樂子的新花樣——假設他們當時自個兒的樂子還不夠，才會注意到。」

「他先是住進一家鬧區的高級旅館，打電話找個俏麗昂貴的應召女郎。然後他又挑上一名街頭流鶯，把她拖到廉價的色情旅館。你看他是不是給陰莖和睪丸嚇到了？」

岡方聳聳肩，「也許。你知道，咱們有一半流鶯是打扮成女人的公雞。有些地區還不只一半。」

「西區碼頭一帶可比一半要多多了。」

「這我聽過，」岡方說：「問嫖客的話，有些會承認他們偏愛男的。他們說男人口交技術比較棒。當然，他們倒也不是性變態，要曉得，因爲張口的不是他們。」

「嗯，挺了解嫖客心理。」

「不管他當時知不知道，我看他可沒受影響。他還是照原定計劃進行。」

「你看他和她有過性交？」

「難說，除非床單上留下痕跡。看來他不是她今晚頭一個顧客。」

「他淋浴過？」

岡方聳聳肩，攤開掌心。「天知道，」他說：「經理說毛巾不見了。他們淸房間時，換上兩條浴巾和兩條手巾，結果兩條浴巾都沒找著。」

「他也從星河旅館拿走毛巾。」

「那回他也許拿了，但在這種爛地方？我是說，天知道他們是不是每回都把房間淸乾淨。浴室也一樣。我懷疑他們眞會在前頭的客人走後，把浴缸刷一遍。」

「也許你會找到什麼。」

「也許。」

「指紋哪，等等。她指甲底下找到什麼皮膚沒有？」

「沒有。不過化驗室的人也許找得到。」他下額一根肌肉在動，「說句良心話，感謝老天我不是法醫或者技術員。當警察已經夠倒楣了。」

「這話我贊成。」德肯說。

我說：「如果他是在街頭釣上她的，也許有人看到她上車。」

「外頭我們是派了些人想法子錄口供，也許會有什麼收獲——如果某些人看到了什麼，如果他們還記得，而且如果他們願意講。」

「好多如果。」德肯說。

「這兒的經理一定看過他，」我說：「他記得什麼？」

「不多。咱們再找他談談。」

□

經理臉色蒼黃，配上一雙紅眼圈，一望便知是標準的夜貓子。他的呼吸有酒精味道，但他舉止不像酒鬼，我想他大概是發現屍體以後才喝點酒，壯壯膽。酒只有讓他顯得精神恍惚，沒有效率。「我們是正當營業。」他堅持道。這話實在荒謬得可以，我們都懶得回應。我猜他的意思是，他們那兒不是天天有人凶死。

他從沒見過咪咪。有重大殺她嫌疑的男子單獨進來，塡好卡，付現金。這並不反常，這兒往往都是男的進來辦登記，女的等在車裡。那車不是停在辦公室的正前方，所以那男的登記時，他沒看到車子。事實上，他根本不算眞的看過那輛車子。

「你發現它不見了，」岡方提醒他，「所以你才知道那房裡沒人。」

「結果有人哪。我一打開門──」

「你本以爲沒人，因爲車子開走了。如果你從沒見過那車，怎麼知道它不見了？」

「因爲那車位空了。每個房間前都有個車位，號碼排得跟房間一樣。我望出去，那個車位是空的，那就表示他的車開走了。」

「他們停車都一定按照號碼？」

「照理應該啊。」

「很多事照理大家都該做的。繳稅、不在人行道上吐痰、不闖紅燈。這傢伙急著操她，他還管什麼停車位上的號碼啊？你瞧見那車。」

「我──」

「你看了一次，也許兩次，車子停在那裡。後來你又望一眼，車子不在，你想他們一定已經走掉。這樣講對不對？」

「大概吧。」

「說說那車。」

「我沒眞看。我看只是要確定它在那兒，如此而已。」

「車什麼顏色？」

「暗色。」

「好極了。兩門？四門？」

「沒注意到。」

「新的？舊的？什麼牌子？」

「是新車型，」他說：「美國車，不是外國車。至於車種嘛，我小時候它們看來全各有特色，現在每輛車好像都差不多。」

「他說得沒錯。」德肯說。

「只除了美國通用出的車型，」他說：「Gremlin和Pacer，這兩型還分的出來。其他的看來都一樣。」

「那輛車不是Gremlin或者Pacer？」

「不是。」

「是轎車？旅行車？」

「老實跟你講，」經理說：「我只注意到那是汽車。卡片上都寫了：廠牌、車型、車牌號碼。」

「你是說登記卡？」

「對啊。他們都得填。」

卡片在桌上，一層醋酸鹽覆在上頭保存指印，留待化驗人員取樣。

姓名：馬丁・愛伯特・里康

地址：吉福路，二一一號
城市：阿肯色州，史密斯堡
廠牌：雪佛蘭
年份：一九八〇
車型：轎車
顏色：黑色
牌照號碼：LJK-914
簽名：M.A. RICONE

「筆跡看來一樣，」我告訴德肯，「但用印刷體寫誰又分得出來？」

「專家可以。而且他們還能告訴你，他的開山刀劈法一不一樣。這傢伙喜歡碉堡，注意到沒？印第安那州的韋恩堡，阿肯色州的史密斯堡。」

「隱隱約約開始浮現一個公式。」岡方說。

「里康，」德肯說：「一定是義大利人。」

「M·A·里康，聽來像發明收音機的那人。」

「不對，那是馬康里。」德肯說。

「呃，挺接近的。這傢伙想魚目混珠，沾名人的光。」

「把人家的鮮花揷在自己的牛糞上。」

「好個辣手摧花。馬丁·愛伯特·里康，挺花稍的假名。他上回用什麼名字？」

「查爾士·歐文·瓊斯。」我說。

「噢，他喜歡夾用個中間名，這混蛋鬼點子很多，對不對？」

「鬼點子太多，非常混蛋。」德肯說。

「鬼點子多的，眞的多的，通常用什麼字都有意義。像『瓊斯』就是俚語，表示上癮。你知道，像他們說海洛因瓊斯。譬如有毒癮的人會說他有個一百塊的瓊斯，意思是他的癮一天要耗掉他那麼多錢。」

「眞謝謝你爲我解釋得那麼淸楚。」德肯說。

「我只不過想盡點棉薄之力。」

「因爲本人在這行才混了十四年，所以還沒跟吸海洛因的混混打過交道。」

「好個出汚泥而不染。」

「車牌查出什麼名堂了嗎？」

「跟名字和地址一樣的名堂。我打電話到阿肯色州的監理處問過，眞是白忙一場。像這種地方，連守法的客人都會揑造車牌號碼。他們登記住宿時也不會停在窗口前面，免得咱們這位老兄起疑去查。倒也不是說他眞會去查，對吧，老兄？」

「又沒哪條法律規定我非查不可。」男人說。

「他們也用假名。奇怪這傢伙在星河用瓊斯，在這兒用里康。這兒一定來過大批瓊斯先生，還有最最常見的史密斯和布朗。你們有很多史密斯嗎？」

「法律可沒規定我查身分證。」男人說。

「或者結婚戒指，嗄？」

「或者結婚戒指或者結婚證書或者別的東西。兩個兩相情願的成年人，呸，那又干我什麼事！」

「也許里康在義大利文有什麼意思。」岡方提議道。

「你總算用上大腦，」德肯說。他問經理有沒有義大利文字典。那人瞪著他，一臉尷尬。

「這地方居然還自稱是汽車旅館，」他說，一邊誇張的搖搖頭。「我看也沒聖經。」

「大部分房間都有。」

「天老爺，眞的？就擺在放色情電影的電視旁，對吧？想必也就近擱在水床邊。」

「我們只有兩個房間擺水床，」可憐蟲答道：「水床得額外收錢。」

「還好咱們的里康先生是小器鬼，」岡方說：「否則咪咪就要溺水了。」

「談談這傢伙，」德肯道：「再描述一次。」

「我告訴過你——」

「這你得一遍又一遍的講。他多高？」

「滿高的。」

「我的高度？矮些？高些？」

「我——」

「他穿什麼？戴著帽子？打了領帶？」

「實在想不起來。」

「他走進門，問你要房間，他跟著填卡片，付現給你。對了，那種房間你收多少？」

「二十八塊。」

「數目不算小。看春宮電影要加錢吧？」

「得投錢。」

「挺方便的。二十八塊還算合理，如果你一個房間每晚可以轉手幾次的話，油水實在不少。他錢是怎麼付的？」

「我講過，付現。」

「我是說面額多大的鈔票？他給你什麼，兩張十五的？」

「兩張——」

「他給你一張二十，一張十塊？」

「我想是兩張二十。」

「然後你找他十二？等等，該加稅，對吧？」

「連稅是二十九塊四毛。」

「他給你四十，你找他零錢。」

想起什麼。「他給我兩張二十和四毛零錢，」男人說：「我找他一張十塊和一元銅板。」

「瞧？你記得這筆交易。」

「嗳，還算記得。」

「現在告訴我他長相。他白人？」

「嗯，當然。白人。」

「胖？瘦？」

「瘦，但不很瘦。偏瘦。」

「鬍子？」

「沒有。」

「八字鬍？」

「也許，我不知道。」

「他這人有個什麼你記得牢牢的甩不開，對吧？」

「什麼？」

「我們要查的正是這點，約翰。他們是這樣叫你吧？約翰？」

「通常叫我傑克。」

「好，傑克。你答得不錯。他的頭髮呢？」

「我沒注意他頭髮。」

「你當然有。他彎腰登記，你看到他頭頂，記得吧？」

「我不——」

「一頭濃髮？」

「我不——」

□

「他們會找個素描員跟他合作，」德肯說：「他一定能想起什麼。咱們就等這他媽的瘋子開膛手哪天管不住他的老二，等咱們當場逮到他幹，到時候準保他臉色比莎拉他媽的布勞斯坦還難看。她看來像女人，對不對？」

「比較像死人。」

「我知道。屠戶窗口的生肉。」我們在他車裡，駛過昆伯羅大橋凹凸不平的路面。天空已經開始現出曙光。我累過頭了反而清醒，起伏不定的情緒暗流眼看就要浮出表面。我可以感覺到自己的脆弱；我會因爲任何小事號啕大哭或者縱聲大笑。

「眞忍不住要想那會是什麼感覺。」他說。

「嗄？」

「釣上那種人。不管在街上還是酒吧，隨便哪裡。然後你帶她去賓館，她脫下衣服，乖乖隆的咚。我是說，你會怎麼反應？」

「不知道。」

「當然如果她已經動完手術的話，你就上了，而且不會發現。她的手我看不大。不過說起來，女人手大，男人手小，其實也是有的。」

「嗯。」

「說到她手，她戴了兩枚戒指。你注意到沒？」

「嗳。」

「一手一枚，她戴著。」

「那又怎麼樣？」

「他沒拿。」

「他幹嘛拿？」

「你說他拿了琴·達科能的。」

我沒應聲。

輕輕的他說：「馬修，你該不會還認爲琴·達科能被殺有什麼理由吧？」

我體內湧上一股怒意，鼓脹如同動脈瘤。我靜坐不動，想憑意志趕走它。

「別跟我提毛巾。他是開膛手，他是喪心病狂的病態殺手，懂得策劃，有他自己的遊戲規則。這種例子他不是第一個。」

「這案子有人要我別碰，喬。對方警告手法熟練。」

「那又怎樣？她被瘋子宰了，但還是有可能她某些朋友不希望她的私生活曝光。也許跟你想的一樣，她有個已婚男友，就算她是死在他媽的猩紅熱手上，他也會警告你不要在她骨灰裡翻東找西。」

我給我自己警告。你有權保持沉默，我告訴自己，然後行使這項權利。

「除非你認爲達科能和布勞斯坦關係密切。譬如說，失散多年的姊妹。噢，對不起，該說兄妹。要不或許他們是兄弟，也許達科能幾年前動過手術。就女人來說她嫌高了些，對不？」

「也許咪咪只是煙幕。」我說。

「怎麼說？」

我忍不住滔滔不絕說下去，「也許他殺她是爲了分散注意，」我說：「讓事情看來像是隨興殺人，隱藏他殺達科能的動機。」

「分散注意。我求求你，什麼注意，誰在注意啊？」

「我不知道。」

「操他的根本沒人注意。不過現在就要有了。操他的記者碰上連環濫殺都要樂歪了。這種新聞讀者一定狼吞虎嚥，配著早餐玉米片吞到肚裡。逮著機會能用傑克開膛手的故事大作文章，那些老編全要飛上天了。你講到『注意』，現在大夥的注意準保多得要燒掉他的屁股。」

「大概吧。」

「你知道你什麼毛病，史卡德？你太固執。」

「也許。」

「你的問題是你個人單獨工作，一回只辦一件案子。我桌上堆的鳥屎太多，所以我能放就放毫不猶疑，可你就剛好相反。你是儘可能死抓著不鬆手。」

「是這麼回事嗎？」

「不知道，聽來滿有道理。」他一手鬆開駕駛盤，拍拍我的手臂。「我無意潑你冷水，」他說：「我看到那種事情，有人給剁成那樣，我就只想丟個蓋子壓住，結果又從別的地方冒出來。你表現很好。」

「是嗎？」

「是的。有些小節我們忽略掉了。你提出的一些問題，搞不好可以讓我們佔得一點先機。誰知道？」

我不知道。我只知道自己有多累。

我們駛過城時，他沉默下來。在我旅館前方，他煞停下來說：「岡方剛才提到，也許里康在義大利文裡有個意思。」

「要查應該不難。」

「哦，當然不難。如果事事都這麼容易就好辦了。嗯，我們會查，然後你知道我們會發現什麼嗎？結果才知道里康的意思正是瓊斯。」

我上樓，褪下衣服上床。十分鐘後，我再度起身。我覺得好髒，而且頭皮發癢。我沖了個過熱的澡，差點沒刷掉自己一層皮。我關掉蓮蓬頭，告訴自己上床前刮鬍子太過無稽。然後抹上泡沫，還是刮了。完事後我穿上袍子坐在床沿，然後移到椅子。

他們說，千萬別讓自己太餓、太生氣、太孤單，或者太累。四項中任何一樣都可以叫你失去重心，掉進酒杯。照我看，一天下來我已經四壘全部跑完，從頭到尾全數經歷過。怪的是，我沒有欲望喝酒。

我把槍掏出外套口袋，想擺回梳妝台抽屜裡，然後又改變主意坐回椅子，兩手轉著手槍把玩。

我最後一次開槍是什麼時候？

其實不用費力回想，就是那晚在華盛頓高地住宅區。當時我把兩名搶匪逼上街，結果開槍嚇止他們時誤殺了個小女孩。事件發生以後我仍留駐單位，在那期間我從未有過機會拔出警槍，遑論開火。當然，請辭以後我也沒再動槍。

而今晚我是無能去做。因爲冥冥中我知道我瞄準的車裡載的不是槍手，而是爛醉的孩子？因爲直覺暗暗告訴我，得等確定目標是誰才能發射？

不，以上皆非。我很清楚。

我僵住了。如果我看到的不是拿酒瓶的小孩，而是拿輕機槍的歹徒，我也不可能扣上扳機。我的手指麻痺了。

我拆開手槍，抖出彈膛裡的子彈，再把槍闔上。我手執空槍瞄準對面的垃圾桶，猛按幾下扳機。擊鎚落在空槍膛上發出的喀啦聲，在這小小的房間裡聽來格外尖銳刺耳。

我瞄準梳妝台上的鏡子。喀啦！

證明個屁。槍膛是空的，我知道是空的。我可以把這玩意帶到射擊場去，裝上子彈，朝靶子開火，而那也證明不了什麼。

無能開槍我頗爲懊惱，但我很慶幸自己畢竟沒扣扳機，否則那一連發子彈射進載滿小孩的車裡，後果眞是不堪設想——而且天知道對我會造成什麼影響？雖然筋疲力盡，我還是跟這個謎題打了幾回硬仗。我慶幸我沒殺人，但又擔心失去自衛能力前途堪憂。於是我的腦子就這樣追逐自己的尾巴，繞來轉去。

我脫下袍子上床，卻僵繃繃的無法放鬆。我再度換上外出服，拿指甲銼子的尾端充當螺絲起子，把左輪槍拆開清洗。我把零件放進一個口袋，另一個擺了四管彈藥筒和我從搶匪身上搜來的兩把刀子。

此刻已是早上，天空明亮。我走到第九大道，再往北到五十八街，在那兒把刀子丟進下水道鐵柵口。我過街走向另一個鐵柵口，兩手揷在口袋靠那附近站著，一手攥著四個彈藥筒，一手輕碰已解體的左輪零件。

不能使槍的話，攜槍幹嘛？何必擁有一把你用不到的槍？

回旅館的路上，我順道光顧一家熟食店。排我前面的顧客買了兩箱六罐裝的「老英國八百」麥酒。我挑了四條巧克力，付了錢，路上吃一條，回房吃掉另外三條。我把左輪零件掏出口袋，重新裝好。六個彈藥筒我上好四筒子彈，然後把槍擺進梳妝台抽屜。

我爬上床，告訴自己不管睡不睡得著都不准下床，然後帶著笑意滑入睡鄉。

29

電話吵醒了我。我像潛水泳者奮力探頭呼吸般，掙出睡夢。我坐起身，眨眨眼想喘口氣。電話仍然在響，我搞不清是誰在製造那個可惡的聲音。然後我才恍然大悟，接聽電話。是錢斯。「剛看到報紙，」他說：「你覺得呢？跟殺琴的是同一個嗎？」

「給我一分鐘。」我說。

「你在睡？」

「現在醒了。」

「那你一定不知道我在講啥。又有一起殺人案，這回在皇后區，有個動過變性手術的阻街女郎給大剁八塊。」

「我知道。」

「你還沒起床，怎麼知道？」

「我昨晚去過那兒。」

「到皇后區？」

他聽來一副肅然起敬的樣子。「到皇后大道，」我告訴他，「跟兩個警察去的。是同一個凶手。」

「你確定？」

「我在那兒時，他們還沒整理好所有的科學證據。不過沒錯，我確定。」

他想了一下。「那琴只是運氣不好囉，」他說：「只是時機、地點都沒碰對。」

「也許。」

「只是也許？」

我從茶几拿起腕錶。將近中午。「人總難免有倒楣的時候，」我說：「至少我是這麼想。昨晚一個警察告訴我，我的問題是我太固執。我手上只有一個案子，所以才一直咬住不放。」

「然後呢？」

「他講的或許沒錯，但還是有些事情說不通。琴的戒指下落如何？」

「什麼戒指？」

「她有枚綠寶石戒指。」

「戒指，」他說，想了一下。「是說琴有那枚戒指嗎？我想大概吧。」

「那戒指怎麼了？」

「不在她的珠寶盒裡嗎？」

「盒裡那枚是紀念戒指，她家鄉一所高中發的。」

「噢，對。我記得你講的那枚戒指，很大的綠寶石，是誕生石，諸如此類的玩意兒。」

「她哪兒拿來的？」

「花花綠綠的糖果盒裡拿的，應該。記得她說過是她自己買的。那不過是垃圾罷了，老兄。一塊綠玻璃而已。」

擊碎酒瓶／置於她脚旁。

「不是翡翠嗎？」

「開哪門子玩笑，老兄？你知道翡翠值多少錢嗎？」

「不知道。」

「比鑽石值錢哪。戒指有什麼好大驚小怪的？」

「唔，也許不重要。」

「你下一步怎麼做？」

「不知道，」我說：「如果琴是被濫砍的瘋子殺死的話，警察來辦會比我高明得多。但有人警告過我不准插手，而且有個旅館櫃台人員給嚇得捲了舖蓋，而且有個戒指不見了。」

「也許這些都沒啥意思。」

「也許。」

「桑妮的紙條不是提到，有只戒指把誰的手指變綠嗎？也許那戒指太過廉價，把琴的手指變綠，所以她隨手就把它丟了。」

「我不認爲桑妮是那個意思。」

「那她是什麼意思？」

「這我也不知道。」我吸口氣，「我想把咪咪·布魯連上琴·達科能，」我說：「希望能連上。如果辦得到的話，或許我就可以找到殺死她們的凶手。」

「也許。你明天會參加桑妮的葬禮嗎？」

「我會去。」

「那我能看到你囉。也許結束後我們可以談一下。」

「成。」

「嗯，」他說：「琴和咪咪。她們能有什麼共同點？」

「琴以前不是在街上拉過客？她不是在長島市阻街時給逮過一次？」

「多年前。」

「她有個皮條客叫達非，對吧？咪咪也有皮條客吧？」

「可能。有些流鶯是有，不過大部分沒有，就我所知。也許我可以打聽看看。」

「也許你可以。」

「我好幾個月沒看到達非了，曾聽說他死了。我會四處問問。不過很難想像，琴這樣的女孩跟長島來的小猶太皇后（譯註：皇后亦暗指有強烈女人味的男同性戀）會有什麼共同點。」

猶太皇后和牛奶皇后，我想著，然後想到唐娜。

「也許她們是姊妹。」我提議道。

「姊妹?」

「骨子裡。」

□

我想吃早餐，但到了街上我做的第一件事是買早報，而且我馬上發現拿它配吃培根煎蛋可是大有問題。「旅館開膛手又開殺戒」，頭條聳人標題如是宣告。然後配上大字照片說明，變性流鶯在皇后區被屠。

我摺起報紙，塞進腋下。我不知道自己下一步想做什麼，看報還是吃飯，但我的脚爲我做了決定，做了第三個選擇。我走過兩條街，才發現我正朝著西六十三街的基督教青年會走去，看來我是想趕上十二點半的聚會。

管他的，我想。他們的咖啡不比別處差。

□

我一小時後走出那兒，到百老滙大道一家位在轉角的希臘咖啡店解決民生問題。我邊吃邊看報，現在我好像已經無所謂。

報紙講的我大概都已知道。據報導，受害者住在東村，我不知怎麼以爲她住在隔條河的皇后區。岡方倒是提過芙羅拉公園區，就在穿過州界後不遠的拿撒郡內，顯然她是在那裡長大的。據《郵報》說，她的父母幾年前死於飛機失事。馬克／莎拉／咪咪唯一活著的親人是她哥哥，亞得安・布勞斯坦，他做珠寶批發生意，住在富理斯丘，辦公室設在西四十七街。他仍在國外，目前還沒人通知他咪咪的死訊。

他弟弟的死訊？還是他妹妹的？對變過性的親人該怎麼稱呼？一個事業有成的商人會怎麼看待他變成妹妹的弟弟一個晚上劈哩啪啦連戰數位嫖客？咪咪・布魯的死對亞得安・布勞斯坦有何意義？

對我又有何意義？

任何人的死都損及於我，因爲我與全人類息息相關。任何人的死，任何男人、女人、陰陽人的死。但他們的死眞的損及於我嗎？我是眞的關心嗎？

我可以感覺到點三二的扳機在我指尖下顫動。

我再點一杯咖啡，讀起另一則報導：有個年輕的阿兵哥休假回家，在布魯克林路邊籃球場和人臨時玩起鬥牛。某個觀賽者的口袋掉出手槍，落地時走火，子彈擊中這名年輕的士兵，當場致他於死命。我從頭到尾再看一遍這個報導，坐在那裡望報興歎。

又多一種死法。老天，還眞有八百萬種死法，不是嗎？

□

當晚八點四十我溜進蘇荷區王子街一家教堂的地下室。我盛杯咖啡，找位子時，環視房內看珍坐在哪裡。她坐前排靠右。我坐後排，靠近咖啡機。

演講的女人三十多歲，酗酒十年，最後三年浪跡在充斥廉價酒館、旅社的寶華利街靠行乞和擦車窗買酒度日。「就算在寶華利街，」她說：「也有把自己打點得很好的人。那兒有些人隨身攜帶刮鬍刀和肥皂。我馬上給吸到另一批人中間——那些人從不刮臉，不洗澡，不換衣服。我腦裡有個小聲音在說：『麗塔，妳跟他們臭味相投。』」

休息時間，我在珍往咖啡機走時攔住她。她似乎滿高興看到我的。「我剛好在這附近，」我解釋道：「而且看看又是聚會時間，我想到也許可以在這兒看到妳。」

「噢，我固定來這兒聚會，」她說：「散會後一道去喝咖啡，好嗎?」

「當然好。」

結果我們一行十二個人圍坐在西百老匯大道一家咖啡店的兩張桌子旁。我沒認眞加入談話，也沒注意聽人講話。好不容易服務生分送每人一張帳單。珍付她的，我付我的，然後我們兩人便朝著她位於鬧區的住所走去。

我說：「我不是剛好來這附近。」

「我也在納悶著。」

「我想跟你談談。不知道你有沒有看今天的報紙——」

「你是說皇后區那起謀殺案?嗄，我看了。」

「我去過現場。我整個人繃得好緊，覺得需要談談。」

我們上到她的閣樓，她煮壺咖啡。我捧著咖啡說個不停，等我停嘴啜一口時，咖啡已經冷了。我告訴她最新消息，跟她提到琴的毛皮外套、醉酒小孩和破酒瓶、皇后區之旅和我們在那兒的發現。另外我也告訴她我當天下午的行蹤：搭地鐵過河到長島市漫遊，然後前往咪咪・布魯位於東村的租賃公寓挨家挨戶敲門，再穿過長島到克里斯多夫街和西街的同性戀酒吧找人攀談打聽。

後來我看看時間已經夠晚，應該可以聯絡喬・德肯，查問化驗室的研判結果。

「是同一個凶手沒錯，」我告訴珍，「而且還用同一把武器。他很高，慣用右手，孔武有力，開山刀——或者他用的管他媽的什麼——兩回都磨得尖利。」

打電話到阿肯色州查詢，毫無收獲。一如所料，史密斯堡的街道地址是瞎編的，而車牌號碼則屬於一輛橘紅色的福斯車，車主是費葉鎮的一名托兒所老師。

「而且那車她只在禮拜天開。」珍說。

「差不多。阿肯色州的事他全是揑造的，就像他上回揑造印第安那州韋恩堡的資料一樣。不過車牌倒是眞的——或者該說幾可亂眞。有人想到該查查贓車清單，果然發現：在咪咪被殺前兩個小時，傑克遜住宅區有條街的一輛雷諾跑車給人偷走。車牌號碼和他登記的一樣——只除了其中兩個號碼給倒了過來。而且當然，那是紐約的車牌，不是阿肯色州的。

「那車符合汽車旅館職員的描述；此外，咪咪跟他走時，有幾個妓女看到車子，她們指證確實是同一輛。她們說，那人開車在那一帶閒蕩好一會兒，才下定決心選擇咪咪。

「車子還沒找到，但這並不表示他還在開。廢棄車有時候要過很久才會出現，因爲小偷偶爾會把贓車違規停車，然後車子就理所當然的給拖到失車招領處。照理說不該如此，總該有人負責清查違規車是否列在贓車單上，但偶爾難免會有疏失。也無所謂，反正最後查證結果一定是：凶手在幹掉咪咪後二十分鐘就把車甩了，車上指紋也統統擦掉。」

「馬修，你不能乾脆放手嗎？」

「整個案子？」

她點點頭，「從現在開始，應該都是警方作業，對吧？過濾證據，查證所有細節。」

「大概。」

「他們不可能把這案子打入冷宮。現在可不比當初琴遇害的時候；就算他們不想管，報紙也會逼著他們不能不管。」

「這話沒錯。」

「那你還有什麼理由戀棧？你幫你客戶做的，早就值回他的票價。」

「是嗎？」

「不是嗎？我覺得你賺錢比他辛苦。」

「或許吧。」

「那何不趁早抽身？你能做的，有什麼是紐約所有的警力做不到的？」

我跟這句話交戰良久。一會兒之後我說：「應該有個什麼關係。」

「你在說什麼？」

「琴和咪咪的關係。因爲，要不他奶奶的這兩個案子怎麼說得通？瘋子殺手做什麼都有固定形式——就算外人沒法理解。琴和咪咪長得不像，生活方式也截然不同。看在老天份上，他們連性別都不算一樣。琴有皮條客和自己的公寓，跟嫖客用電話聯絡買賣；咪咪是人妖流鶯，和嫖客在車裡進行交易，她是非法營業。錢斯目前正在多方調查她是不是有過秘密淫媒，但看來可能性很小。」

我喝些冷咖啡。「而且他選上咪咪，」我繼續說：「他好整以暇，慢慢兜過那幾條街，他要確定他沒找錯人。關係在哪裡？不會是外型。她和琴外型差別太大。」

「是她私生活的什麼事囉？」

「也許，她的私生活很難追查。她住東村，但在長島市討生活。西區同性戀酒吧我找不到半個認識她的人。她沒有皮條客，也沒愛人。她住東區第五街的鄰居沒一個知道她從事特種行業，而且只有幾個懷疑過她不是女人。她唯一的親人是她哥哥，但他連她死了都不曉得。」

我又絮叨了一下。里康不是義大利字，而如果它是名字的話，一定也非常罕見。我查過曼哈頓和皇后區的電話簿，一個里康也沒找著。

話全掏空以後，她爲我倆再斟咖啡，我們默默無語坐了幾分鐘。然後我說：「謝謝。」

「謝咖啡嗎？」

「謝謝你聽我聒噪。我覺得好多了，我得談談才能放鬆。」

「談話是治病良方。」

「嗯。」

「聚會時你從不講話，對吧？」

「天老爺，我總不能到那去講這個。」

「也許不能講細節，不過你可以說個大概，還有這事對你的影響。搞不好幫助會出你意料之外的大呢，馬修。」

「我看我做不到。呸，我連我是酒鬼都說不出口。『我叫馬修，無話可說。』這話我大可打電話去講就好，不必親臨現場。」

「人是會變的。」

「也許。」

「你戒多久了，馬修？」

我得想想。「八天。」

「哇，眞棒。什麼那麼好笑？」

「我注意到一件事。某甲問某乙戒多久了，不管答案是什麼，反應永遠是『哇，眞棒，眞了不起。』不管我答八天還是八年，回應都一樣。『哇，好棒，好厲害。』」

「是很棒啊。」

「大概吧。」

「棒的是你滴酒不沾。八年很棒，八天也是。」

「嗯哼。」

「怎麼了？」

「沒什麼。桑妮的葬禮明天下午舉行。」

「你要去嗎？」

「我說過要去。」

「心裡有負擔嗎？」

「負擔？」

「緊張，焦慮。」

「沒什麼感覺，我沒盼著要去。」我望進她灰色的大眼，然後移開視線。「八天是我的最高紀錄，」我淡淡的說：「我上回戒了八天後開戒。」

「那並不表示你明天非喝不可。」

「噢，乖乖，這我知道。我明天不會喝的。」

「帶個人跟你去。」

「你什麼意思？」

「去參加葬禮。邀個戒酒會員跟你同去。」

「我哪好意思那麼做。」

「你當然可以。」

「能邀誰?我又沒哪個人熟到可以邀。」

「要熟到什麼程度,你才能邀人葬禮坐你旁邊?」

「那——」

「那什麼?」

「那你願意跟我去嗎?算了,我不想爲難你。」

「我會去。」

「眞的?」

「有何不可?當然,我可能會顯得太過寒酸。坐在那些打扮得花枝招展的妓女旁邊。」

「噢,才不會呢。」

「不會嗎?」

「絕對不會。」

我挑起她的下巴,用我的嘴試探她的。我觸碰她的髮。暗髮,微微有些灰色點綴其間。和她眼睛相配的灰。

她說:「我一直害怕這會發生,可是又怕它不會發生。矛盾。」

「現在呢?」

「現在我只覺得害怕。」

「你要我走嗎？」

「我要你走嗎？不，我不要你走。我要你再吻我一次。」

我吻了她。她雙臂纏著我，把我拉近，我感覺到她的體熱透過我倆的衣服傳來。

「哦，達令——」她說。

□

事後，躺在她床上，聽著我自己的心跳，我突然感到前所未有的寂寞和沮喪。我覺得自己彷彿掀開了一井無底洞的蓋子。我伸手探摸她的體側，肉體接觸打斷了我的心緒。

「嗨。」我說。

「嗨。」

「你在想什麼？」

她笑起來，「一點也不浪漫的事。我在想我的輔導員會怎麼說。」

「你非跟她講不可嗎？」

「沒人管我，不過我打算告訴她。『噢，對了，我跟個戒了八天酒的傢伙跳上床。』」

「這是重罪，嗄？」

「換個說法好了，這是禁忌。」

「她會罰你幹嘛？背六遍主禱文？」

她又笑起來。她笑得痛快，聲音洪亮愉悅。我一向愛聽她笑。

「她會說：『嗯，至少你沒有喝酒，這點最重要。』然後她會說：『希望你有段愉快的經驗。』」

「你有嗎？」

「愉快的經驗？」

「嗳。」

「兩回都是，嗄？」

「啐，沒有。高潮我是裝的。」

「還用說嗎？」她偎近我，把手貼在我胸上。「你要在這兒過夜吧？」

「你的輔導員會作何感想？」

「她也許會說，危機就是轉機。噢，乖乖，我差點忘了。」

「你要上哪兒？」

「得打個電話。」

「你還眞要打給你的輔導員？」

她搖搖頭。她已經穿上袍子，開始翻閱一本小電話簿。她撥個號碼，然後說：「嗨，我是珍。還沒睡吧？聽著，我知道這樣問有點莫名其妙，不過Ricone（里康）這個字你說有沒有什麼意思？」她把字拼給對方聽，「我以為可能是什麼髒話。嗯，」她聽了一會兒，然後說：「不，不是啦。我只不過是用西西里話在做填字遊戲，如此而已。失眠的晚上。你知道，念聖經也只能念那麼多，有個限度。」

她結束談話，掛上話筒。她說：「呃，只是個念頭。我想到，如果這字不在字典裡的話，也許是什麼方言或者髒話。」

「你想到可能是什麼髒話嗎？這念頭又是什麼時候閃過妳腦袋的？」

「不干你的事，自作聰明鬼。」

「你臉紅了。」

「我知道，可以感覺到。以後要幫朋友解決謀殺案時，我會記取這次教訓。」

「善有惡報。」

「據說如此。馬丁·愛伯特·里康，跟查爾士·歐提·瓊斯？他用的是這兩個名字？」

「歐文。查爾士·歐文·瓊斯。」

「而你認為那有意思。」

「非得有個意思不可。就算他精神錯亂，那麼冗長繁複的名字一定有什麼意思。」

「就像韋恩堡和史密斯堡？」

「噯，也許，不過我認為他用的人名要比地名有意義多了。Ricone（里康）這名字實在太不尋常。」

「也許他本來寫的是Rico。」

「這點我也想過。電話簿裡有很多Rico。要不也許他來自波多黎各(Puerto Rico)。」

「有何不可?從那兒來的人說多少有多少。也許他是賈克納迷。」(譯註:詹姆士·賈克納,好萊塢三〇年代的幫派電影紅星)

「賈克納?」

「那場死前戲。『慈悲娘娘,這就是Rico的末日嗎?』記得吧?」

「我以爲演的是愛德華·魯賓遜。」

「有可能。以前每回我看午夜場都喝得爛醉,所有那些華納公司的歹徒都在我腦袋瓜裡合而爲一。反正是那種睪丸大粒的硬漢型人物。『慈悲娘娘,這就是——』」

「好一對睪丸!」我說。

「嗄?」

「老天在上!」

「怎麼了?」

「他在開玩笑,他媽的開玩笑。」

「你在說什麼?」

「那兇手。C. O. Jones跟M. A. Ricone,我一直以爲它們是人名。」

「不是嗎?」

「cojones。maricón。」

「是西班牙文。」

「沒錯。」

「cojones意思是『睪丸』，對不?」

「而maricón意思是『同性戀』，不過我記得這字結尾沒有e。」

「也許結尾加個e感覺更髒。」

「要不或許只是他拼字太差。」

「哼，有可能，」她說：「人非聖賢，孰能無過。」

30

早晨過了約莫一半以後，我回家沖澡刮鬍子，換上我最好的西裝。我趕上中午一場聚會，在路上吃了支熱狗，然後依約走到七十二街和百老匯大道交口的木瓜攤跟珍碰面。她穿了件針織洋裝，鴿灰夾雜點黑。我從沒見她穿得那麼鄭重。

我們繞過轉角來到庫克殯儀館。一位身穿黑衣，面帶職業性同情表情的年輕人決定我們是屬於哪一組哭喪人，然後便領著我們穿過走廊，來到三號套房。門是開的，上頭方框裡插張卡片寫著韓德瑞。房裡，中央走道兩旁約莫各有六排椅子，每排四張。前方立起講台，那上頭講桌的左邊有個陷在花海的開蓋木櫃。我早上請人送過花來，眞是多此一舉。桑妮的花多到可以把黑手黨頭子送往樂土。

錢斯坐在右邊第一排走道上的椅子。唐娜·康萍坐他身旁，然後依次是法蘭·謝克特和瑪莉露·巴可，坐滿一排。錢斯穿套黑色西裝，白色襯衫，打條黑色窄邊絲質領帶。女人一律穿黑，我看他前一天下午八成帶了她們逛街採買。

我們進門時，他轉過頭，馬上起身。珍和我走過去，我爲他們介紹。我們尷尬的站了一會兒，然後錢斯說：「你們大概想瞻仰遺體。」一邊朝木櫃點個頭。

眞有誰會想瞻仰遺體嗎？我走過去，珍跟在旁邊。桑妮一身亮麗彩裝，躺在木櫃奶油色的綢緞襯裡上。她兩手交握胸前，夾住一朵紅玫瑰。她的臉說是蠟塊雕的也不爲過，不過比起我上回見到她的時候，顯然沒有惡化。

錢斯此刻已經站到我身邊。他說：「能和你講幾句話嗎？」

「好啊。」

珍迅速捏一下我的手，然後溜開。錢斯和我並肩站著，俯看桑妮。

我說：「我以爲屍體還在太平間。」

「他們昨天打電話說可以領走屍體。這兒的人加班幫她化妝打扮，效果還不錯。」

「嗳。」

「不太像她。也不像我們上回看到她的樣子，對吧？」

「嗯。」

「事後他們會把屍體火化，這樣比較簡單。女孩看來不壞吧？她們打扮的樣子？」

「很好啊。」

「有尊嚴，」他說。停頓一會兒後他說：「露比沒來。」

「我注意到了。」

「她不信葬禮這套。不同的文化，不同的風俗習慣，你知道？而且她又不跟人打交道，跟桑妮只打過照面。」

我沒接腔。

「這個結束以後，」他說：「我要送女孩們回家，你知道。然後咱們得談談。」

「好。」

「你知道帕克班奈？一家拍賣公司，總部在麥迪遜大道。明天他們有場拍賣會，我想先去看看我可能要買的幾樣東西。跟我在那兒碰面怎麼樣？」

「幾點？」

「不知道。這兒不會搞太久，三點以前應該可以走。四點一刻，四點半左右，行嗎？」

「行。」

「對了，馬修！」我扭過頭。「謝謝你來。」

儀式開始前約莫又來了十個弔喪的人。一行四個黑人坐在左手邊中央地帶，其中一個我認出是巴斯孔——上回看他打拳時，我見到桑妮。後排並坐著兩名年長婦女，另外有個老紳士單獨坐在前排。有些孤苦伶仃的人習慣闖進陌生人的葬禮，打發時間，我懷疑這三位就是此號人物。

儀式剛開始，喬·德肯和另一名便衣警探突的溜上最後一排的兩個位子。

牧師看來像個孩子。我不知道他對桑妮背景了解多少，總之他開始講起生命中止於黃金時期的不幸，以及上帝神秘莫測、內藏玄機的旨意；他說這類莫名所以的悲劇，眞正的受害者其實是死者的親朋好友。他選讀愛默森、德日進、馬丁・布柏，以及聖經的傳道書。然後他邀請桑妮的朋友上台說幾句話。

唐娜・康萍朗誦兩首短詩，我本以爲是她的創作。後來才知道寫的人是西薇亞・普來斯(Sylvia Plath)和安・賽斯頓(Anne Sexton)——兩名自殺身亡的詩人。法蘭・謝克特繼她之後上台說：「桑妮，我不知道你聽不聽得到，但有些話我非講不可。」然後便講起她多看重桑妮的友情、人生態度，和生命力。她起頭時語氣輕鬆愉悅，結果卻泣不成聲，得由牧師扶著下台。瑪莉露・巴可只說兩、三句話，而且音調平板低沉。她說很可惜和桑妮認識不深，希望她現在能在天上安息。

沒有其他人跟進。我有段短短的幻想：喬・德肯上台宣布，紐約警方將傾全力調查此事是否另有隱情，但他只是待在原處不動。牧師又說了幾句話——我沒專心聽——然後一名來賓便放起唱片：茱蒂・科林斯唱的「神奇天佑」。

□

到了外頭，珍和我默默無語的走了好幾條街。然後我說：「謝謝你來。」

「謝謝你邀我來。老天，這話聽來可眞蠢。像是參加高中畢業舞會的小女生講的話。『謝謝你邀我來，玩得很愉快。』」她從皮包掏出手帕，按按眼睛，擤擤鼻子。「還好你不是獨個兒去參加葬禮。」

「是啊。」

「也還好我去了，葬禮簡單隆重又美麗。剛剛出來時跟你講話的是誰？」

「那是德肯。」

「哦？他去那兒幹嘛？」

「想碰碰運氣吧，我想。很難說誰會出現在葬禮上。」

「這個出現的人不多。」

「屈指可數。」

「還好我們去了。」

「嗯。」

我請她喝杯咖啡，然後爲她招輛計程車。她堅持要搭地鐵，但我硬塞給她十塊車錢把她送上車。

□

帕克班奈畫廊的大廳服務人員指引我到二樓，那兒正在展出非洲和大洋洲的藝術品。我看到錢斯站在一排玻璃櫥架前，裡頭陳列著十八、九尊袖珍金雕。有些模擬動物，有些呈現人形以及各種家用器皿。記得有一個雕的是個蹲坐著擠羊奶的男人。最大那尊握在小孩手裡應該剛剛好，其中好多個看來都頗滑稽有趣。

「亞善提的黃金砝碼，」錢斯解釋道：「來自英國人稱之爲黃金海岸的土地，現在叫迦納。店鋪裡可以看到鍍金的仿製品。這些全是眞貨。」

「你計劃要買？」

他搖搖頭，「它們跟我不來電。我想買有感覺的。來，我帶你看個東西。」

我們穿過房間。一尊青銅製女人頭像立在一座四呎高的台上。她的鼻子寬扁，顴骨高聳。她的頸子層層圍上項鍊，顯得異常厚實，整個頭部看來好像是個圓錐。

「這個青銅雕像來自已經消失的班寧王國，」他宣告道：「女王的頭像。你可以根據她戴幾條項鍊看出她的階級。她跟你講話嗎，馬修？跟我她可是說很多喲。」

我在那青銅臉上讀到力量，冷硬的力量和無情的意志。

「知道她說什麼嗎？她說：『黑鬼，你瞧俺瞧個什麼勁兒？你明知你沒錢把俺扛回去。』」他笑起來，「預估價是四到六萬塊。」

「你不會喊價吧？」

「我不知道到時候我會怎麼樣。有幾樣東西擺著看看應該挺不錯的。不過有時候我到拍賣場，就像有些人到賽馬場一樣——不是爲了賭，只不過想坐在陽光下看馬跑而已。我喜歡拍賣場的氣氛、感覺，我喜歡聽鐵鎚敲下的聲音。你看夠了吧？咱們走。」

他的車停在七十八街一個車庫裡。我們開過五十九街的大橋，穿過長島市。四處可見阻街女郎站在路沿，有的單槍匹馬，有的成雙上陣。

「昨晚沒幾個出來，」他說：「我猜她們覺得白天比較安全。」

「你昨晚來過？」

「只是開車兜兜。他在這一帶釣上咪咪，然後開上皇后大道。要不也許他走的是高速公路？反正也無所謂了。」

「是無所謂。」

我們走皇后大道。「要謝謝你參加葬禮。」他說。

「我本來就想去的。」

「陪你一道的女人有夠正點。」

「謝謝。」

「珍，你說她叫這名字？」

「沒錯。」

「你跟她是——」

「我們是朋友。」

「噢。」他在紅燈前煞車停下。「露比沒來。」

「我知道。」

「我跟你說的理由全是扯屁。我跟女孩們解釋過，不想當著她們說反話。露比跑了，她打包好行李走了。」

「什麼時候的事？」

「昨天吧，我想。昨晚我有個口信。昨兒我一整天四處跑，一直在忙葬禮的事。我覺得進行得還不錯，同意嗎？」

「我打九十分。」

「謝了。總之，我服務處那兒說有個口信要我打給露比，區域號碼是四一五。那是舊金山。我挺納悶的，撥過去後，她說她已經決定改行。我本以爲這是什麼惡作劇，你曉得？然後我到她公寓去看，她所有的東西全不見了，她的衣服。傢俱她留下了。這一來我手頭上就有三間公寓空下來哪，老兄。現在無殼蝸牛到處爬，而我倒有三間公寓空著沒人住。是不是挺了不起啊？」

「你確定跟你講話的是她沒錯？」

「錯不了。」

「她人在舊金山？」

「非在不可。或者在柏克萊，或者奧克蘭，或者諸如此類的地方吧。我撥了號碼，還有區域號碼什麼的。她總得人在那裡才有那種號碼，對不對？」

「她有沒有說爲什麼離開？」

「只說是改行的時候了，在表演她什麼神秘的東方舞蹈吧。」

「你看她是不是怕被做掉？」

「保哈頓汽車旅館，」他指著前方說：「是這家吧？」

「正是。」

「你跑這兒來發現屍體。」

「屍體先前就有人發現了，我只是趕在他們移走前過來看的。」

「一定很難看。」

「是不好看。」

「這個咪咪一向獨立作業，沒有皮條客。」

「警方是這麼說。」

「唔，她可能有個警方不知道的皮條客。不過我找了些人談過，她是獨立作業的沒錯，而且就算她眞的認識達非·格林，可也沒人知道。」他在轉角處右彎。「咱們掉頭回我家，怎麼樣？」

「好啊。」

「我來煮些咖啡。你喜歡我上一次煮的咖啡對吧？」

「嗯，很香。」

「呃，我再煮些你嘗嘗。」

□

他家所在的綠角那條街，白天跟晚上差不多一樣安靜。揌鈕一按，車庫門立刻升起。他再一按，門便落下。我們踏出車外，走進房子。「我想活動活動筋骨，」他說：「舉個重。你要不要也試試？」

「好幾年沒試了。」

「重溫舊夢如何？」

「我只看就好。」

我名叫馬修，光聽就好。只看就好。

「我馬上過來。」他說。

他走進一個房間，出來時穿著條猩紅色的運動短褲，手裡拿件有頭套的絨縫袍子。我們走到他的私人健身房，他舉舉重，跑步機和脚踏機也跑跑踩踩的，搞了差不多十五、二十分鐘。他運動時汗浸的皮膚閃閃發亮，結實的肌肉在皮下鼓動。

「現在我要洗十分鐘的三溫暖，」他說：「你剛才癱著沒動，實在沒資格加入，不過我們今天可以爲你開個特例。」

「不，謝了。」

「那在樓下等好嗎?比較舒服。」

他洗三溫暖和沖澡的時候，我靜靜等著。我仔細研究他的一些非洲雕塑，隨手翻閱幾本雜誌。算算差不多時，他也出來了：穿條淺藍色牛仔褲，海軍藍套頭毛衣和繩編拖鞋。他問我是否準備好要喝咖啡，我說我已經準備好半小時了。

「一會兒就好，」他說。他到廚房燒起咖啡，然後走回來一屁股坐在皮製吊床上。他說：

「想知道一件事嗎？本人實在是個很爛的皮條客。」

「我倒覺得你挺有格調的。內斂、有修養、有尊嚴。」

「我本來有六個女孩，現在只剩三個，而且瑪莉露很快也要走了。」

「你這麼認爲？」

「我知道。她只是進這個圈子玩玩的，老兄。曉得我怎麼把她帶進來的？」

「她跟我提過。」

「剛開始接客時，她得告訴自己她是記者，在跑新聞，在蒐集資料。後來慢慢她才肯承認自己已經掉進火坑。現在她又發現幾件事情。」

「譬如什麼？」

「譬如你有可能被殺，或者自殺。譬如在你死了以後，會有十二個人參加你的葬禮。來捧桑妮場的實在不多，是吧？」

「是少了點。」

「這話沒人能否認。知道嗎？想要的話，我可以找人把那個天殺的房間塞得滿滿的三倍都不止。」

「也許吧。」

「不是也許，絕對可以。」他站起來，兩手揷在背後，踱起方步。「我眞的考慮過。我可以包下他們最大的套房，塞滿人。城北那些人，皮條客和妓女，還有拳擊場的忠實觀衆。可以跟她大樓那些人提提，搞不好她有些鄰居會想參加。不過問題是，我不希望太多人來。」

「噢。」

「完全是爲女孩們辦的，她們四個。我籌備的時候，根本不知道只剩三個。後來我又想到，狗屎，就我跟四個女孩。到時候恐怕太寒酸，所以我又跟其他幾個人講了。巴斯孔能來，眞夠朋友的，不是嗎？」

「嗯。」

「我去拿咖啡。」

他捧了兩個杯子回來。我啜一口，點頭稱許。

「待會兒你帶幾磅回家。」

「上次跟你講過，我拿回旅館房間也沒法煮。」

「那你就送你女朋友好了，讓她幫你煮全世界最棒的咖啡。」

「謝了。」

「你只喝咖啡對吧?滴酒不沾?」

「這陣子啦。」

「那你以前喝囉？」

而且以後也許還會再喝，我暗想。但不是今天。

「跟我一樣，」他說：「我不喝酒，不嗑藥，亂性的事全不幹。以前可什麼都來。」

「爲什麼戒的？」

「跟形象不合。」

「什麼形象？皮條客形象？」

「藝術品行家，」他說：「收藏家。」

「非洲藝術你怎麼會懂那麼多？」

「自學成功的啊，」他說：「我抓到什麼就讀，到處找經紀商聊天，而且我對這類東西有感覺。」他想到什麼笑了起來，「很久以前我上過大學。」

「在哪裡？」

「長島的合夫斯塔大學。我在長島的漢斯德長大。我生於貝佛鎮，但我家人在我兩、三歲時另買房子搬了家。我連貝佛長什麼樣子都不記得。」他已經回到吊床，往後斜靠，兩手抱膝保持平衡。「中產階級住家，有草坪可以修剪，葉子可以清掃，車道可以鏟雪。街頭粗話俚語我都能朗朗上口，不過大部分只是裝的。我們不算有錢，但也算小康之家，而且還有錢送我上合夫斯塔大學。」

「你念什麼呢？」

「主修藝術史，不過非洲藝術我在那兒可連邊都沒摸到。只曉得布拉克和畢卡索這些公子哥兒從非洲面具得到很多靈感，就像印象主義那夥人掀起一股日本版畫瘋。不過我從越南回來以前，可從沒見過非洲雕塑。」

「你什麼時候去那兒的？」

「念完大三以後。你知道，我老爸死了。我本來要念還是可以念完的，不過——不曉得，我一股精力無從發洩，決定退了學打仗去。」他的頭後仰，眼睛闔上。「在那兒嗑了不知道多少藥。我們啥玩意都有，大麻煙捲、印度大麻、迷幻藥。我喜歡，我最喜歡海洛因。那兒做法很不一樣，是把海洛因捲成一根根煙來抽的。」

「從沒聽過。」

「呃，那樣很浪費，」他說：「不過反正在越南太便宜了。那些國家種鴉片，便宜得要命。海小姐拿來當煙抽可眞是會爽死人。我收到我媽死的消息時，正是嗑藥嗑得恍恍惚惚。她的壓力一向很大，你知道，她是中風死的。我因爲吸了毒整個人飄飄然的，接到消息什麼感覺也沒有，你知道？等藥效退了我又恢復正常，不過我感覺還是痲痲的。第一回有感覺是今天下午，坐那兒聽個雇來的牧師對著個死妓女念愛默森。」他直起腰看著我。「我坐那兒，想爲我媽大哭一場，」他說：「但我沒有。我看我永遠沒法做到。」

他打斷這氣氛，起身爲我倆再添咖啡。回坐時他說：「不知道爲什麼會選你傾訴，像跟心理醫生一樣吧，我想。你拿了我的錢，現在你就非聽不可。」

「都包括在服務範圍裡。你怎麼會想到拉皮條的？」

「像我這樣一個乖寶寶怎麼會混進這一行的？」他咯咯笑道，然後板起臉一本正經的想了會兒。「我有這麼個朋友，」他說：「是白人，家鄉在伊利諾州的橡樹園。離芝加哥不遠。」

「我聽過那兒。」

「我誆過他，說我是貧民窟來的，壞事做盡，你知道？然後他一命嗚呼，死得很蠢。我們離前線還遠得很，他只是喝醉酒，給一輛吉普輾過去。他死了，我也不再編那些故事，然後我媽死了，我知道返鄉後我不可能再回學校。」

他走到窗前。「家鄉我還有這麼個女孩，」他說，背對著我，「有那麼一點點什麼，所以我常到她那兒，吸吸大麻，閒晃閒聊。我會給她錢，然後，你知道，我發現她拿了我的錢給她男友，而在下我還傻乎乎的做夢要娶這女人，把她變成什麼賢妻良母哩。我倒也沒眞要付諸行動，不過我是在考慮沒錯，誰曉得她是蕩婦。不知道我爲什麼會以爲她是什麼正經女人，不過男人有時候就那麼傻，你知道。

「我想過要殺她，不過呸呸，還是算了，我還沒那麼氣呢。我怎麼做？我開始戒煙，戒酒，所有亂性的玩意兒全戒了。」

「就那麼簡單？」

「就那麼簡單。然後我問自己：好吧，以後你想幹嘛？我的將來就這麼慢慢成形了，你知道，這兒幾筆，那兒幾筆。在越南我一直是個乖不隆咚的小士兵。等一回國，我馬上披掛上陣，開始營業。」

「你就這麼邊做邊學？」

「呸，我是一炮而紅。給自己取了錢斯這個名字，名片上印了一堆資歷，樹立我特有的風格，其他的事全都不請自來。拉皮條要學太容易了，關鍵只在權力這上頭。你只要擺出一副天下非你莫屬的模樣，女人自然會送上門請你掌權。就這麼回事，簡單之至。」

「你難道不需要戴頂紫帽子？」

「如果想走捷徑，打扮成典型的皮條客當然是個好辦法。不過要是你拒演樣板戲的話，她們會認為你很特別。」

「你特別嗎？」

「我對她們一向公平。從來不欺負她們，不威脅她們。琴想脫身，我怎麼說？請她隨意，祝她一路順風。」

「大慈大悲的觀音皮條客。」

「你別一副開玩笑的樣子。我可是眞的關心她們。而且老兄，我對將來還編了不少美夢，眞的。」

「你現在還是。」

他搖搖頭「不，」他說：「美夢已溜走了。我的一切都要溜走了，可是我什麼辦法也沒有。」

31

我們上車，離開這經過改裝的消防站。我坐後座，錢斯戴頂司機帽開車。他在幾條街外停下，把帽子放回前座置物箱，我則加入他坐到前座。下班的車潮此時已差不多散盡，我們一路往曼哈頓疾駛，比先前沉默許多。我們此刻有點距離，彷彿是因爲方才的談話超過我倆預期的貼心限度。

櫃台沒有留話。我上樓換了衣服，正要出門又折回頭，從梳妝台拿出我的點三二手槍。帶把我好像沒法開火的手槍有必要嗎？好像沒有，但我還是把它擺進口袋。

我下樓買份報紙，然後也沒多想就繞過轉角，到阿姆斯壯酒吧找張桌子坐下。我那張角落的老桌子。崔娜走過來，說聲好久不見，我點了個起司漢堡、一小碟沙拉，以及咖啡。

她朝廚房走去以後，我腦裡突的閃過馬丁尼的影像，盛在高脚杯裡透心涼的。我可以看得很清楚，我可以聞到杜松子的味道，還有檸檬一擠的強烈芳香。我可以感覺到黃湯下肚全身飄起的舒暢。

耶穌啊，我想道。

喝酒的欲望走得跟來得一樣快。我看八成是反射作用，是對阿姆斯壯酒吧氣氛的自然反應。我以前在這兒長期灌了不知道多少酒，上回狂飲以後被判出局，之後就連門檻也沒踏進過。我會想到喝酒是天經地義的事，不過這可不表示我眞得叫一杯。

我吃完晚餐，續杯咖啡。看完報紙，付了帳，留下小費。然後就到了該去聖保羅教堂的時間。

□

見證詞是「美國夢」的酒鬼版。演講者是來自麻州沃徹斯特的貧家小孩，半工半讀上完大學，一路爬升到一家電視公司的副總裁職位，然後酗酒毀掉自己打出的一片江山。他一路掉下來，淪落到在洛杉磯的倍辛廣場灌酒度日，後來他加入匿名戒酒協會，生活才又恢復原樣。如果我有辦法專心聽講的話，必能大大受益。只是我的思緒不斷岔開。我想到桑妮的葬禮，想到錢斯講過的話，我發現自己的念頭不斷在這案子上打轉，一心要理出個頭緒。

去他的，東西全在那兒。我只是看的方法不對。

討論時間，我趁輪到我發言以前離開。今晚我連名字都不想報上。我走回旅館，努力克制一股想進阿姆斯壯酒吧小坐的強烈欲望。

我打給德肯，他不在。我沒留名便掛上電話，然後打到珍的住處。沒人接。嗯，她可能還在聚會。而且散會後，她習慣去喝咖啡，也許要過十一點後才能到家。

我本來可以等到聚會結束，然後偕人同飲咖啡。說來我現在還是可以加入他們。他們光顧的柯伯小店其實不遠。

我考慮一下還是算了，其實並不眞的想去。

我拿起一本書，看不下。把書扔了，脫下衣服，走進浴室，打開蓮蓬頭。可是老天，我哪需要沖澡？我早上才沖過，而我一整天做過最費力的事就是看錢斯舉重。我他媽的還去沖澡幹嘛？

我把水關掉，穿上衣服。

耶穌基督，我覺得自己像是籠中困獸。我拿起話筒。本想打給錢斯，但你不能直接打給那婊子養的，你得先打到他的服務處，然後等他回電，我現在可沒這心情。我打給珍，她仍然不在，然後我打給德肯。這回也沒找到他，我再一次決定還是不留話。

搞不好他在第十大道那家店，和幾個條子喝酒解悶。我考慮要上那兒找他，然後我突然悟到：我想找的不是德肯，我想找的只是個堂皇的藉口，可以讓我光明正大的跨過酒肆大門，把脚擱在銅欄杆上。

他們的吧台恐怕連銅欄杆都沒有吧？我閉上眼，想回憶那地方的長相，然後一忽兒一切全都回來了：濺出的酒味，還有走味的啤酒跟尿騷味，那種竭誠歡迎你回家的陰濕的酒館氣味。

如果我去德肯的地盤，我準定喝酒。如果我去頂尖小店、寶莉酒吧，或者阿姆斯壯酒吧的話，我也難逃一喝。如果我待在我房間的話，我準定發瘋，而如果我瘋得厲害的話，我會逃開那四面牆，然後我會幹出什麼事？我會上酒吧，不管哪一家，然後喝酒。

我逼自己待在房間。我已經捱過第八天，沒有理由捱不過第九天。我坐在那兒，不時看看手錶，有時候整整一分鐘過去我都沒有看錶。最後終於等到十一點，我便下樓，招輛計程車。

□

三十街和萊辛頓大道交口的摩拉維亞教堂每天午夜都有聚會。大門在會前一個鐘頭打開。我到那兒找張椅子坐下，咖啡準備好時我斟了一杯。

我沒注意聽人見證或者討論。我只是坐在那裡，讓自己感覺安全。房裡有很多新近決定革面洗心的同志，很多人日子非常難過。要不他們這個時間跑來幹嘛？另有些人還沒開始戒酒，其中一個給趕出會場，但其他人都沒惹麻煩。只是一屋子想再捱過一個鐘頭的可憐人。

時間到了，我幫忙摺起椅子，清掉煙灰缸。旁邊一個摺椅人自我介紹說他叫凱文，問我戒了多久。我告訴他這是我的第九天。

「了不起，」他說：「繼續來啊。」

他們說話千篇一律。

我走出門，跟輛駛過的計程車打個手勢，但等他掉過頭開始煞車的時候，我又改變主意，揮手要他離開。他開走時輪胎嘎吱作響。

我不想回我房間。

所以我便朝北穿過七條街到琴的大樓，唬過那兒的門房，逕自進入她的公寓。我知道裡頭有一整櫥酒，但我臨危不亂。上回我得把「野火雞」倒進水槽才安心，這回可沒這需要。

我到臥室翻遍她的珠寶，也沒眞在找那綠戒指。我拿起她的象牙手鐲，解下釦鉤，套到手腕上試試大小。太小了。我從廚房取些紙巾，小心翼翼的把手鐲包好，放進口袋。

也許珍會喜歡。我好幾次想像她戴上它的模樣——在她那間閣樓、在葬禮上。

如果她不喜歡，不戴就是了。

我拿起話筒，電話還沒切掉。我看這只是遲早的事，就像這公寓遲早得清乾淨，琴的東西也得移走。不過目前一切如常，彷彿她只是出門未歸。

我沒撥號便掛上電話。三點左右，我脫下衣服，躺在她床上睡覺。我沒更換床單，感覺上，她的味道仍然隱約可聞，彷彿她的人也與我同處一室。

我並未因此輾轉難眠，倒頭就呼呼大睡。

□

醒來時，我渾身冷汗，深信不疑我在夢中破了這案，只是忘了答案。我沖個澡，穿上衣服，離開那裡。

我旅館有好幾個留言，全是瑪莉露·巴可打的。前一天晚上我走後不久她就打過來，另外幾通是當天早上。

我打過去時她說：「我找你好久，本想打到你女朋友那兒，只是想不起她姓什麼。」

「她的電話沒登記。」而且我不在哪兒，我想著，只是沒講。

「我要找錢斯，」她繼續說：「我想到你也許知道他人在哪兒。」

「昨晚七點左右我們就分手了。什麼事？」

「硬是聯絡不上他。我知道的唯一辦法就是打到他的服務處——」

「我也一樣。」

「哦，我以為你可能有個特殊號碼。」

「只有服務處的。」

「我打過那兒。他一向會回電的，我已經留了天知道多少口信，可是他一直沒回。」

「以前有過這樣嗎？」

「沒這麼久過。我昨天下午開始找他。幾點哪，十一點吧？到現在已經超過十七個鐘頭了。他不會隔那麼久都不打到他服務處查問的。」

我回想我們在他家裡的談話。我們在一起的那段時間，他有沒有查詢他的服務處呢？我想沒有。

以往我們在一起的時候，他每半個鐘頭都會聯絡一次。

「而且不只是我，」她在說：「他也沒打給法蘭。我問過她，她也在找他，但他卻一直沒回。」

「唐娜呢？」

「她在我這兒。我們都不想獨處。喔，還有露比，我不知道露比在哪兒，她的電話沒人接。」

「她在舊金山。」

「她在哪兒？」

我大概跟她解釋一下，然後聽她轉告唐娜。「唐娜引述葉慈的詩，」她告訴我，「『事事分崩離析，中心不再凝聚。』她引的詩我總算也能聽懂一句。」

「我看看我能不能找到錢斯。」

「找到的話打給我？」

「當然。」

「唐娜打算待在我這兒，而且我們目前暫停接客，也不應門。我已經告訴門房不要讓人上來。」

「很好。」

「我邀法蘭到我這兒，可是她不肯。她聽來嗑了很多藥。我想再打個電話給她，這回不邀她，我要命令她立刻過來。」

「好主意。」

「唐娜說三隻小豬躲在磚房裡，等著野狼下煙囪。我希望她還是只講葉慈就好。」

□

我打到他的電話服務處。白搭。他們很樂意爲我傳話，但不肯透露錢斯這一、兩天是否聯絡過他們。「我想他馬上就會來電，」一個女人告訴我，「你的留話我一定轉達。」

我打到布魯克林詢問處，取得他綠角那房子的號碼。

我撥了號，讓它響了十二下。我沒忘記他說過他已把電話裡的鐵鈴響板拿掉，只是覺得值得一試。

我打到帕克班奈，非洲和大洋洲的藝術品與工藝品預定從兩點開始拍賣。

我沖個澡，刮個臉，吃個麵包捲，喝杯咖啡，然後看報。《郵報》想個法子把旅館開膛手留在頭版，但頗爲牽強。布朗克斯區貝佛公園一帶，有個男人拿把菜刀連刺他太太三下，然後報警自首。這類新聞通常最多只値報屁股的兩小段空間，但郵報把它擺在頭版，配上聳動的大字標題：「此兄靈感是否來自旅館開膛手？」

我去參加十二點半的聚會，兩點過後幾分抵達帕克班奈。拍賣場不是原先展示拍賣品的房間，必須買張價値五元的拍賣目錄才能入座。我表示我只不過想找個朋友，說著便放眼巡視房間。錢斯不在裡頭。

除非買下目錄，要不服務人員就不許我在那兒徘徊張望。想想和他爭執倒不如買了省事，我只好掏出五塊。結果名字給登記上去，也拿到個喊價號碼。我不想登記，我不想要喊價號碼，我不想要那他媽的目錄。

我在那兒坐了差不多兩個鐘頭，拍賣品一個接一個在鐵鎚聲下完成交易。到兩點半時，我差不多已經確定他不會出現，但我還是待在原位，因爲我想不出有啥好事可做。拍賣過程我不太注意，每隔幾分鐘就環顧四處，尋找錢斯。班寧王國的青銅像在三點四十分搬上台喊價，最後以六萬五千塊賣出，只比預估價略高一些。這是整個拍賣的高潮，不少人在青銅售出後立刻離開。我知道他不會來，但仍多待了幾分鐘，只是想理出我多日來一直想理出的頭緒。

我覺得自己好像已經拿到所有的拼板，現在只剩如何拼湊的問題。

琴。琴的戒指和琴的貂皮短外套。Cojones。Maricón。毛巾。警告。卡得龍。咪咪·布魯。

我起身離開。穿過大廳時，一張擺滿過去拍賣目錄的桌子攫住我的視線。我拿起一份這年春天珠寶拍賣的目錄，信手翻閱，但一無所獲。我把它擺回原位，然後問大廳服務員，畫廊是否有全職的珠寶專家。「可以找希桂特先生。」他說，然後告訴我該去哪個房間，該走哪個方向。

希桂特先生坐的桌子一無雜物，彷彿他已在那兒坐了一天，專爲等我前去請教。我報上名字，告訴他我想知道一只翡翠的大概估價。他問我是否能看實物，我表示沒帶在身上。

「得帶來才行，」他解釋道：「寶石的價值得根據很多變數判斷：大小、切割、顏色、亮度——」

我把手揷進口袋，碰到點三二手槍，撈出那片綠色玻璃。「大概這麼大。」我說。他擎起珠寶鑑定師的專用強度放大鏡，框到一隻眼睛上，從我手裡接過玻璃。他看一看，全身忽地一僵，然後便小心翼翼的把他另一隻眼睛定在我身上。

「這不是翡翠。」他謹愼的說，好像在跟個小孩講話——或是瘋子。

「我曉得，這是片玻璃。」

「對。」

「我講的是那翡翠的大概尺寸。我是私家偵探，想知道一枚我看過、但目前行蹤不明的戒指約莫値多少錢。」

「噢，」他說，然後舒口氣。「我剛剛還以爲——」

「我知道你以爲什麼。」

他把放大鏡從眼睛拿下，擺在書桌他的正前方。「坐上我這位子，」他說：「你就得任由大衆擺佈。到我這兒的有哪些人，你一定不敢相信：他們給我看的東西，他們問的問題。」

「我可以想像。」

「不，你不能。」他拿起那片綠玻璃，對著它搖搖頭。「我還是沒法兒告訴你價錢，尺寸只是幾個決定因素之一。另外還得看顏色，看透明度，以及亮度。你眞的確定那石頭是翡翠？

你試過它的硬度嗎？」

「沒有。」

「那它有可能只是透明玻璃，就像你給我看的，呃，這個寶物一樣。」

「就我所知，這是玻璃，但我想知道萬一它是翡翠的話，能值多少錢。」

「我想我懂你的意思。」他對著那片玻璃直皺眉頭，「你得了解我是儘可能避免說出任何數字。你要曉得，就算那石頭眞是翡翠，它價格的上下限差距也可能很大：或許價值連城，或許一文不值。譬如說，它有可能瑕疵太大；也或許它原本就只是品質粗賤的石頭而已。有些郵購公司眞的是論克拉賣翡翠，價格非常可笑，一克拉四、五十塊；不過就品質來看，他們索價不算便宜。而那些都是如假包換的翡翠——雖然從寶石的觀點來看，它們實在不值一文。」

「原來如此。」

「就算翡翠本身有寶石品質，價格的懸殊也可能很大。像這樣大小的石頭——」他掂掂手中玻璃的重量「——你大概花個兩千塊就可以買到。而且那還算是好石頭，可絕不是從北卡羅萊納西部來的工業級數金剛砂。話說回來，最高品質的石頭——顏色一流，亮度完美，毫無瑕疵，秘魯的還不行，得是最棒的哥倫比亞翡翠——索價可以高達四萬、五萬，或者六萬美金。不過那也只是估價，不很精確。」

他又講下去，但我已心不在焉。他並沒有眞的跟我說什麼，沒有另外添塊新的拼板，但他可眞是幫我把盒子好好的搖了一下。現在我可以看到每片拼板該擺的位置。

我離開時，把那片綠玻璃一起帶走。

32

當晚大約十點半，我走進又走出西七十二街的普根酒吧。約莫一小時前開始飄起細雨。街上的人大多撐著雨傘。我沒有，但我有頂帽子；我停在人行道上，戴正帽子，調整帽簷。我看到對街停著一輛黑貂轎車，引擎沒有熄火。

我往左轉，走到頂尖小店。我瞥見丹尼男孩坐在後頭一張桌子，但還是走向吧台，指名找他。我講話八成非常大聲，因爲不少人都側目看我。酒保指著後面，我才朝裡走去。

他已經有人作陪。和他同桌的是個苗條的狐面女郎，頭髮跟他一樣白，但她的白，大自然可不敢誇口邀功。她的眉毛給拔得很厲害，前額發亮。丹尼男孩介紹說她叫布萊娜(Bryna)。「跟agnina(心絞痛)押韻，」他說：「當然也別忘了vagina(陰道)。」她笑起來，露出細小尖利的犬齒。

我拉出一把椅子重重坐下。我說：「丹尼男孩，傳話出去吧。琴・達科能男友的事我全知道了。我知道誰殺了她，也知道她爲什麼被殺。」

「馬修，你沒事吧？」

「我很好，」我說：「你知道我爲什麼千方百計的四處打聽，都問不出琴男友的事？因爲他不是行動派，原因就這麼簡單。不上俱樂部、不賭博、不四處閒蕩。沒有人脈。」

「你喝了酒，馬修？」

「你幹嘛，西班牙宗教大審哪？你管我有沒有喝酒？」（譯註：一四七八年在西班牙展開的天主教大審判，因其對被控爲異教徒者嚴刑逼供而惡名昭彰）

「只是納悶啊。你聲量好大，怪怪的。」

「呃，我是想跟你講琴的事情，」我說：「講她男友。知道嗎？他在珠寶界，不是很有錢，但也餓不死。日子過得去就是。」

「布萊娜，」他說：「到化妝間去補個妝吧。」

「噢，她不用避開，」我告訴他，「我看她的妝都還好好的嘛。」

「馬修——」

「我現在跟你講的已經不是什麼秘密，丹尼男孩。」

「好，隨你。」

「這個珠寶商，」我繼續說：「依我看，他本來只是琴的嫖客，不過後來事情有了變化。不知怎麼的，他愛上了她。」

「這種事情不是沒有。」

「沒錯。總之，他掉進愛河。在這同時，有人聯絡上他。他們有些貴重珠寶沒經過海關，也沒有所有權書。翡翠。哥倫比亞翡翠，上好的品質。」

「馬修，請你告訴我，你他媽的跟我講這些幹嘛？」

「這故事引人入勝啊。」

「你不只是跟我講，你在跟這一屋子的人講。你到底知不知道你在幹嘛？」

我看著他。

「好吧，」他頓一下後說：「布萊娜小親親，注意聽著囉。咱們這瘋子想談翡翠。」

「琴的男友要當中間人，負責幫忙把翡翠走私進來的大頭銷貨。這種事他以前也幹過，賺了些外快。不過他現在愛上了個昂貴的女士，有個好理由要大撈一筆。所以他耍了個詐。」

「什麼詐？」

「不知道。也許他把有些寶石掉了包，也許他偷藏了一些，也許他決定吞掉整批貨逃之夭夭。他一定跟琴提過什麼，要不琴也不會告訴錢斯她想退出。她不想繼續在火坑裡打滾。如果讓我猜的話，我會說，他掉了包，然後跑到國外銷贓去。他走時，琴擺脫掉錢斯，等他回來後就是『從此過著幸福快樂的日子』的童話結局了。可是他一直沒有回來。」

「如果他一直沒有回來，殺她的又是誰？」

「他出賣的那些人。他們設計把她引到星河旅館那個房間。她可能以為她能在那兒跟他會面。她當時已經決定不再賣肉，不可能上旅館去見嫖客。事實上，她本來就不愛出門做生意。不過咱們假設她接到一通電話，對方自稱是個朋友，說她男友不敢到她住所，因為他懷疑有人跟蹤，所以只好請她到旅館會他？」

「於是她就去了。」

「她當然去了。她打扮得漂漂亮亮，穿戴上他給她的禮物，貂皮外套跟翡翠戒指。外套不是上好的貨色，因爲那人也沒幾個錢，沒辦法爲她一擲千金，不過他可以給她上好的翡翠，因爲翡翠不花他一毛錢。他幹這行，他可以拿塊走私的寶石找人鑲成戒指送她。」

「所以她就送上門給宰了。」

「沒錯。」

丹尼男孩喝了幾口伏特加，「爲什麼？你認爲他們是爲了那枚戒指殺她？」

「不。他們是爲殺而殺。」

「爲什麼？」

「因爲他們是哥倫比亞人，」我說：「他們就是來這套。他們如果逮著理由要斃了誰，他們會全家一起幹掉。」

「老天爺。」

「也許他們覺得這樣可以殺雞儆猴，」我說：「我看多了，這種例子常常上報，尤其在邁阿密。他們往往血洗全家，就因爲那次毒品交易某甲耍了某乙。哥倫比亞是個小富國，他們有最好的咖啡、最好的大麻、最好的古柯鹼。」

「以及最好的翡翠？」

「沒錯，琴的珠寶界男友沒結婚。我本以為他結婚了，所以才打聽不到他半點消息，其實他還是單身。也許他在愛上琴以前從沒談過戀愛。總之他沒有家累，沒太太，沒小孩，父母也都過世。你想毀了他全家，你會怎麼做？宰了他女友。」

布萊娜的臉刷的變得跟她頭髮一樣白。她不喜歡聽到女友被殺的故事。

「凶手的手法滿職業化的，」我繼續說：「因為他特別注意不能留下證據，我們一點痕跡也找不到。不過不知怎的他決定亂砍亂剁，而不是拿支滅音槍迅速發幾顆子彈了事。也許他對妓女有偏見，也許他對全世界的女人都不滿。不管原因何在，琴是被他殺得慘不忍睹。

「事後他清洗乾淨，把開山刀和髒毛巾打包好，然後離開那裡。他留下貂皮外套還有皮包的錢，但卻拿走戒指。」

「因為戒指身價不凡？」

「有可能。目前沒有鐵證說戒指一定值錢，搞不好那只是切割過的玻璃，是她買給自己的也不一定。不過也有可能眞是翡翠，而且就算不是，凶手或許並不知道。死人身上的幾百塊錢不拿，表示你不搶死人，這是一回事；擺個可能值上五萬塊的翡翠不碰，可又是另一碼子事了——尤其如果那翡翠本來就是你的。」

「我懂。」

「星河旅館的櫃台人員是哥倫比亞人，一個叫做奧大維·卡得龍的年輕小夥子。也許這只是巧合，咱們城裡現在多的是哥倫比亞人。也許凶手選星河是因為他認識在那兒工作的什麼人。不過這不重要。卡得龍可能認出那個凶手，或者至少他知道那人來頭，不敢張揚。等警察第二次上門找他談話，卡得龍就不見了。也許是凶手的朋友要他消失，也許是卡得龍自己決定要避個風頭。譬如說，回老家卡達黑納，要不就是搬到皇后區別處的出租公寓去。」

要不也許是給宰了，我心想。那也有可能。不過我懷疑。這批敗類要殺人的話，會把屍體丟在光天化日下供人欣賞。

「另外還有個妓女遇害。」

「桑妮・韓德瑞，」我說：「她是自殺。也許是琴的死引發的，所以或許殺琴的人得對桑妮的死負點責任。不過她是自殺死的沒錯。」

「我講的是那個流鶯。」

「咪咪・布魯。」

「就是她。她又爲什麼被殺？好把你引上歧路？問題是你本來就沒摸對路。」

「是沒有。」

「那原因何在？你認爲凶手殺了頭一個以後，發了狂？他裡頭有個什麼給引爆起來，讓他想再幹一票？」

「我想那是部分原因，」我說：「除非喜歡頭一次，沒有人會狠到連下兩次那種毒手。我不知道他跟兩個受害者有沒有性行爲，不過他從殺人得到的樂趣絕對跟性有關。」

「所以他殺咪咪只是爲了滿足他的性變態？」

布萊娜臉色又開始泛白。聽說有人因爲交錯男友被殺已經夠糟了，聽到有個女人莫名其妙給送進地府那可更糟糕。

「不對，」我說：「咪咪被殺有個特殊原因。凶手要找的是她，而且在找到以前，對其他很多流鶯都不屑一顧。咪咪是家人。」

「家人？誰的家人？」

「那男友的。」

「他有兩個甜心，這個珠寶商？一個應召女郎和一個變性流鶯？」

「咪咪不是他的甜心，咪咪是他弟弟。」

「咪咪——」

「咪咪·布魯原本叫馬克·布勞斯坦。馬克有個哥哥叫亞得安，在珠寶界混飯吃。亞得安·布勞斯坦有個叫做琴的女友，還有一些從哥倫比亞來的合夥人。」

「搞半天咪咪跟琴還眞有關係。」

「他們非得有關係不可。我敢說他們從來沒有碰過面。我看馬克和亞得安近年來大概也沒聯絡過，因爲凶手可是花了不少時間才找到咪咪。當初我就曉得兩人應該可以連得上，我早先還跟人講過他們骨子裡是姊妹。這話雖不中，亦不遠矣。兩人差點成了姑嫂。」

他沉吟一下，然後要布萊娜給我們一點時間獨處。這回我沒插手。她離開座位後，丹尼男孩跟女服務生打個手勢。他自己點了杯伏特加，然後問我想要什麼。

「現在還不要。」我說。

她捧著伏特加過來以後，他細細啜了一口，把杯子放下。「你去找過警察。」他說。

「沒找警察。」

「為什麼？」

「還沒時間去。」

「你得先來這裡。」

「沒錯。」

「我是可以守口如瓶，馬修，不過布萊娜可沒辦法。她認為腦子裡堆了太多沒說的話，會把頭骨炸掉，所以她不可能冒險。再說，你講話音量大得半個屋子人都可以聽得清清楚楚。」

「我知道。」

「我想也是。你打的是什麼主意？」

「我要凶手知道我知道什麼。」

「這消息保證傳得很快。」

「我要你幫忙傳話，丹尼男孩。我就要離開這兒，我打算走回我旅館，也許先到阿姆斯壯酒吧坐個個把鐘頭。然後我會繞過轉角，回我房間。」

「你想找死啊，馬修。」

「這個狗雜種只殺女人。」我說。

「咪咪只是半個女人，也許他正在朝男人邁進。」

「也許。」

「你要他對你採取行動。」

「看來如此，不是嗎？」

「照我看你是瘋了，馬修。你一到這兒，我就想擋住你，想讓你冷靜下來。」

「我知道。」

「現在可能已經太遲了。不管我傳不傳話。」

「早就太遲了。我來這兒之前，先去了城北。你知道羅伊·華登？」

「當然，我認得羅伊。」

「我跟他談過。據說羅伊跟一些哥倫比亞來的人做過點小生意。」

「他是會，」丹尼男孩說：「他幹的那行需要。」

「所以他們可能已經知道了。不過你還是可以傳個話，比較保險。」

「保險，」他說：「壽險的相反是什麼？」

「不知道。」

「死亡險。搞不好他們現在就等在外頭，馬修。」

「可能。」

「你打個電話報警怎麼樣？他們會派輛車來，把你載到別處錄口供。這批雜種拿了納稅人的錢，也該做點事情了。」

「我要那個凶手，」我說：「我要和他一對一幹上。」

「你又不是拉丁種，哪來的這股蠻勁兒？」

「你傳話就好，丹尼男孩。」

「再坐一會兒。」他上身前傾，聲音壓低，「你可不想空手走出這兒吧？再坐一會兒就好，我拿樣東西給你。」

「我不用手槍。」

「不，當然不用囉。有誰用得著呢？你可以拿走他的開山刀，要他當場吞下，然後打斷他兩腿，把他扔在巷子裡自生自滅。」

「好主意。」

「拜託讓我拿把槍給你好嗎？」他直視我的眼睛。「你已經有一把了，」他說：「在身上，現在。對不對？」

「我向來不需要手槍。」我說。

□

當時也不需要。走出頂尖小店時，我把手揷進口袋，摸著那把點三二的槍托和槍管。誰需要它？這樣一把小槍根本就沒多大威力。

尤其是你又沒法強迫自己扣下扳機。

我走到外頭。還在下雨，但雨勢並沒有增大。我壓壓帽簷，仔細環顧四周。

水星轎車停在對街。我認出它是因爲它縐摺的擋泥板。我站著沒動，那車的駕駛開始發動引擎。水星已經掉了頭，朝我開來。綠燈亮了，我走到對街。

我槍握在手裡，手揷在口袋裡。我的食指擱在扳機上。我還記得前不久扳機在我指底顫動的感覺。

那時我也是在這條街上。

我繼續往市中心走去。我幾次越過肩膀朝後看，水星車一直跟在我後頭保持不到一個街區的距離。

我神經一直綳得死緊，而到了以前我拔過槍的路段時我尤其緊張。我忍不住頻頻回顧，等著看輛車子斜向朝我衝來。有一回聽到煞車嘎吱的聲響，我不由自主打個旋，這才發現那聲音起碼是兩個街區以外傳來的。

神經過敏。

我走過我曾經倒在人行道上翻滾的地點。我查看當初酒瓶摔破的地方。那兒還有一些玻璃碎片，不過我不能確定是不是同樣的碎片。每天都有很多打碎的酒瓶。

我繼續一路走向阿姆斯壯酒吧。到了以後，我走進門，點份胡桃派和咖啡。我右手還是揷在口袋裡，四下環顧一遭，一個人也沒漏掉。吃完派後，我右手揷回口袋，左手拿起杯子啜飮咖啡。

一會之後，我又叫杯咖啡。

電話鈴響。崔娜去接，然後走向吧台。那兒坐了個粗壯的傢伙，髮色暗金。她跟他說了什麼，他便走向電話。他談了幾分鐘，四處張望一下，走到我這桌來。他兩手都在我能看到的地方。

他說：「史卡德？我叫喬治・萊納，我想我們沒見過。」他拉出一張椅子坐下。「剛剛是喬，」他說：「外頭沒啥動靜，啥都沒有。他們全在水星車裡孵蛋，另外還有兩個神槍手等在對街二樓的窗口。」

「很好。」

「我在這裡頭，前頭桌子還坐了兩個。我看你才進門就認出我們了。」

「我認出他們，」我說：「我本來在想，你不是警察就是凶手。」

「耶穌基督，我有那麼可怕嗎？這地方不錯，你沒事就到這兒晃蕩吧？」

「沒以前那麼常來。」

「這兒挺舒服的。可惜今天只能喝咖啡，改天非來這兒喝酒不可。今晚他們咖啡銷路特好，有你跟我，還有前頭那兩個。」

「咖啡很香。」

「是啊，不壞。比我們在局裡喝的好多了。」他拿打火機點上香煙，「喬說其他地方也沒動靜。市中心你女朋友那兒有兩個在把關，另外幾個在東區保護那三個妓女。」他露齒而笑。

「我們只能想到這些人，還有其他的話就沒法度了。」

「嗯。」

「你打算在這兒待多久？喬猜說那傢伙要不就是已經準備出擊，要不就是打算今晚按兵不動。我們可以掩護你從這兒走回旅館的每一步路，當然我們沒法保證不會有狙擊手從樓頂或者高窗開火。我們早先巡查過樓頂，不過這種事很難講。」

「我看他不會遠距離動手。」

「那我們就沒什麼好擔心的，而且你也穿了防彈背心。」

「嗯。」

「會有幫助。當然，背心有網孔，可能防不住刀刺，不過我們不可能讓他靠你太近。照我們想，如果他在外頭，他會在這兒和你旅館的門口之間採取行動。」

「我也這麼想。」

「打算什麼時候上陣？」

「再過幾分鐘，」我說：「乾脆把這咖啡喝完。」

「聽著，」他起身說：「去他的，好好喝個夠吧。」

他回到他吧台的位子。我喝完咖啡，站起來，走進洗手間。我在那兒檢查我的點三二，確定擊鎚底下有一輪子彈，另外還有三輪備用。原本可以跟德肯再要兩個彈藥筒，裝進空槍膛裡。如果眞開口的話，他八成會給我一把火力更強的大槍。不過他連我帶了點三二手槍都不知道，而且我也不想告訴他。照我們的安排，我根本不必動槍，凶手會自投羅網。

只是事情發展不在我們控制之下。

我付了帳，留下小費。不會成的，我可以感覺到。那婊子養的不在外頭。

我跨出門。雨勢稍弱。我看看那輛水星，瞥一眼對街大樓，暗暗納悶警方的狙擊手到底藏身何處。無所謂。反正今晚他們不會有事做的。我們的獵物沒有上鉤。

我走向五十七街，盡量靠近路沿——以防萬一，他也許躲在那個陰暗的門廊下。我慢步前行，希望我猜得沒錯：他不會從遠距離動手。因爲防彈背心不是萬無一失，而且也擋不了頭部中槍。

不過不要緊。他不在那兒。媽的，我知道他不在那兒。

話雖如此，我踏進旅館時，呼吸確實是自然許多。我或許有點失望，但也悄悄舒了口氣。大廳有三個便衣警察，他們馬上跟我點頭招呼。我和他們站沒多久，就看到德肯單獨進來。他摟了摟他們其中一人，然後朝我走來。

「我們聯手出擊。」他說。

「看來是如此。」

「媽的，」他說：「我們沒留什麼漏洞。也許他看出苗頭不對——怎麼看的我就不知了。要不也許他昨天就飛回他奶奶的波哥大去了，搞半天咱們白費力氣，他老兄已經不在美國。」

「有可能。」

「反正你可以呼呼大睡——要是你還沒緊張到無法放鬆的話。喝他幾杯，昏睡個八小時不要醒。」

「好主意。」

「我們的人會整晚守著大廳。旅館一直沒有訪客，沒有人登記住宿。我也打算在這樓下過夜。」

「你覺得有這必要？」

「我覺得反正無傷。」

「悉聽尊便。」

「我們是盡力而爲，馬修。要是我們可以把那人渣引出來的話，一切就沒白費，因爲天知道，要在咱們這城裡揪出翡翠走私犯有多難——全憑運氣。」

「我知道。」

「我們遲早會逮到那隻魔頭，你知道的。」

「當然。」

「呃，」他說，很不自然的換個重心站。「呃，聽著。想辦法睡個覺，嗯？」

「遵命。」

我搭電梯上樓。他不在南美，我想著。媽的我太清楚他不在南美。他還在紐約，而且他還會殺人，因爲他喜歡。

也許他早就幹過。也許殺琴是他頭一回發現這滋味不錯，所以才會用同樣手法再幹一次，而且下一回他連藉口都不需要。只要有個受害者、有個旅館房間，還有他忠心耿耿的開山刀。

喝他幾杯，德肯提議說。

我連一杯都不想喝。

十天，我想著。只要保持清醒上床，你就滿了十天。

我把槍抽出口袋，放在梳妝台上。我另一個口袋還擺著象牙手鐲，我也拿出來，擱在手槍旁邊，那上頭還包著從琴廚房取來的紙巾。我換下長褲和夾克，掛進壁櫥，然後脫掉襯衫。防彈背心要脫很麻煩，穿在身上很累贅，我認識的警察對它都沒啥好感。不過話說回來，大家全想活命。

我把這玩意兒除掉，披在梳妝台上槍和手鐲的旁邊。防彈背心不只笨重，而且很熱，搞得我汗流浹背，內衣腋窩處漬出兩個暗圈。我脫下內衣內褲和短襪，有個什麼喀啦一響，我心一驚；浴室門飛開時，我正好扭頭望去。

他滑越過門，塊頭很大，橄欖色皮膚，狂野的眼睛。他跟我一樣全身赤裸，手中握把開山刀，一呎長的利刃閃閃發光。

我拿背心擲向他。他揮起長刃，一刀甩了它。我一把抓起梳妝台上的手槍，閃過他的攻擊。白刃往下劈來，沒擊中。他的手臂再度舉起，我往他胸膛連開四槍。

33

LL線的地鐵起站在第八大道，沿著十四街穿過曼哈頓，然後往北九拐十八彎的開到卡納西。地鐵過河後，在布魯克林的第一站是貝佛大道和北區第七街的交口。我在那兒下車，一路摸索著找他房子。花了我好一陣子，拐錯幾次彎，不過那天是個散步天，太陽高照，萬里無雲，空氣裡有幾絲難得的暖意。

車庫右邊有個無窗大門，我摁摁鈴，可是沒人應門，裡頭也聽不到有鈴在響。他不是說過什麼切斷電鈴嗎？我又猛摁一次，還是沒聲音。

門上裝個銅環，我用它敲門。沒有反應。我兩手環成杯狀大聲叫：「錢斯，開門哪！是史卡德。」然後大力捶門——門環跟手統統用到。

門看來摸來都很厚實。我試著用肩去頂，結論是不太可能蠻力撞開。我可以破窗而入，但綠角這一帶的居民有的會聞聲報警，或者親自拿槍過來一探究竟。

我又使力敲幾下門。馬達發動，絞盤開始擎起電動的車庫大門。

「這邊走，」他說：「別把我的爛門拆掉。」

我經由車庫進去後，他摁個鈕把門放下。「我的前門開不了，」他說：「以前我沒讓你看過嗎？那門全用鐵條封起來了。」

「失火了看你怎麼辦。」

「那我可以跳窗出去。不過有誰聽過消防站失火？」

他的穿著跟我上回看到他時一樣：淺藍色牛仔褲和海軍藍套頭毛衣。「你忘了你的咖啡，」他說：「或者是我忘了給你。前天，記得嗎？你本來要拿幾磅回去的。」

「沒錯，我忘了。」

「給你女友，漂亮的女人。我燒了些咖啡，你要一杯吧？」

「謝了。」

我跟他走進廚房。我說：「要找你可眞難。」

「噯，我這兩天與世隔絕。」

「我知道。這兩天你有沒有聽新聞？或者看報紙？」

「沒有。咖啡你啥都不加，對吧？」

「對。已經結案了，錢斯。」他看著我，「我們逮到那傢伙。」

「那傢伙，凶手？」

「對。我想總該過來跟你講一聲。」

「唔，」他說：「我應該會有興趣。」

□

整件事情我跟他詳細說了一遍。現在講起這事我比較習慣了。此時已近黃昏，從當天凌晨兩點多我在佩德羅·安東尼奧·馬蓋斯身上連發四槍以後，這事我已不知講過多少遍。

「原來是你宰了他的，」錢斯說：「有何感想？」

「現在說還嫌太早。」

我知道德肯有何感想，他樂昏頭了。「這批人渣死了，」他這麼說過：「你就知道他們不會三年以後又出來作怪。這回這個可眞是他媽的衣冠禽獸，嗜血成性，禍害無窮。」

「是同一個人？」錢斯想知道。「毫無疑問？」

「毫無疑問。保哈頓汽車旅館的經理指認沒錯。警方也核對過兩個指紋，一個是保哈頓採的樣、一個是星河，都跟他的指紋相符。他們甚至還在柄刃相接的地方找到細微的血跡，血型跟琴還是咪咪的相符，我忘了是哪個。」

「他怎麼進你旅館的？」

「直接穿過大廳，搭電梯上去。」

「你不是說他們把那地方都包圍起來了嗎？」

「沒錯。他就從他們面前走過去，到櫃台拿他鑰匙，回他房間。」

「有這麼簡單？」

「再簡單不過，」我說：「他前一天登記住宿——以防萬一，開始準備工作。等他聽到風聲說我在找他，他就回到旅館，先上他房間，然後進我房間。我那旅館的鎖好開極了。他脫下衣服，磨利他的開山刀，然後等我回去。」

「差點就成了呢。」

「本來應該成的。他其實可以等在門後，我一進門就把我幹掉。要不他也可以在浴室多待幾分鐘，給我時間上床。但他殺人殺上癮了，所以才把事情搞砸。他想在我們兩個都光著屁股的時候把我解決，這才會等在浴室，可是他又沒法等我上床，因爲他太過興奮，按捺不住。當然，如果手邊沒那把槍的話，我絕對難逃一死。」

「他不可能完全自己來。」

「殺人部分他是自己來沒錯。翡翠走私他可能另有同夥。警方要找他們，可能會有斬獲，可能沒有。可是就算有，他們也沒法眞的提出訴訟。」

他點點頭，「那個哥哥呢？琴的男友，那引發這一連串事故的主角？」

「他還沒露面，也許死了。要不也許還在逃命，他還可以活到他的哥倫比亞朋友找到他爲止。」

「他們非找到他不可？」

「可能。他們有這種名聲。」

「另外那個旅館櫃台人員呢？他叫什麼名字，卡得龍？」

「沒錯。呃，如果他窩在皇后區什麼地方的話，他應該已經從報上看到這消息。搞不好可以要回他的老工作。」

他開始咕嚕不知說些什麼，然後改變主意，拿起我倆的杯子到廚房再添咖啡。他捧著杯子回來，把我的遞給我。

「你熬了夜。」他說。

「整晚。」

「完全沒睡？」

「還沒有。」

「我哪，我偶爾在這椅子打個瞌睡，不過我一上床就睡不著，連躺那兒都不行。我得做做運動，洗個三溫暖，沖個澡，再喝些咖啡，再坐一會兒。重複又重複。」

「你沒再跟你服務處聯絡。」

「我沒再跟我服務處聯絡。我沒再出門。我好像有吃東西，從冰箱拿了吃的，也不知道肚裡塞進什麼。琴死了，桑妮死了，咪咪死了，搞不好她哥哥也死了，還有那個叫什麼的也死了。你殺的那個，想不起他名字。」

「馬蓋斯。」

「馬蓋斯死了，卡得龍不見蹤影，露比在舊金山。問題是錢斯在哪兒，就這答案我不知道。我看這行我已經混不下去。」

「女孩都還好。」

「你才說過。」

「瑪莉露不打算再接客。她很高興有過這個經驗，說是學了很多，不過她已經準備好要開始新里程。」

「嗯，果然讓我料中。葬禮完我不就跟你提過？」

我點點頭，「還有唐娜說她大概可以拿到基金會補助，也可以靠巡迴朗讀和成立寫作工作坊賺錢。她說她現在面臨重大危機：賣肉已經開始影響她詩的創作。」

「她挺有才華的，唐娜。要是她寫詩眞能闖點名氣就好了。你說她能拿到補助？」

「她說她有這個機會。」

他掀掀嘴角，「你話還沒有講完吧？小法蘭才剛剛拿到好萊塢的合約，就要當下一個歌蒂韓。」

「也許以後吧，」我說：「至於現在，她只想住在格林威治村，繼續吸她的大麻，招待華爾街來的大爺們。」

「搞半天我還有法蘭。」

「不錯。」

他一直在踱方步，這會兒又落坐到吊床上。「再找五、六個也難不倒我，」他說：「你不知道這有多容易，不費吹灰之力。」

「你以前說過。」

「這話不假，老兄。這種女人到處都是，就等著人家告訴她該他媽的怎麼過活。我現在出門，不出一個禮拜，準定就可以搞上一長龍女人聽我使喚。」他悲傷的搖搖頭，「只除了一件事。」

「什麼事？」

「我沒這心情搞了。」他又站起來，「啐，我可是上選的皮條客！而且又做得稱心。我這生活全靠自己剪裁縫製，貼身得就像自個兒的皮膚。結果你知道怎麼著？」

「怎麼著？」

「我長大了，衣服不合穿了。」

「難免的事。」

「來個拉丁髒鬼大開殺戒，我就想關門大吉。你知道嗎？這是遲早的事，對不對？」

「嗯，遲早的事。」就像我會離開警方——不管我那顆子彈有沒有打中艾提塔·里維拉。

「生活說變就變，」我說：「咱們也只能順應自然。」

「我下一步該怎麼辦？」

「隨你喜歡啊。」

「譬如呢？」

「你可以回去念書。」

他笑起來，「還念藝術史？呸，才不幹呢。乖乖坐在教室裡？以前我就消受不了啦，所以才逃到操他的軍隊打仗去。你知道我前兩個晚上想到什麼嗎？」

「什麼？」

「我打算把所有的面具集中起來，倒些汽油，點上火柴一把燒掉。然後跟北歐海盜一樣，把所有的財寶埋到地下，永遠不見天日。不過這念頭我倒也沒轉很久。說眞格的，我是可以把家當統統賣掉。房子，藝術品，車子。我看賣來的錢應該夠用好一陣子。」

「可能。」

「不過我能做什麼呢？」

「當交易商如何？」

「你瘋了啊，老弟？我搞毒品交易？我連皮條都不想拉哩，而且拉皮條還比賣毒品乾淨多了。」

「不是說毒品。」

「那你說什麼？」

「非洲來的玩意兒。你好像買了不少，而且我看品質頂好。」

「本人從來不收集垃圾。」

「閣下提過了。你能不能用這些現成的先開業試試？還有，這行你懂得夠不夠多，能進去嗎？」

他皺眉想想，「這個我是有考慮過。」他說。

「然後呢？」

「有很多我不知道的，但我知道的也不少，再說我對那玩意兒有感覺，這可是教室跟書本裡學不到的。不過，啊呸，想當交易商還得有別的條件。得有那味道，那格調。」

「錢斯不就是你一手創造出來的嗎？」

「然後呢？喔，我懂你意思了。我可以如法炮製，再創造出個黑鬼藝術商。」

「不能嗎？」

「當然可以。」他又想了一下。「也許能成，」他說：「我得仔細研究研究。」

「你有時間啊。」

「時間多得很。」他深深看著我，棕色的眼裡閃著金點。「我不知道當初雇你調查是爲什麼，」他說：「天地良心我眞的不知道。是不是想擺個姿態還是怎麼的，超級皮條客立意爲旗下妓女討回公道。早知道結果——」

「咱們也許救了幾條命呢，」我說：「這樣說你好過點吧？」

「沒救到琴或桑妮或咪咪。」

「琴那時已經死了。桑妮是自殺的，那是她的選擇，而咪咪原本就列在馬蓋斯的黑名單上。如果我沒插手的話，他肯定會濫殺下去。警察遲早能逮到他沒錯，不過在那之前，不知道多少女人要做他的刀下鬼。他已經幹上癮了，不可能說停就停。他拿開山刀從浴室出來時，下頭漲得老大。」

「你說正經的？」

「錯不了。」

「他挺著老二衝向你？」

「呃，我比較怕的是開山刀。」

「嗯欸，」他說：「我懂你意思。」

□

他想給我獎金。我告訴他沒這必要，說是一分錢，一分力，他給的已經夠多了。但他堅持要給，而每次有人堅持給錢時，我都很少爭執。我告訴他我從琴的公寓拿走象牙手鐲。他笑笑說他都忘了還有手鐲，要我儘管拿去，希望我的女友喜歡，就算是我獎金的一部分，他說，外加一些現金和兩磅他的特製咖啡。

「另外如果你喜歡這咖啡的話，」他說：「我可以告訴你上哪兒去買。」

他開車送我回城。我本想搭地鐵，但他說他反正得去曼哈頓一趟，和瑪莉露、唐娜、法蘭談談，安撫她們的情緒。「趁車子還在的時候好好開個過癮，」他說：「搞不好得賣了籌錢開業，說不定房子也要賣。」他搖搖頭，「老天在上，我可真捨不得搬開這裡。」

「跟政府申請創業貸款。」

「你在尋我開心？」

「你是少數民族，有些機構就等著你這種人借錢。」

「乖乖，好個建議。」他說。

車停在我旅館前方，他說：「那個哥倫比亞混蛋，我還是想不起他名字。」

「佩德羅·馬蓋斯。」

「就是他。他在你旅館登記住宿用的也是這名字？」

「不，這是他身分證上寫的。」

「不出我所料。他用過C. O. Jones和M. A. Ricone當假名。我在想，他爲你用的是什麼髒話。」

「他登記的是史塔魯道先生(Mr. Starudo)，」我說：「Thomas Edward Starudo。」

「T.E. Starudo？這名字拼在一起就是Testarudo？這在西班牙文裡是髒話嗎？」

「不是髒話，不過的確有個意思。」

「什麼意思？」

「固執，」我說：「固執或者驢子脾氣。」

「喔，」他說，掌不住要笑。「吆呸，咱們可不能怪他用上這名字，你說是嗎？」

34

回到房間，我把那兩磅咖啡擺到梳妝台上，然後探頭看看浴室，確定裡頭沒人。我自覺很蠢，就像老處女探頭檢查床底一樣，但我知道我還得過一陣子才能恢復正常。再說我也不再攜帶槍械了。當然，點三二已經被警方沒收；而官方說法則是：德肯爲了確保我的安全拿槍給我。他連我哪來的槍都沒問一聲。他不在乎，我想。

我坐上椅子，看著馬蓋斯倒地的位置。他有些血跡還留在地毯裡，而他們在屍身周遭畫的粉筆痕跡也沒完全除去。

我在想我是不是還能在這房裡入睡。要換房間絕對不成問題，但我住這兒好幾年了，已經非常習慣。錢斯說過它和我頗爲搭調，我想我同意。

殺了他我有何感覺？

我仔細想想，結論是感覺很好。那狗雜種的事我其實並不清楚。了解就能原諒，有人說，而也許我知道了他的一切，我就會了解他爲何嗜血。不過我不需要原諒他。那是上帝的工作，不是我的。

那扳機我結果還眞扣下了。而且沒出意外，沒有反彈，子彈沒有發狂。四槍，全部打中胸膛。偵探幹得好，誘餌幹得好，終場的射擊射得好。

不壞。

□

我走出旅館，繞過轉角。我走向阿姆斯壯酒吧，瞄瞄櫥窗，繼續走向五十八街，繞過轉角，經過幾家店面。我一脚踏進法瑞小店，走向吧台。

沒什麼人。點唱機在放音樂，是男中音配上弦樂。

「雙份『早年時光』，」我說：「外加一杯水。」

我站在那裡，沒眞在想什麼，此時鬍子酒保在爲我倒酒，另附一杯酒後清水。我把一張十元鈔票擱在吧台上，他找零給我。

我看著那酒。光線在豐盈的琥珀汁液裡跳舞。我伸手觸杯，心裡有個輕柔的聲音在哼著「歡迎回家」。

我縮回手，把酒留在吧台，從我那堆零錢抽出一毛銅板。我走向電話，丟進銅板，撥了珍的號碼。

沒人接。

很好，我想道。我已經遵守諾言。當然，我可能撥錯號碼，或者電話公司可能有啥失誤。

這種事情不是沒有聽過。

我把銅板丟回投幣孔，再撥一次。我讓它響了十二下。

沒人接。

我已盡到責任。我拿回銅板，回到吧台。我的零錢還堆在那裡，兩個杯子也還立在原處。波本跟水。

我想著，爲什麼？

這案子已經了結，解決，可以放手了。凶手永遠不可能再度出擊。我做了很多正確的事情，對自己在辦案過程中的表現非常滿意。我不緊張，不焦慮，不沮喪。我很好啊，看在老天的份上。

而現在吧台上，我的正前方，卻擺著杯雙份波本威士忌。我不想喝酒，我連念頭都沒動過，而我面前卻擺著酒，而我也打算一飲而盡。

爲什麼？我他媽的到底是哪裡不對？

如果喝下這杯該死的酒，我就算不死，也得送醫急救。也許要一天，一個禮拜，或者一個月，反正該來的一定會來。我知道。而我並不想死，也不想住院，但我現在卻坐在酒吧，面前擺著一杯酒。

因爲——

因爲什麼？

因爲——

我把酒留在吧台。我把零錢留在酒吧。我走出那裡。

□

八點半時，我踩著地下室的樓梯，踏進聖保羅教堂的會議室。我拿杯咖啡和一些餅乾，找個位置坐下。

我暗想，你差點喝了。你十一天滴酒不沾，然後走進一家你沒理由進去的酒吧，點了一杯你沒半點理由要喝的波本。你差點舉杯，你就差那麼一點，你辛辛苦苦好不容易捱了十一天卻差點前功盡棄。你他媽的到底是哪裡不對？

主席致詞後，介紹今天的演講者。我坐在那裡，努力想聽他的故事，但我做不到。我的腦子不斷回到那杯惱人的波本。我並不想喝，我連那念頭都沒動過，但我卻像鐵屑一樣被它的磁力深深吸住。

我想著：我的名字叫馬修，我看我就要發瘋。

演講人已在收尾。我加入衆人鼓掌。中場休息我走進洗手間，不是因爲需要，只是想避開和人談話。我回到會場，又拿一杯我不需要也不想要的咖啡。我考慮放下咖啡，回我旅館。媽的，我已經兩天一夜沒有休息，不好好睡個覺，跑到這個我本來就沒法專心聽講的聚會幹嘛？

我捧著咖啡，回到我的座椅坐下。

討論時間我坐著沒動。旁人講的話像波波浪潮一樣流走。我只是坐在那裡，一個字也聽不到。

輪到我發言了。

「我的名字叫馬修，」我說，然後頓一下，從頭來過。「我的名字叫馬修，」我說：「我是酒鬼。」

然後最媽媽的事情發生了。我開始哭起來。

紀念版後記

我開始寫馬修・史卡德的故事，是在一九七三年底。我其他的小說系列都是無心插柳的——一開始只打算寫單本書（或者像「殺手凱勒」系列，原先只是個短篇故事），然後一連串的因緣巧合，才發展成系列作。不過史卡德系列不同，在我寫第一本書的第一章之前，就已經打算要發展成一系列了。我先寫了一份提案，然後戴爾出版公司（Dell）的總編輯比爾・葛羅斯（Bill Grose）同意了，我就陸續寫出前三本書（《父之罪》、《謀殺與創造之時》、《在死亡之中》）。

這三本書在一九七五～六年出版了，但當時在戴爾出版新小說的時機並不好。儘管這三本書的書評不錯，《謀殺與創造之時》還獲得一九七八年愛倫坡獎的提名，但書的發行狀況不理想，賣得也不好。當時我以為馬修・史卡德就到此為止，但我錯了，而且錯了不只一回。

之後我寫了兩篇史卡德的短篇小說，〈窗外〉（*Out the Window*）和〈給袋婦的一支蠟燭〉（*A Candle for the Bag Lady*），兩篇都發表在《亞佛烈德・希區考克推理雜誌》（*Alfred Hitch-*

cock's Mystery Magazine）上；另外，我又在一九八〇年寫了第四部史卡德小說，《黑暗之刺》。我沒理由認為哪家出版社會願意接手一個失敗的系列，但這是我當時想寫的，於是我就寫了。第一個看到這本書稿的出版社發行人是安伯書屋（Arbor House）公司的唐・范恩（Don Fine），他把這本書以精裝本形式出版（戴爾版都是直接出平裝本），結果在讀書俱樂部的銷售成績不錯，又授權了平裝本，同時還有幾篇很正面的書評。馬修・史卡德復出成功了。

□

但他開始改變了。

這是我在一九七三年始料未及的。當時我以為，如同類型小說裡絕大部分的人物，不管寫幾本，史卡德基本上都會保持不變。他不會老去，也不會改變日常行為模式。他在阿姆斯壯酒吧裡靠後方的角落，永遠會有個老位子；他會喝他的不摻水純威士忌或加進咖啡裡，看時間早晚或心情好壞或月亮圓缺而定。老天在上，他幹嘛要改變呢？

我不確定他有太多的選擇。

我並沒有先入為主地認為，主角的變化或成長或老去，就會決定一個系列的品質。系列小說的一大魅力，就在於讀者可以回到一個之前曾愉快探訪過的世界，更深入了解他們喜歡上的各個角色。我寫柏尼・羅登拔「雅賊系列」的時間，大概就跟史卡德系列一樣久，但柏尼從不曾步履蹣跚或增長年紀或更有自覺，而且也沒有必要。

但史卡德，我卻是以另一種層次的現實感來經營的。在寫一本書的時候，如果不讓主角受到前一本裡種種經驗的影響，我就沒法認真寫下去。他必須成長，他必須改變，而且，他必須老去。

從《黑暗之刺》開始，這一點就變得很明顯，這本書的結尾是史卡德首次感覺到他有飲酒的問題。他還走進了匿名戒酒協會的聚會——旋即匆匆出來，去了阿姆斯壯酒吧。

但當時我覺得，他會再回去的。

□

下一本書是《八百萬種死法》，比起前面四本書，這本的篇幅是兩倍。原因是這本書一口氣同時在處理三件事情。

第一件，跟前面四本一樣，是關於調查一樁犯罪的故事。這當然是全書鋪陳的主軸，就跟任何犯罪小說該有的大方向一樣。

但這只是一部分。在試圖解開琴·達科能的謀殺之謎的同時，史卡德也在跟自己瀕臨危機關頭的酗酒問題搏鬥。他努力戒酒、勉強去參加匿名戒酒協會，一直是整本書的主要元素。

最後一件，如同書名所暗示的，這是一部沉思錄，談生活在紐約、以及其他任何地方的險惡本質。

一九八一年，我花了一整個夏天搭灰狗巴士漫遊全國各地，歸來後的那個秋天，我就在寫這本書。當時我住在華盛頓高地的港口大道，不過大部分生活還是以格林威治村為中心——在夏天的巴士之旅前，我就住在這裡。我每天寫作告一段落後，大半都會買一份紐約的《每日新聞報》，然後搭乘往下城方向的A線地鐵。在車上，我仍深深沉浸在史卡德的世界裡，而我所看到的報紙新聞——有關隨機的暴力和猝死——往往就不覺間融入了次日的寫作中。

寫這本書時，我一直很擔心篇幅。顯然對一本犯罪小說來說太長，尤其是第一人稱敘述的偵探故事。但我知道必須讓故事自行發展，我也不想加以設限。另外一定要說明的是，無論是編輯阿諾•厄立克（Arnold Ehrlich）或發行人唐•范恩，都從來沒有針對篇幅表示過憂心。相反地，他們一拿到書稿就趕著編印——那幾年安伯書屋幾乎做任何事都很趕，就像巴頓將軍的部隊，速度快得讓後勤補給趕不上——然後在一九八二年初夏出版，正好就是我寫這篇後記的二十五年前。

老天，這二十五年跑到哪兒去了？

□

《八百萬種死法》在評論界一片叫好，《紐約時報》還登出一篇讚許有加的書評。《時代》周刊派了一名攝影師到我位於布魯克林區綠角的公寓——或許是受到史卡德的客戶錢斯的啟發，我寫完書不久，就搬到了這裡——替我拍照。不過後來照片和書評都沒有登出來過。即使如此，書的銷量還是相當不錯，二刷加印了一小批，還發行了一個讀書俱樂部版本。這本書被提名愛倫坡獎，又提名並贏得夏姆斯獎，同時也讓整個史卡德系列獲得前所未有的矚目。

然後，我以為這個系列結束了。

天曉得我不想結束。我喜歡馬修•史卡德，覺得他迷人的性格和口吻，讓我寫作起來饒富趣味。但對我來說，他的故事好像都已經說完了。

到這時為止，史卡德系列的五本小說都各自獨立，但也可以視為史卡德五部曲的五個部分。而在最後一本，整個故事走到了終點。在結尾中，史卡德歷經了一次心靈的滌淨，這種滌淨通常是一生只有一回——也許在真實人生並非如此，但卻是小說中的通則。馬修•史卡德才剛處理過他人生的核心問題，而且顯然解決了。之後他可能會有人生的重心，否則他也很難過繼續過下去；但他往後的人生，會有讀者想看嗎？更重要的是，我有欲望繼續寫下去嗎？

當時我總告訴大家，史卡德失去了存在的理由。後來我嘗試寫第六本小說，但似乎寫出來的一切都筋疲力盡而失去生氣，太明顯了。

我無計可施。他的故事結束了。

□

好吧，顯然我錯了。從那時開始，我又寫了十一本馬修•史卡德的小說，最近一本是《繁花將盡》。史卡德繼續成長、改變、老去。在第八本書中，由於史卡德和伊蓮•馬岱過去都曾有淵源的一名殺手出現，使得這兩個人重逢，發展出戀情。過了幾本書，他們結了婚，搬到史卡德原居公寓對街的凡登大廈。在這中間，史卡德拿到了私家偵探執照，沒多久又放棄了。

然後，到了現在，我發現自己再一度很確定，史卡德和我緣份已盡。他已經年近七十；儘管身體還很健康，但要出去冒險犯難還是有點嫌老了。他好像準備好要退休了。

然而，以前我犯過錯。以後的事情誰曉得呢。

□

老有人問起那部《八百萬種死法》改編的電影，所以我大概也該談談。大家都看過書，卻老想談電影。誰曉得為什麼？

當初導演奧利佛·史東（Oliver Stone）買下這本書改編電影的優先權，也寫了一兩個模糊的劇本初稿。然後又有其他人接手，但電影遲遲未能完成，最後在一九八九年終於上映，影評不好，票房很差，就這樣。男星傑夫·布里吉（Jeff Bridges）和安迪·賈西亞（Andy Garcia）表現出色，但仍不足以挽救整部電影。而且上頭決策的人後來又開除了導演哈爾·艾許比（Hal Ashby），沒讓他參與最後的剪輯，可是艾許比最厲害的地方就在於剪輯，所以開除他也對電影成績不會有幫助。（這是艾許比最後一部電影，我不知道這部片是不是導致他後來過世的原因之一，但總之也不意外。拍攝期間我見到他，注意到他的喜悅中有一絲憂愁，後來看到電影時，我就完全明白為什麼了。）

電影取材自原著的部分並不多——這是個徹頭徹尾的紐約故事，但很奇怪，電影卻把背景搬到了洛杉磯——不過我從不覺得電影製作者的首要目標是如實在銀幕上呈現作者的版本。我覺得，電影的主要目標只有一個，就是要拍出一部好電影。但是很可惜，這部片子卻沒能做到。

□

在初版過了整整四分之一個世紀後，《八百萬種死法》以漂亮的精裝版重新問世，對我真是莫大的喜悅。安伯書屋的初版如今已經成了搶手的收藏品（「收藏品」的意思，就是表示有人願意以高出真正所值的價錢去買它），就連第二刷和讀書俱樂部的版本都變得很貴了。這個新版本可以滿足收藏者，以及想買本裝訂精緻的永久版放在書架上的熱心人士，填補長期以來的遺憾。

而且各圖書館也可以添購一本曾名列許多犯罪小說經典書單的著作。我很開心，也希望你們喜歡這本書。

——勞倫斯・卜洛克　格林威治村

勞倫斯・卜洛克作品 / 馬修・史卡德系列 1

八百萬種死法 25週年紀念版

Eight Million Ways to Die

作　　者　勞倫斯・卜洛克 Lawrence Block
譯　　者　易萃雯
發 行 人　凃玉雲
封面設計　王小美
出　　版　臉譜出版
發　　行　英屬蓋曼群島商家庭傳媒股份有限公司城邦分公司
台北市民生東路二段 141 號 2 樓
讀者服務專線：02-25007718；02-25007719
服務時間：週一至週五9:30～12:00； 13:30～17:30
24小時傳真服務：02-25001990；02-25001991
讀者服務信箱E-mail：service@readingclub.com.tw
劃撥帳號：19863813 書虫股份有限公司
城邦讀書花園網址： http://www.cite.com.tw
臉譜推理星空網址： http://www.faces.com.tw
城邦讀書花園 www.cite.com.tw

香港發行　城邦（香港）出版集團
香港灣仔軒尼詩道235號3樓
電話：852-25086231／傳真：852-25789337
email：hkcite@biznetvigator.com

馬新發行　城邦（馬、新）出版集團
Cite (M) Sdn. Bhd. (458372 U)
11, Jalan 30D/146, Desa Tasik, Sungai Besi,
57000 Kuala Lumpur, Malaysia
電話：603-90563833／傳真：603-90562833
email：citekl@cite.com.tw

初版一刷　2008 年 5 月 5 日

ISBN 978-986-6739-52-1
定價：360 元 (精裝)

國家圖書館出版品預行編目資料

八百萬種死法／勞倫斯．卜洛克（Lawrence Block）著；易萃雯譯．-- 初版．-- 臺北市：臉譜出版：家庭傳媒城邦分公司發行，2008[民97]
面；　公分．--（勞倫斯·卜洛克 馬修·史卡德系列；1）
譯自：Eight million ways to die
ISBN 978-986-6739-52-1 （精裝）

874.57　　97006805

FOUR STAR
DELI & GROCERY
COLD CUTS · GROCERY · SALADS · BEER · SODA
BUDWEISER SPECIAL SALE
$9.99
ONE WAY
MASS SCHEDULE
SATURDAY
SUNDAY
WEEKDAY
RECONCILIATION
PARISH OFFICE
BREAKFAST · LUNCH · DINNER
COCKTAILS
CHOPS · SEAFOOD
New York Sightseeing
45TH STREET
NING STAR RESTAURANT
9th AV
881
PETA Kills Animals .com
HOME OF THE